Abril descubre el mar y los helados de fresa

DIANA PARDO

Abril descubre el mar y los helados de fresa

TITANIA

Argentina • Chile • Colombia • España
Estados Unidos • México • Perú • Uruguay

1ª. edición Abril 2021

Copyright © 2021 *by* Diana Pardo
All Rights Reserved
© 2021 *by* Ediciones Urano, S.A.U.
Plaza de los Reyes Magos, 8, piso 1.º C y D – 28007 Madrid
www.titania.org
atencion@titania.org

ISBN: 978-84-17421-08-3
E-ISBN: 978-84-18259-69-2
Depósito legal: B-3.325-2021

Fotocomposición: Ediciones Urano, S.A.U.
Impreso por Romanyà Valls, S.A. – Verdaguer, 1 – 08786 Capellades (Barcelona)

Impreso en España – *Printed in Spain*

A mamá y a papá,
por haberme regalado este sorprendente viaje de la vida.

PARTE I
Abril descubre el mar y los helados de fresa

Todo cambia

Me gustaba sentir el peso de Pedro sobre mi cuerpo. Me hacía sentir plena, segura, satisfecha.

Sus movimientos eran rítmicos, estables y muy previsibles.

Como cada martes, hacíamos el amor en cuanto Álex se dormía; era como una actividad planificada en nuestra agenda matrimonial. Mi marido era un amante de las rutinas y, después de dos décadas juntos, yo también. Sin embargo, esa noche, la forma de acabar nuestra relación íntima sufrió un giro inesperado: de repente, Pedro aflojó su presión sobre mis caderas y se acostó a mi lado en la cama.

—Ven aquí... —susurró. Me sentó sobre sus piernas y comenzó a acariciar mi parte más íntima sin quitarme la vista de encima. Sus dedos se perdían en mi interior, presionando todos esos puntos que conocía tan bien.

—Para... —musité sin aliento.

—No quiero parar, me gusta verte así, Abril —afirmó mientras sus caricias me llevaban directa al orgasmo.

Alcancé el clímax convulsionándome sobre sus manos. Cuando pude recuperar el aliento, me guio hasta su erección y lo miré, sorprendida por las novedades que estaban ocurriendo en nuestro dormitorio. Entonces envolví la erección con mis labios hasta llevarlo también al infinito.

—Has estado fantástica, cielo —exclamó exhausto antes de dormirse.

Yo tardé algo más en hacerlo. No era que no me gustase experimentar en la cama con mi marido, pero nunca antes habíamos terminado así, todo era siempre tan... predecible. De todos modos, había estado bien y, oye, ¿quién no quiere avivar un poco la llama de una relación después de tanto tiempo juntos? De hecho, en unas horas estaríamos de aniversario.

Hacía veinte años que nos habíamos visto por primera vez en aquella sala de billar (hoy convertida en un supermercado) mientras ambos celebrábamos nuestros cumpleaños acompañados de amigos.

Pedro y yo habíamos nacido el mismo día del mismo año, el 18 de abril de 1979. Teóricamente, yo era mayor que él, ya que mi madre se había puesto de parto a las cinco de la mañana (dos semanas antes de lo previsto), mientras que él había inhalado su primera bocanada de aire a las cinco de la tarde.

En esos veinte años habían ocurrido acontecimientos muy importantes en mi vida, pero la pérdida inesperada de mi adorado padre y el nacimiento de nuestro querido y único hijo fueron sin duda los más relevantes.

Cuando me despertó la luz del amanecer, Pedro ya no estaba en la cama. El olor a café recién hecho me condujo hasta la cocina.

Estaba muy guapo esa mañana. En el último año, su aspecto físico había cambiado para mejor. Se había tomado al fin en serio lo de practicar deporte dos veces por semana y había eliminado el azúcar y la bollería industrial de su dieta.

Este cambio de actitud había coincidido con un ascenso profesional y ahora Pedro era el delegado regional de una importante compañía de seguros. Durante los años de crisis, habían decidido abrir nuevos mercados al otro lado del charco, así que cada seis semanas se embarcaba en un avión rumbo a Miami, donde permanecía otras dos.

En veinticuatro horas volvería a irse y, cada vez que lo hacía, yo lo echaba muchísimo de menos.

¿Qué podría decir de Pedro como compañero? Lo era todo para mí. Fue, tan solo dos años después de habernos conocido, el faro que me guio cuando mi padre desapareció de mi vida sin previo aviso. Era un compañero fiel con el que compartir el camino de mi vida; sinónimo de seguridad, decisión y buen hacer. Maura, una de mis mejores amigas, decía que nunca podría estar con un hombre como él, ya que para ella era el colmo del aburrimiento. Es cierto que Pedro era muy predecible, pero a mí, eso, en lugar de rechazo, me aportaba calma. Al fin y al cabo, era el hombre con el que había decidido compartir mi vida y también al que había elegido como padre de mi hijo.

—Buenos días, cielo. Hay zumo de naranja recién hecho en la nevera —me dijo él sonriente.

Miré el reloj de la cocina; eran las siete de la mañana.

—¿No es un poco pronto para irte a la oficina? —le pregunté medio dormida.

Sonrió de nuevo.

—La primavera está aquí y voy a incrementar mi reto deportivo a tres días a la semana.

—Ah, muy bien... Hay que ver la fuerza de voluntad que tienes, madrugar para hacer ejercicio —comenté frotándome los ojos mientras me acercaba a la nevera.

—Ya sabes, nos acercamos a los cuarenta y hay que tomarse en serio lo de la salud.

Estaba asintiendo, cuando vi un paquete de regalo sobre la encimera.

—Puedes abrirlo, es para ti.

Lo miré intrigada.

—En unas horas será nuestro aniversario y no estaré aquí para celebrarlo contigo, así que he decidido adelantarme a la fecha —me comunicó mientras me besaba en la frente dispuesto a irse.

—¿No esperas a que lo abra?

—No puedo, ya llego tarde y, además, quiero que te tomes tu tiempo en verlo. Creo que esta vez te voy a sorprender. Nos vemos para cenar, dale un achuchón a nuestro tesoro cuando se despierte.

Lo vi salir por la puerta comiendo un plátano y con su bolsa de deporte al hombro.

Parecía que la sorpresa había venido a visitarnos en las últimas veinticuatro horas y que mi marido estaba dejando de ser tan predecible. Me gustaba el nuevo Pedro, era sexi y tenía un cuerpazo...

Oí la puerta cerrarse, me serví un café calentito y me llevé el paquete a la cama.

Cuando lo abrí, las predicciones de Pedro se cumplieron. Era un álbum de fotos. La portada era de cuero antiguo, como nuestra relación, que en dos días cumpliría veinte años. Su dedicatoria me sorprendió de nuevo:

Siempre me has dicho que las cosas no ocurren porque sí y quizá tengas razón. De repente, un día te levantas y la vida te ofrece algo nuevo, una ilusión... Estos veinte años a tu lado han sido, como tú dices, un regalo del universo, y por eso he querido recordarte algunos de los maravillosos momentos que hemos tenido la suerte de vivir juntos.

Feliz aniversario.

Pedro.

¡Oh! Eso era... era... inesperado..., romántico, maravilloso.

Pasé las páginas con cautela y ahí estábamos los dos. Un Pedro y una Abril veinte años atrás, con dieciocho años recién cumplidos. La primera fotografía era del día que nos conocimos.

El destino quiso que los dos naciésemos el mismo día del mismo año y que nuestros respectivos amigos decidieran celebrar nuestra fiesta en el mismo lugar. Si eso no era una señal, ¿qué lo era? Yo solía creer en las señales..., él no.

A medida que iba descubriendo las páginas, los recuerdos regresaban a mi mente: nuestro primer viaje juntos, nuestro Erasmus en Lille (mi vía de escape cuando mi padre falleció), nuestra graduación, nuestro primer apartamento, el compromiso, la boda y la llegada de Álex... ¡Qué día tan feliz e importante! Sin duda marcó un antes y un después en nuestras vidas. Las lágrimas comenzaban a caer por mis mejillas de la emoción.

—Mamiiii...

—Hola, mi amor, ven aquí.

Mi pequeño apareció de la nada en el marco de la puerta de nuestra habitación. Estaba medio dormido. Miré el reloj despertador. Aún podía descansar media horita más, así que abrí el edredón y él se acurrucó pegadito a mí. Lo que más le gustaba a Álex, como a cualquier niño de su edad, era acostarse en la cama de mami y papi.

Lo abracé. Mi niño lo era todo para nosotros y en apenas unos días cumpliría cinco añitos... Álex, como no podía ser de otra manera, también había nacido en abril.

La crisis de los cuarenta

En unas horas cumpliríamos treinta y ocho primaveras, pero, a pesar de acercarnos a los cuarenta, yo cada día me sentía mejor, ni un pequeño atisbo de crisis. A diferencia de Pedro, apenas había hecho cambios en mi vida ni en mi rutina alimentaria.

Llevaba años asistiendo a clases de yoga dos días a la semana con Maura, mi mejor amiga desde la escuela infantil y hermana adoptiva (a falta de una biológica). Cuando su agenda aérea se lo permitía, nunca nos perdíamos esta cita deportiva. Hacía tres años, se nos había unido al entrenamiento Susana, una mujer brillante a la que habíamos conocido en el instituto y de la que no nos habíamos podido separar desde entonces. A día de hoy, se había convertido en una excelente abogada de familia y estábamos superorgullosas de ella.

—Estás distinta hoy, más distraída. ¿Va todo bien? —me preguntó Maura mientras tomábamos un té antes de entrar a la sesión.

—Sí, es solo que Pedro se irá mañana y coincide con nuestro aniversario... y cumpleaños.

—¿Aniversario? Pero mira que sois pegajosos... ¿Cómo es posible estar toda la vida juntos y seguir celebrando dos aniversarios, el de novios y el de boda? Yo no me acuerdo ni de mi cumpleaños.

—Sí te acuerdas, pero prefieres no hacerlo —le dijo Susana a modo de pulla.

Maura era azafata de vuelo (o tripulante de cabina, como se llamaba ahora). Llevaba ejerciendo esa profesión desde los diecinueve años. Había alcanzado el grado de sobrecargo y solo hacía vuelos transoceánicos, lo que le permitía tener varios días libres encadenados a pesar de tener que cruzar meridianos constantemente. Por supuesto, era la más viajada de las tres. En su casa tenía un mapa que iba coloreando a medida que iba visitando países nuevos. Pocos espacios en blanco le quedaban, la verdad.

Maura era también una apasionada de la adrenalina. Jamás había tenido pareja estable, a excepción de Roberto, un comandante diez años mayor que ella, casado y con hijos, con el que se había acostado durante dos años seguidos. Era la relación más larga que había tenido, y fue un desastre: Maura se enamoró locamente, perdió la cabeza por alguien por primera vez en su vida y estaba dispuesta a todo. Él, por su parte, le ofrecía promesas y visiones de futuro que, por supuesto, nunca se cumplieron. La ruptura llegó cuando él le confesó que su mujer estaba embarazada del que sería su tercer hijo.

En ese momento, a Maura se le rompió el corazón en mil pedazos, que Susi y yo le ayudamos a recomponer, aunque no fue fácil, debido al orgullo de mi buena amiga. Finalmente, Maura solicitó a la compañía un cambio de ruta y no volvieron a verse, a pesar de la insistencia de él.

Ella, desde entonces, disfrutaba de la magia de los primeros meses en una relación y, en cuanto esta se esfumaba para convertirse en algo más serio, perdía el interés y vuelta a empezar. Renegaba del matrimonio y de todo lo que le coartase la libertad, pero era la amiga que todo el mundo querría tener en su vida, de eso no me cabía ninguna duda.

—Esta mañana me ha dado un regalo precioso —les dije—. Un álbum de fotos de nuestros veinte años juntos...

—¡Qué romántico! —opinó Susana.

—Quiero tener otro hijo —solté de golpe.

Maura me miró fijamente.

—¿Quieres que te recuerde el horrible postparto que tuviste y la etapa de más de un año de noches en vela en la que no se te podía decir ni hola?

—¡Ay, Maura! —exclamé riendo—, el cerebro es inteligente y olvida lo malo para quedarse con lo bueno, la esencia, lo importante.

—Solo digo que te lo pienses bien. Álex ya tiene una edad muy buena y has podido recuperar parte de tu tiempo.

—Álex es, de hecho, el principal motivo por el que me gustaría tener otro hijo. Yo soy hija única y siempre soñé con tener un hermano. Quiero concederle este deseo a él. Creo que es el mejor regalo que Pedro y yo podemos hacerle.

—¿Os lo ha pedido? —me preguntó Susana.

—No, la verdad es que nunca lo ha hecho, pero siempre que ve un bebé se acerca a darle un besito —expliqué orgullosa.

—Pues nada, oye. Si lo tenéis tan claro, adelante, ya sabéis lo que hay que hacer. —Susana me guiñó un ojo.

—El caso es que Pedro aún no lo sabe... —Las dos me miraron de repente.

—Se lo diré esta noche, antes de que se vaya, pero seguro que está de acuerdo. Él se lleva fenomenal con su hermano y siempre me cuenta batallitas de la infancia de ambos.

Hubo un silencio.

—Hablando de tener hijos —dijo Susi—, ¿por qué la sociedad es tan cruel con las mujeres y la maternidad? ¿Sabes que si te quedas preñada ahora serás una «madre añosa» a efectos médicos? ¿No se les podría ocurrir un término más despectivo? Cuando me embaracé de los mellizos, tenía treinta y seis años y no paraban de decirlo delante de mis narices. Llegó un punto en el que tuve que amenazar a mi ginecólogo con una demanda de tomo y lomo si me lo seguía diciendo, pero de los padres de las criaturas nunca se dice nada. Hay que joderse.

Susana era una abogada implacable, soltera y sin compromiso conocido. Funcionaria del Estado en la última década, hacía tres años que había decidido ser madre por su cuenta con la ayuda de la ciencia. Sus preciosos *mellis*, como ella los llamaba, tenían ahora dos añitos. Eran el motor de su vida y también su principal fuente de agotamiento. En su trabajo era Susana la abogada, la correcta, la educada; con nosotras, a veces le salía la vena *poligonera* y se desahogaba diciendo palabrotas, desactivando el filtro mental que se imponía en horario laboral y también con su familia.

—Anda, vamos, que llegaremos tarde a clase —avisó Maura con resignación.

El monitor de yoga estaba ya en clase poniendo orden.

—Qué bueno está —susurró Maura—. No me creo que sea *gay*; yo creo que es *bi*, ¿qué opinas?

Miré a Maura y puse los ojos en blanco.

—Deja al pobre chico tranquilo. ¿Cuántos años tiene? ¿Diecinueve?

—Legalmente es mayor de edad, y eso es lo único que me importa —me informó resuelta—, y con respecto a lo tuyo... Si quieres tener otro hijo, me parece fantástico, pero hazlo por ti, porque lo deseas, porque te apetece, no lo hagas por los demás, no suele salir bien.

La hora de la verdad

Llegué a casa y, tras una ducha larga, me senté en mi estudio. Tenía que entregar una traducción en setenta y dos horas y todavía estaba muy verde. Sí, esta era mi profesión: traducir del inglés, francés e italiano al castellano casi cualquier cosa que me encargaran. Lo hacía de forma *freelance* desde que Álex había nacido, pues había sido la única forma de conseguir algo de conciliación. El trabajo de Pedro no se lo permitía y el grueso de nuestra economía dependía de él, así que fui yo quien tomó la decisión, y la verdad era que no me había ido mal.

Era una persona disciplinada y me gustaba mi trabajo, aunque últimamente me sentía inmersa en la rutina porque a mi actividad le faltaba chispa. «¿Cuándo llegará un proyecto interesante?», me preguntaba. «Cuando tú lo busques», me decía mi voz interior («la loca de la casa», como me gustaba llamarla). Ella siempre estaba presente en mi día a día, machacándome y llevándome la contraria. Además, desde que mi padre había muerto, se había hecho más fuerte y autoritaria. Un coñazo de tía, vamos.

Trabajé todo el día hasta las cinco de la tarde, hora en la que tenía que recoger a Álex del cole. La idea de tener un segundo hijo me llevaba rondando desde hacía un año. Álex ya tenía casi cinco años y nosotros, treinta y ocho. Lo que me había dicho Maura en yoga era cierto, con Álex había estado sin dormir más de un año. Tenía muchas lagunas mentales de esa época y era verdad que había estado insoportable, pero ¿es que acaso dormir no es una necesidad básica del ser humano?

Por suerte, esa etapa ya estaba olvidada y ahora mi mente y mi cuerpo me pedían repetir la experiencia de la maternidad. ¿Que por qué no se lo había dicho a Pedro? Pues digamos que no lo habíamos vuelto a hablar en serio; él estaba centrado en su trabajo y en sus viajes al otro lado del charco y hasta ese momento nuestras prioridades habían sido otras.

¿Y si ya no éramos capaces de tener más hijos? Muchos amigos de nuestro círculo lo estaban intentando, pero no lo conseguían. En mi última revisión al ginecólogo le comenté la idea de otro embarazo. Me dijo que, al ser madre, no tenía por qué tenerlo difícil. Parece ser que el aparato reproductor tiene memoria y, si ya lo has puesto a funcionar una vez, la segunda es más fácil. Me recetó las vitaminas preconceptivas que ya llevaba tomando tres meses y me dijo que, si en seis meses no me había quedado embarazada de forma natural, volviese a visitarlo. «Ahora te falta la segunda parte, decírselo al otro cincuenta por ciento», dijo mi voz interior. Esa misma noche hablaría con él, pero estaba convencida de que se alegraría y estaría de acuerdo con ampliar nuestra familia.

Fui en coche a buscar a Álex. A las cinco y media, teníamos que estar en clase de natación, así que lo recogí *ipso facto* y fue comiendo el bocadillo de camino.

Mientras Álex nadaba, yo esperaba en el coche leyendo un libro. No había mucho más adonde ir por allí, pero no me concentraba en la lectura. ¿Y si ya no podía tener más hijos? ¿Y si Pedro no quería tener más hijos? ¿Sería eso un drama? Al menos, ya era mamá, pero estaba muy ilusionada con la idea de volver a serlo.

El sonido de la alarma me alejó de mis pensamientos. Hora de encargarme de mi pequeño. Pedro solía llegar a casa sobre las ocho, pero ese día, de forma imprevisible, lo hizo una hora después.

—Hola, cielo —saludó besándome en la mejilla.

—¡Papi! Mira, ven. ¿Has visto el récord que he hecho en el *Mario tennis*?

—¿De veras? Deja que me cambie, a ver si puedo mejorarlo.

—¡No puedes! ¡No puedes!

Como cada miércoles del año, había *pizza* para cenar (también éramos una familia de rutinas culinarias) y dimos buena cuenta de ella mientras Álex hablaba con su padre sobre sus avances en natación.

—Es hora de irse a la cama —le comentó Pedro al pequeño—. Venga, te acompaño.

Leyeron un cuento juntos hasta que Álex se quedó frito. Yo esperaba a Pedro nerviosa en el salón deseado contarle mi deseo de ampliar la familia.

—Cielo, ¿sabes dónde está mi traje azul marino? —me preguntó asomando la cabeza por la puerta. Me levanté y lo abracé muy fuerte.

—Eh, hola, ¿qué te pasa? Hola... —quiso saber mientras abrazaba mi cintura.

—Me ha encantado el álbum, muchísimas gracias —le dije con lágrimas en los ojos.

—Sabía que te gustaría.

—Yo no tendré tu regalo hasta cuando vuelvas.

—Mmm, creo que podré esperar.

—Cariño, ven, vamos a charlar un ratito —le pedí, cogiendo su mano y llevándolo al sofá. Pedro me miraba desconfiado—. Últimamente trabajas mucho...

—Sí, desde que viajo de forma continua, el trabajo se ha duplicado. ¿Y tú? ¿Qué tal te fue el día?

—Bien, sin novedad. ¿Crees que deberíamos tener otro hijo? —pregunté de sopetón.

Él me miró con el ceño fruncido.

—¿Estás...?

—No, pero quizá debería estarlo. Como decías esta mañana, nos acercamos a los cuarenta y ya no nos queda mucho tiempo, al menos, a mí...

—Cielo, estás estupenda. ¿No me digas que sientes la presión de la edad?

—Solo digo que para Álex sería fantástico tener un hermanito, ¿no crees?

—No sé, Abril, ahora estamos muy bien así, muy cómodos. Ya hemos superado la peor etapa con Álex. ¿Estás dispuesta a pasar noches en vela otra vez?

—¡Qué pesados estáis todos con las noches en vela! —protesté.

—¿Todos? —inquirió él.

—Da igual. Evidentemente, eso es lo que menos me apetece, pero privar a Álex de un hermano... ¿no sería egoísta por nuestra parte? Además, yo soy hija única y pasé la mitad de mi infancia soñando con tener uno.

—La verdad, Abril, no creo que sea un buen momento. Viajo lejos cada seis semanas y tú tendrías que quedarte sola varios días durante el embarazo y también cuando naciera el niño.

—Podríamos contratar a alguien para que nos echase una mano; tú ahora ganas más dinero y...

Pedro decía que no con la cabeza.

—Pensé que tres era el número perfecto. Vamos a tomar perspectiva y madurarlo un poco, ¿vale? Voy a darme una ducha. —Cerró el asunto mientras desaparecía por la puerta del salón.

Pedro se acostó pronto. Yo me quedé en el salón poniendo la excusa de trabajar un rato, pero la verdad era que estaba muy decepcionada con su respuesta. En mi cabeza había imaginado esa escena muchas veces y, desde luego, lo que había ocurrido no se le parecía en nada.

¿Por qué habría reaccionado así? Pedro era un hombre de costumbres al que le gustaba mucho madurar sus decisiones, pero cuando la empresa le había propuesto saltar el charco cada seis semanas no había dudado en decir que sí en menos de veinticuatro horas. Quizá lo había pillado desprevenido; lo cierto era que nunca habíamos hablado en serio de ello y él tampoco me lo había propuesto...

A la mañana siguiente se iría a Estados Unidos y no nos volveríamos a ver hasta después de dos semanas. A lo mejor era el tiempo que necesitaba para masticarlo y ver la parte positiva de ser padres de nuevo.

El trabajo lo estaba cambiando. Estaba más ausente y estresado, pero también más activo. ¿Cuándo había hecho Pedro tanto deporte? Que yo recordara, nunca. Maura decía que era la crisis de los cuarenta, que atacaba más a los hombres y necesitaban sentirse atractivos.

Pedro salió por la puerta a las cinco de la mañana. Como cada vez que se iba, fue al cuarto de Álex a darle un beso y después hizo lo mismo conmigo. Lo esperaban nueve horas de sueño alejándose de nuestro hogar. No podía evitar la nostalgia y la sensación de inseguridad cada vez que se iba. ¿Y si le pasaba algo estando tan lejos? ¿O a nosotros?

Lo que todavía no sabía era que ese viaje marcaría un antes y un después en nuestro matrimonio.

Doce meses después

«Tienes que empezar una nueva vida». «Los cuarenta son los nuevos treinta». «Todavía eres joven». ¿Todavía? Eso, por no hablar de otra de las perlas incendiarias que tenía que escuchar aquellos días, como que el amor de mi vida me estaba esperando en alguna parte y solo tenía que estar receptiva.

¿Receptiva? ¿El amor de mi vida?

Recapitulemos...

Conocí a Pedro el primer año de Universidad, el día que los dos alcanzábamos nuestra mayoría de edad. Durante los veinte años siguientes, soplamos las velas juntos en cada uno de nuestros cumpleaños hasta que, hacía ya nueve meses, él había decidido soplarlas en otra compañía y al otro lado del océano.

Tras nuestra conversación sobre aumentar la familia un año atrás, Pedro ya nunca fue el mismo. Durante las dos semanas que duró ese viaje, yo esperé que, en alguna de nuestras conversaciones telefónicas, me hablara del tema y me comentara sus conclusiones, pero no lo hizo. Cuando regresó a España, se mostró más ausente que nunca y tampoco sucedió nada.

Un mes más tarde, desesperada por su silencio, volví a preguntarle una noche.

—Pedro, sigo pensando que sería buena idea ser padres de nuevo. Hace ya un mes que hablamos del tema y todavía no me has respondido.

Pedro me contestó sin apartar su mirada de la pantalla del ordenador.

—Pero ¿todavía sigues con eso?

Lo miré perpleja. «¿Con eso?».

—Lo siento, Abril, pero ahora mismo mi trabajo me exige cada vez más presencia y no sabría cómo encajar un bebé en mi caótica agenda.

Esto repercutiría también en ti y en tu profesión, ya que tendrías que cargar sola con todo el peso.

—No te reconozco —dije enfadada—. Siempre me hablas de tu infancia con tu hermano, me cuentas vuestros recuerdos juntos. Yo no tengo nada de eso.

—¡Y ahora también va a ser culpa mía! —levantó la voz.

—¡Eso es lo que te pasa! Tu puñetero trabajo. Llegas a casa estresado y lo pagas conmigo y, de paso, también con Álex. ¿Cuánto tiempo hace que no lo vas a buscar al colegio? Si ni siquiera te conocen los profesores de este curso.

—Pues ahí tienes tu respuesta. Imagínate si tuviéramos otro.

—Y ya está, tiene que ser lo que tú digas y punto. Volver a ser padres es una decisión muy importante.

—En la que tenemos que estar los dos de acuerdo y, como ves, no es así...

Lo miré mientras tecleaba con fuerza en su portátil. ¿Cuándo habíamos llegado a este punto? ¿A estar tan lejos el uno del otro a pesar de vivir bajo el mismo techo?

No tenía tiempo para ir a buscar a Álex al colegio, pero sí para acudir al gimnasio tres veces por semana, para cruzar el charco dos semanas cada seis y para asistir a todas esas cenas, galas y eventos de empresa de los que llegaba a horas intempestivas.

A partir de ese momento, nuestra relación comenzó a deteriorarse de tal manera y tan rápido que Pedro, cuando llegaba a casa, leía un cuento con Álex, se encerraba en su despacho y hasta llegaba a dormir allí.

¿Por qué me hacía eso? Me sentía culpable sin haber hecho nada: me castigaba sin su presencia, sin su cariño, sin el amor que tanto necesitaba.

En su siguiente viaje a Estados Unidos, las cosas fueron a peor. Muchas noches, en lugar de llamarme, me enviaba wasaps. Durante esas semanas, me sentí muy triste, pero siempre lo achaqué a la exigencia de su trabajo y pensaba que, en cuanto esa etapa pasase, volvería a recuperar a mi marido. Qué equivocada estaba...

A la vuelta de su segundo viaje, Pedro apareció un día entre semana en casa sin previo aviso para comer conmigo.

—Tenemos que hablar —anunció desde la puerta con las llaves en la mano.

«Tenemos que hablar». Qué frase tan terrible.

Fue justo en ese momento cuando mi vida comenzó a desmoronarse como un edificio explosionado con dinamita.

—La empresa me ha propuesto un nuevo ascenso —me informó muy serio—. Se trata de un buen puesto con posibilidades de hacerme socio de la compañía.

—Suena bien —respondí con desgana.

—Mis ingresos se duplicarían con respecto a lo que gano ahora.

En ese momento, lo miré directamente a los ojos. Sabía que habría una segunda parte, ya que en la vida no hay nada gratuito y todas y cada una de las decisiones que tomamos tienen consecuencias.

—La condición imprescindible es que viva en Estados Unidos y... he aceptado.

Lo miré perpleja.

—¿Has aceptado? ¿Y en qué lugar nos deja a mí y a Álex tu decisión? ¡Yo no quiero irme a vivir a Estados Unidos! —grité.

—Lo sé —admitió cabizbajo—. En un principio, iré yo solo. Tuve que tomar la decisión muy rápido o corría el riesgo de perder la oportunidad.

—¡Claro! Prefieres correr el riesgo de perder a tu familia. ¡Dios mío, Pedro! Pero ¿qué demonios te pasa? No te reconozco. Ya casi no hablas conmigo, no llevas a Álex a ninguna actividad, no hacemos planes en familia. Me haces sentir como... si te hubiera hecho la mayor putada del mundo. Y ahora me dices que te vas a vivir al otro lado del Atlántico, dejándonos aquí, y todo esto lo has decidido tú solito.

—Abril, lo siento —dijo acercándose—. Sé que he estado distante, pero es que las cosas entre nosotros ya no funcionan como antes, ¿no crees?

Me alejé de su lado para poder mirarlo de nuevo a los ojos.

—¿Cómo dices? Pues claro que ya no son como antes, porque nunca estás en casa, nunca duermes conmigo, nunca te ríes conmigo ni te preocupas conmigo, pero no intentes echarme la culpa a mí, porque yo sigo siendo la de siempre y actuando como siempre. ¡Aquí el que ha cambiado de personalidad eres tú! —lo acusé, gritando de nuevo.

—Abril —se dirigió a mí resignado—, creo que nos vendrá muy bien esta separación. Quizá nos ayude a pensar si queremos seguir juntos o continuar nuestro camino por separado.

Si las miradas matasen, Pedro habría caído fulminado en el salón en ese mismo momento.

—¿Me estás diciendo que quieres separarte de mí? Pero ¿por qué? ¿Qué te he hecho? ¡¿Cuántos capítulos me he perdido?! —chillé todavía más.

—Abril, contrólate, vas a tener que hacerlo por Álex.

—¿Álex? ¿Acaso pensaste en él cuando decidiste irte a vivir a nueve horas de avión?

—Las cosas se irán poniendo en orden y haré todo lo posible por venir una vez cada seis semanas. Regreso a Miami mañana y quería hablar contigo sin que Álex estuviera en casa. Esta noche se lo explicaré a él.

¿Al día siguiente? Pero si acababa de llegar, ¡por el amor de Dios! ¿Qué tipo de broma pesada era esa?

En ese momento, Pedro salió por la puerta y no puedo decir cuántas horas me quedé sentada en el sofá en la misma posición. ¿Qué acababa de pasar? Pedro se iba a vivir a Estados Unidos y no quería que lo acompañásemos, pero es que, además, no estaba seguro de que seguir casado conmigo fuera una buena idea.

¿Cómo habíamos llegado a aquel punto del camino? Es cierto que las cosas no iban viento en popa, pero ¿era razón suficiente para romper una relación de veinte años?

Llamé a mi madre y le pedí que fuera a buscar a Álex. Lo siguiente fue llamar a Pedro varias veces seguidas, pero no tuve éxito: su teléfono estaba apagado o fuera de cobertura. Ilocalizable. ¿Hay algo que incremente más la ansiedad que llamar urgentemente por teléfono y que te salte el contestador una y otra vez?

Mi madre llegó con Álex a las ocho.

—Hola, cielo. Qué mala cara tienes, ¿estás bien? —se interesó.

—Creo que estoy pillando la gripe —respondí para no dar más explicaciones.

—Uy, pues ten cuidado, porque dicen que este año toda la gripe viene muy fuerte.

—No te preocupes, mamá.

—¿Quieres que me quede y te ayude con la cena?

—No hace falta. Estoy bien, de verdad.

—Bueno, seguro que Pedro ya no tardará en llegar —comentó ella mirando su reloj.

«Pedro no tardará en irse, mamá, y esta vez es definitivo», pensé para mis adentros.

—Mami, ¿puedo cenar una «búrguer cangrebúrguer»?

Mi pequeño... Estaba tan contento... Qué triste se pondría cuando su padre le diera la noticia. Tenía que darle la vuelta a esta situación, no podía quedarme de brazos cruzados mientras mi marido se iba a vivir lejos sin apenas explicaciones.

Me despedí de mi madre, bañé a Álex y le preparé la cena. Sentí la puerta abrirse antes de lo previsto. Esa noche, Pedro llegaba antes a casa.

—Hola, campeón —saludó mientras lo cogía en brazos y lo besaba.

—Hoy hay «búrguer cangrebúrguer» de cena. Mami las está preparando.

—Mmm, qué ricas... ¿Qué te parece si nos vamos tú y yo al salón mientras mamá termina de hacerlas?

—Vale —aceptó el pequeño.

Escuché cómo Pedro lo ponía al día de su decisión sin que este fuera realmente consciente de las consecuencias que supondría ese cambio para él y, también, para nuestra familia.

Cuando Álex se durmió, me metí en la ducha, fui a nuestro cuarto y me puse la ropa interior más sexi que tenía. Estaba dispuesta a reconquistar a mi marido y a darle la vuelta a esa absurda situación. Al entrar en el cuarto, Pedro estaba terminando de hacer su maleta. Me acerqué por detrás y lo abracé.

—Abril...

—Chsss, calla, no digas nada más, creo que por hoy ya has dicho bastante. —Me abrí la bata para que pudiese ver lo sexi que me había puesto para él.

Me miró de abajo arriba y se dejó caer en la cama, derrotado, ocultando la cabeza entre los brazos.

—Pedro, no te vayas —susurré poniéndome encima de sus cuádriceps— y, si tienes que hacerlo, entonces, vuelve. Somos una familia, necesitamos estar juntos. Álex te necesita y yo también.

Comencé a besarlo por el cuello, agarrando sus manos y llevándolas a mis pechos.

—No puedo, Abril, esta es la oportunidad que siempre he estado esperando, no puedo dejarla pasar... —balbució.

—Pues, si es así, entonces, cuando acabe el curso, tendremos que irnos contigo. No veo otra forma de seguir siendo una familia —musité sin dejar de besarlo.

—Abril... Siempre tan conciliadora... —dijo él aceptando mis besos, mis caricias, mi deseo.

Lo eché hacia atrás en la cama y seguí besándolo mientras desabrochaba uno a uno los botones de su camisa.

Pedro respiraba muy rápido. Sentía su erección: estaba muy caliente. Seguí con mi juego hasta llegar a la cintura de sus pantalones, lo desnudé completamente y me quité las bragas, pero me dejé puesto el sujetador, pues sabía que le gustaba verme con él. Entonces, lo masturbé con mis labios, con mis manos y con mi escote hasta que ya no pudo más.

—Abril... —gruñó.

—Sí, mi amor, estoy aquí, como siempre y para siempre —murmuré mientras le hacía el amor hasta que llegó al clímax.

Cuando expiró el momento de pasión, el ambiente se volvió turbio. Intenté abrazarlo, pero no me dejó.

—Abril, tengo dudas.

—¿Dudas? ¿De mí?

—De nuestra relación. No sé en qué punto estamos.

—Llevamos veinte años juntos, Pedro. Es normal tener dudas, yo también las tengo a veces.

—¿Sí? —Me miró sorprendido.

—Por supuesto, pero si algo tengo claro es que esta familia la hemos construido nosotros y merece la pena luchar por ella, así que, si tengo que cruzar el charco para seguir unidos, así será.

—Abril, es más complicado... He conocido a alguien en mis viajes.

Esa fue la primera bala que recibí esa noche.

—¿Qué? —dije incorporándome en la cama y poniéndome la bata.

—No es nada importante; solo es una ilusión, nada más.

—¿Una *ilusión*? —¡Esa palabra aparecía en la dedicatoria del álbum que me había regalado por el aniversario!—. ¡¿Me has sido infiel?!

—No..., eso no..., pero me siento atraído por otra mujer.

Ese fue el segundo impacto en mi corazón.

—¿Sabes, Abril? Cuando nos conocimos, éramos unos críos y nuestro amor fue adolescente, inocente. Ahora estamos en otra etapa más adulta y no sé explicarlo... Hacía tiempo que no me sentía así.

—Pero ¡eres un cerdo! ¡Y me dices esto después de lo que acabamos de hacer! Joder, Pedro... —Rompí a llorar como una niña—. ¡Vete de esta habitación! —grité.

—Abril, no te pongas así, déjame explicarte —suplicó Pedro intentando acercarse a mí.

—¡No me toques! ¡Vete! Eres un crío descerebrado.

Pedro cogió su maleta y se fue al estudio. Me metí dentro de la cama y lloré toda la noche. Pedro no volvió. A las cinco de la mañana escuché su despertador, el sonido de la ducha, el crujido de la puerta de la habitación de Álex cuando se despidió de él con un beso y el portazo de la puerta principal de nuestra casa, nuestro hogar.

Oscuridad

Los siguientes meses de la huida literal de Pedro fueron de oscuridad, de vivir en piloto automático, de acudir a terapia psicológica dos veces por semana, de antidepresivos y ansiolíticos, de insomnio, de pedir ayuda a mamá en multitud de ocasiones, de enfadarme todavía más con mi padre por habernos dejado tan pronto cuando más lo necesitaba, de lidiar con pataletas y pesadillas nocturnas de mi pequeño Álex, de sentirme muerta en vida, de no tener ganas de nada, de darme de baja laboral y vivir con la ridícula remuneración que le corresponde a un autónomo por no poder trabajar, de escuchar a mi entorno insultar a Pedro una y otra vez, de no entender nada...

Durante ese tiempo, Pedro y yo nos comunicamos por correo electrónico. Él intentó llamarme algunas veces al principio, pero no para arrepentirse o volver conmigo, sino para todo lo contrario. Se le veía muy a gusto con su nueva vida al otro lado del charco. Tampoco en sus correos había pizca de culpa ni ningún guiño para recuperar nuestra familia.

Viajaba a España cada seis semanas y se quedaba diez días. Así era ahora su vida y también la nuestra. Cada vez que Pedro ponía un pie en la península, Álex retrocedía en su pequeño avance de las semanas previas, pues, tras pasar unos días con su padre, cada vez que este regresaba a Estados Unidos, era un auténtico drama. Las pesadillas volvían con más fuerza y las rabietas conmigo eran cada vez mayores. Según la psicóloga infantil, Álex pagaba conmigo su enfado por la ausencia de Pedro, mientras que a él lo idolatraba.

—Los niños y, a veces también los adultos, necesitan encontrar culpables para justificar sus emociones y, en este caso, el blanco de Álex eres tú, Abril.

«Hay que joderse», pensaba yo.

—Pero no te preocupes, los niños crecen y ellos solitos van atando cabos. Tú siempre estarás a su lado —continuó explicándome la psicóloga.

Así que era cuestión de tiempo que mi hijo me perdonase porque su padre hubiese puesto un océano por medio para empezar una nueva vida con otra mujer. Aunque a lo mejor Álex tenía razón y yo había sido la culpable de no saber retener a Pedro. Quizá no tenía que haberme acomodado tanto y haber prestado más atención a las señales que me había enviado el último año, tan preocupado por su aspecto, por su físico, por gustar a los demás.

Yo soñaba cada noche con la familia que un día fuimos y, a pesar de la infidelidad de mi marido, estaba dispuesta a perdonarlo para que volviese. Tenía claro que estaba sufriendo la crisis de los cuarenta y que se había buscado un ligue para volver a sentirse joven.

—Cada vez que me expones ese razonamiento, me dan ganas de darte un par de hostias para ver si espabilas. Pero ¿en qué mundo vives, Abril? Ya han pasado seis meses. Esto no es tan solo una aventura y, aunque así lo fuera, ¿estarías dispuesta a perdonarlo?

—Tú no lo entiendes, Maura, no estás casada ni eres madre. Lo siento, pero es verdad. Álex está por encima de todo y por su felicidad estoy dispuesta a hacer lo que sea.

—Tú estás dispuesta a hacer lo que sea, pero ¿y él? No veo que haya hecho nada en estos seis meses por recuperarte. Lo siento, Abril, pero tengo que decírtelo; sabes que te quiero, que eres la hermana que nunca tuve, por eso quiero dejar de verte así. Es momento de rehacer tu vida, de respirar, sacar fuerzas y seguir hacia delante. ¡Pedro no va a volver y espero que no lo haga porque le corto los huevos por todo el daño que os está haciendo! —exclamó Maura, protectora.

—Tiene razón —intervino Susana—. Es verdad que el amor se puede acabar, pero estas no son formas. Y mira que yo en mi trabajo estoy acostumbrada a ver de todo, pero a un hijo no se le hace esto. Desaparecer así de su vida, de la noche a la mañana y sin previo aviso, es de cobardes.

—Estoy segura de que él lo sabía desde hacía tiempo, pero no tuvo pelotas para decírtelo, y seguro que llevaba tiempo acostándose con la otra... —farfulló Maura.

—Me dijo que no me había sido infiel, solo que se sentía atraído por una mujer, la llamó «ilusión» —lo justifiqué yo.

—Abril, cielo, tienes el síndrome de Estocolmo y espero que se te pase pronto —concluyó Susana apoyando su mano sobre la mía.

La miré cabizbaja. Maura resoplaba cada vez que hablábamos de este tema.

—Cariño —susurró Susana en un tono más suave—, creo que, por una vez, Maura tiene razón. Llevas mucho tiempo mal y es normal. Lo entiendo, de verdad, cada uno necesita su tiempo de duelo; pero tú misma dices que cada vez Álex está peor y para que las cosas mejoren primero tienes que hacerlo tú, ponerte fuerte, tomar decisiones y seguir adelante. La vida es maravillosa, te lo dice una madre soltera de dos mellizos de tres años que la vuelven loca —añadió guiñándome un ojo.

Esa noche recibí la demanda de divorcio por parte de Pedro.

Treinta y nueve
primaveras

Y así, escondida en la penumbra, habían pasado ya nueve meses desde que Pedro nos había abandonado. Era el primer año de los últimos veinte que celebrábamos los cumpleaños separados. Por si fuera poco, estábamos en pleno proceso de divorcio y Pedro compartía ahora su vida con una ejecutiva de treinta y nueve años, española pero afincada en Miami. Lo sabía porque Susana había investigado su perfil en LinkedIn (era lo que tenían las redes sociales: no hacía falta preguntar, información en tiempo real).

—Pero sopla ya, hija, que se va a quemar la tarta y después no hay quien la coma.

Esa era mi madre, cuya frase favorita era: «Siempre hay un roto para un descosido».

—Mami, ¿puedo soplar contigo? —me pidió mi pequeño Álex, mi chico, mi verdadero amor, mi compañero de piso y también mi látigo.

—No la atosigues, a lo mejor este año no le apetece soplar.

Este era Jose Mari, la pareja de mi madre desde hacía más de diez años, nativo de Donosti. Mi padre había muerto hacía ya veinte años a causa de un aneurisma fulminante. Cuánto lo echaba de menos... Y qué rápido pasaba el tiempo...

«Pfffffff». Álex y yo soplamos las treinta y nueve velas y el pastel quedó embadurnado de la saliva de mi hijo.

—¡¿Podemos probarla ya?! —exclamó mi pequeño glotón.

—Claro que sí, mi amor, es toda para ti. —Besé el pelo de Álex y respiré. A pesar de tener casi seis años, seguía siendo curioso el aroma que desprendía su cabecita, ese olor a bebé tan relajante. «Es el mejor Lexatin», afirmaba Susana, quien, cuando llegaba estresada de un juicio, se tumbaba en la cama con sus dos mellizos a oler sus cabecitas.

A la merienda en casa de mi madre se habían unido Maura y Susana con sus dos *mellis*. Mis amigas incondicionales... ¿Qué sería de mí sin ellas? En aquellos días no era la mejor compañía del mundo y solo acudía a clases de yoga porque me venían a buscar a casa, que si no...

Los niños corrían por el jardín de mi madre mientras nosotros los mirábamos sentados bajo el cenador.

Mi madre se me acercó por detrás y me acarició el pelo.

—Feliz cumpleaños, hija —me felicitó besándome en la coronilla.

Cerré los ojos para aspirar su beso. Ella, siempre tan dispuesta, con su amor puro y verdadero. Yo no se lo había puesto fácil, pues, cuando mi padre falleció, yo tenía diecinueve años y tuvo que lidiar conmigo y mi mal humor, además de luchar por recomponerse. Ella era mi modelo, mi ejemplo, tan fuerte y positiva a pesar de los golpes de la vida.

Cuando llegó Jose Mari, diez años después, me alegré mucho por ella. Un corazón tan grande merecía ser compartido.

—Está a punto de llegar Elisabeth para llevarse a los *mellis* —dijo Susi.

Elisabeth era la niñera que la ayudaba con sus inquietos pequeños, su «chaleco salvavidas», según ella. Maura y Susana me habían preparado una fiesta de cumpleaños de chicas y pretendían que saliéramos de marcha esa noche, después de seis meses sin poner un pie fuera de la cueva. Por supuesto, yo no estaba para nada de acuerdo ni animada para una salida nocturna, pero no tenía elección y mi madre apoyaba su plan. Álex se quedaría a dormir con ella esa noche y no había nada más que hablar. El pequeño, encantado, era feliz allí, en casa de los abuelos, donde había calma y consentimiento.

—¡Es hora de irnos! —ordenó Maura.

—Pasadlo muy bien y disfrutad —nos deseó mamá, despidiéndose de mí con otro beso en el cogote.

Pedimos un taxi e hice lo que mejor se me daba en los últimos nueve meses: refunfuñar.

—Yo me tomo una y me voy para casa, este año no quiero celebrar nada.

—Muchas gracias por lo que nos toca —protestó Susana.

—No es por vosotras...

—... ¡es por mí! —terminaron la frase las dos a la vez.

Resoplé abriendo la ventanilla del taxi.

—Abril, siempre fuiste una *viejoven*, te comprometiste demasiado pronto. ¿Te has dado cuenta de que has estado veinte años follando con la misma persona? ¿No tienes curiosidad por saber cómo lo hacen otros?

Susana y yo ni la miramos. Estas deducciones eran típicas de Maura, tan libertina.

—Apuesto a que estos últimos meses solo echabais polvos mariposa.

—No te pases —rio Susana.

—¿Polvos mariposa? —pregunté.

—Sí, mujer, ya sabes: mujer tumbada en la cama con brazos y piernas abiertos y hombre empujando encima.

—¡Dios! ¡Qué horror, Maura! —se quejó Susana.

—No te voy ni a contestar —me enfurruñé.

—Bah, da igual, ya llegamos —dijo ella pagándole al taxista y antes de salir de la parte de atrás rauda y veloz con sus tacones de nueve centímetros.

Ya eran las once de la noche cuando entramos en uno de los clubes más de moda de la ciudad. Maura había alquilado un reservado para nosotras; eran muy caros, pero ella tenía amigos en todas partes y había conseguido un cincuenta por ciento de descuento en la tarifa.

Lo bueno de los reservados era que no tenías que ir a pedir, te traían lo que quisieras a la mesa. Mmm, esa idea sí me atraía.

—¡Tres mojitos! —pidió Maura a uno de los camareros después de saludar, literalmente, a un ejército de personas.

Sonaba Coldplay y muchos se animaban a bailar en la pista cercana a nuestra mesa.

Los mojitos bajaban como la espuma y, sin apenas darme cuenta, ya iba por el tercero. No acostumbraba a beber, pero esa noche tenía que reconocer que me lo estaba pasando bien. Una sonrisa tonta asomaba a mis labios mientras sorbía mi cóctel por una pajita.

—¿Veis a esos de ahí? —nos preguntó Maura.

—¿Dónde? —se interesó Susana.

—En la mesa que hay a las tres.

Susana miró sin ningún disimulo.

—No nos quitan el ojo de encima —confirmó desplegando todos sus encantos.

—Maura, es mi cumpleaños y no quiero hablar con desconocidos, solo quiero que me pidas mojitos y que, después, por una vez en vuestra vida, me llevéis vosotras a casa.

—Bah, ni caso, eres un muermo. ¡Pero mi preferido! —sonrió Maura dándome un codazo.

—Esos son unos yogurines —afirmó Susana mientras daba buena cuenta de su bebida—, no llegan a los treinta años.

—Suficiente —dijo Maura—. Son mayores de edad, ¿no? —Esta se estaba convirtiendo en una de sus frases favoritas.

De repente, uno de ellos se levantó y se acercó a nuestra mesa.

—Hola —saludó, abriendo sus labios y mostrando una sonrisa blanca como la de los anuncios.

—Hola —respondió Maura, sin dejar de sorber por su pajita.

—Os invitaríamos a tomar algo, pero ya hemos visto que estáis servidas.

—Sí, tenemos todas las copas pagadas esta noche.

—Ya veo —respondió el chico sonriendo. Era rubio y esbelto—. A lo mejor puedo invitarte a bailar.

—Sí, eso me encantaría —aceptó Maura, soltando su bebida mientras se arreglaba la falda.

Susana y yo nos quedamos mirando cómo se alejaba con él de la mano hacia la pista.

Maura era una fuente de energía a veces positiva y a veces demoledora; es lo que tiene la energía, que solo se transforma. Nunca había sentido la llamada de la maternidad ni la necesidad de crear su propia familia, aunque fuera de dos: era un espíritu libre que, como tal, había elegido la profesión perfecta.

Bailaba al ritmo de David Guetta en la pista, moviendo sus caderas y haciéndole la boca agua a su joven acompañante. Era una mujer explosiva, de esas que te das la vuelta para mirar cuando pasa a tu lado, aunque seas una mujer *hetero*. Cuando desplegaba sus encantos, era imposible no caer en ellos.

El baile acabó y Susana y yo vimos cómo se aproximaban a la mesa del chico para hablar con sus amigos. Dos de ellos se levantaron y se acercaron a nuestra mesa con Maura y su nueva conquista.

—Joder con Maura —gruñó Susi—. Nos trae compañía.

—Chicas, os presento a Manuel y a Óscar, amigos de Fernando, al que ya conocéis —dijo señalando a su yogurín.

Manuel y Óscar también lo eran. Como bien había apuntado Susana, ninguno llegaba a los treinta. El tal Óscar era moreno y tenía un aire a mi hijo Álex. ¿Cómo sería mi pequeño cuando fuera mayor?

Levanté la mano para llamar la atención del camarero y pedir otro mojito, pero no había manera de hacerme ver. Entonces, Óscar se levantó y desapareció entre la multitud. «Mejor: uno menos», pensé para mis adentros.

—¿Y qué estáis celebrando? —preguntó el acompañante de Maura.

—El cumpleaños de Abril —respondió Susana.

—Muchas felicidades —me dijeron los dos.

Yo asentí con la cabeza mientras aspiraba por la pajita de mi mojito sus últimas gotas.

—Toma... —me dijo una voz por detrás. Era Óscar, que se había levantado a por mi mojito y también traía otro para él. Oh, qué tierno y qué mono era ese niño, seguro que su madre estaría orgullosa de él.

Susana y Maura sonrieron ante el detalle.

—Muchas gracias —dije, como si le estuviera hablando a mi hijo pequeño—, eres un amor.

—No hay de qué, Abril —respondió él sentándose a mi lado—. Tienes un nombre muy bonito.

—No me digas que tú también has nacido en abril —exclamé.

—Pues no...

—Ah, menos mal —resoplé.

Él sonrió con mi gesto y, cuando lo hizo, un hoyuelo precioso se le marcó en la barbilla.

—Es que mi ex, mi hijo y yo hemos nacido en abril y me resulta un poco gueto.

Esta vez rio con ganas.

—No te preocupes, estás a salvo conmigo. Soy géminis, nací el ocho de junio.

Me cayó bien ese chico, era educado y tenía una conversación agradable.

—Mmm, ¿crees en el zodiaco? —pregunté.

—No exactamente, pero sí pienso que, en función de la época del año en la que nazcas, tu personalidad está marcada de una manera u otra.

Dije que sí mientras daba buena cuenta del mojito que me había traído.

—¿Y tú no tomas nada? —pregunté ya con un tono de voz más alto que el que acostumbro—. ¡Estoy de cumple! Treinta y nueve primaveras no se celebran todos los días.

—Por tus treinta y nueve primaveras y porque celebres muchas más en tan buena compañía como hoy —brindó Óscar. Todos los de la mesa se unieron a nuestro brindis.

Maura me miraba por el rabillo del ojo sonriendo, mientras tejía la tela de araña en la que su acompañante, sin duda, caería rendido. Me hacía gracia verla guiñándome un ojo. ¿Es que acaso pensaba que podría llegar a hacer algo con este chico tan educado, tan majo y tan bebé?

—¿Cuántos años tienes? —pregunté sin cortarme un pelo.

—¿Es eso importante?

—Eh... sí, para mí, sí.

—Si te lo digo, ¿me retirarás la palabra?

—Claro que no, eres un cielo de chico.

—En dos meses cumpliré veintisiete años.

Miré hacia arriba pensativa.

—Son doce años —afirmó.

—¡Me has leído el pensamiento!

—Sí, no ha sido difícil —respondió él sonriendo.

Óscar no dejaba de sonreír. Qué maravilla la inocencia, casi veintisiete añitos. A esa edad me casé con Pedro y ya llevábamos juntos nueve.

—Mmm, qué ricos están estos mojitos —suspiré mientras Maura desaparecía de nuevo en la pista con su rubio de ojos azules y Susana charlaba animadamente con Manuel.

—Sí, siempre y cuando domines la cantidad de azúcar.

Vaya, un jovencito preocupado por la línea; eso llamó mi atención. Lo miré de arriba abajo sin ningún disimulo. Era moreno y delgado, pero fibroso.

—¿He pasado tu escáner? —me preguntó sonriente.

—Perdona, no suelo salir. Hoy es... mi cumpleaños. Cumplo treinta y nueve.

—Sí, ya me lo has dicho. Es un número interesante. —Lo miré de reojo—. Felicidades, reina del mojito.

Ese comentario me hizo reír a carcajadas, tanto que Susana interrumpió su conversación para mirarme. ¿Cuánto tiempo hacía que no me reía así, a mandíbula batiente? Óscar se reía conmigo.

A lo lejos vi a Maura contonearse atrayendo a Fernando sin piedad. Estaba hipermusculado.

—Carne de gimnasio —comenté.

—¿Qué tienes en contra del deporte? —me preguntó conciliador.

—Yo..., nada... Hace un tiempo hacía deporte de intensidad, hasta que nació mi hijo Álex y ahora lo hago con él, pero tú eso todavía no lo entiendes, eres demasiado joven —repuse, cada vez más ebria, mientras le daba un respingón en la nariz.

—Bueno, creo que sé a lo que te refieres, en mi trabajo lo veo cada día. Sin duda, las mamás son las que más sacrifican su forma física cuando deciden tener hijos, todo mi respeto —dijo poniendo su mano en el pecho—. Lo mejor de mi trabajo es ayudarlas a volver a sentirse bien con ellas mismas. Tú estás estupenda.

—Mmm, me estás cayendo muy bien... ¿A qué te dedicas?

—Soy *personal trainer* en H_2O y entreno a muchas mujeres que han perdido la forma tras el embarazo y el parto.

—¡Guau! ¿Y qué opinas de la poca importancia que otorga la sociedad a nuestro suelo pélvico? —pregunté mientras daba buena cuenta de mi bebida.

Rio a carcajadas.

—Pues, para serte sincero, cada vez que veo en la televisión un anuncio de compresas contra la incontinencia me pongo de mal humor. ¿No es mejor recomendar deporte y gimnasia postparto que pañales?

Esa vez, los dos reímos a carcajadas.

Qué ser tan maravilloso tenía al lado, tan sincero, amable, educado, dulce y guapo. «Abril, compórtate: este chico podría ser tu hermano pequeño».

—Ahora vengo —me dijo de repente.

Quizá yo también debía visitar el baño después de todo el líquido que me había metido dentro, pensé. Miré hacia la pista y vi al rubio morreando a mi mejor amiga: ya estaba perdido. Y Susana... ya no estaba a mi lado, ¿adónde habría ido?

Óscar regresó de nuevo con dos botellines de agua.

—Ten. Es bueno hidratarse cuando bebes alcohol, mañana me lo agradecerás.

—Bueno, ahora que conozco tu profesión, no puedo negarme.

—También es muy bueno moverse. Apuesto a que no te has levantado de la mesa desde que has llegado.

Negué con la cabeza.

—Yo tampoco, ¿qué te parece si...? —Señaló la pista de baile.

Lo miré y abrí los ojos como platos. ¿Bailar? ¿Yo? ¡¿Con él?!

¿Por qué no?

Óscar me ofreció la mano para levantarme. Entrelazó mi mano con la suya y me guio hasta la pista. Sonaba una canción eléctrica de Black Eyed Peas. Las luces relampagueaban y veía su cara a medias. Era un chico guapo y muy alto. Pedro solo era unos cinco centímetros más alto que yo... Pero ¡¿por qué siempre estaría en mis pensamientos?! Me enfadé.

—¿Cómo es que un chico como tú no tiene novia? —pregunté desinhibida mientras comenzaba a mover mis caderas.

—Tuve novia hasta hace un año, pero me dejó.

—Mmm... Algo harías.

—Aún no lo tengo muy claro, la verdad. Me dejó por Skype desde otro país, por lo que no pude sacar mucho en claro. Sé que está con otro desde hace un tiempo, así que seguramente ese fuera el motivo de la ruptura.

—Oh, vaya, lo siento mucho —exclamé arrepentida por ser tan cotilla. Los abandonos azotaban a todas las generaciones sin importar la edad. Él también había sido dejado en la cuneta por otra persona que estaba en otro país. Esa historia me sonaba mucho. Parecía que a ese yogurín y a mí nos unían algunas cosas.

—No te preocupes, estoy bien. Llevo un año solo y he aprendido a conocerme más a mí mismo y... ya sabes, a caerme mejor.

—Tenemos mucho en común.

—Ah, ¿sí?

—A mí también me han abandonado por otra persona en otro país.

—Entonces nos ha unido el karma.

Los dos reímos.

—Ya hemos bailado tu canción —dije cuando el tema acabó.

Los dos miramos a nuestra izquierda, donde estaban Maura y Fernando. Las manos de él ya habían traspasado el límite de las caderas.

—Estos dos hoy echan un polvo en el coche —le dije a Óscar. ¿Desde cuándo era tan atrevida con desconocidos? Sin duda, los mojitos estaban haciendo su trabajo en mi lenguaje.

—Si es que llegan al coche —dijo guiñándome un ojo—. Venga, vámonos —dijo dándome la mano.

—¿Te unes a la magia cubana? ¿Último mojito? —lo tenté.

Asintió con la cabeza.

—Quiero estar en sintonía contigo.

Maura se acercó a la barra.

—Abril, me voy. No te importa, ¿verdad?

—Lo que me importa es que vayas a cometer un abuso a un menor.

—¿Menor? —dijo sonriendo—. Espabila. Tu chico es muy guapo: aprovecha, date un revolcón y vuelve a sentirte joven, que es lo que eres.

Maura habló al oído de Óscar. Él dijo que sí con la cabeza. ¿De qué hablarían?

Óscar pidió dos mojitos y dos vasos de agua.

—¿Por qué debería beberme este vaso de agua? —le pregunté para fastidiarlo.

—Pues porque mañana, cuando tu resaca sea más llevadera, te acordarás de mí, y eso me encantaría.

Ah, un romántico. Todavía quedaban en las nuevas generaciones.

—Bueno, lo haré por lo de la resaca. —Me lo bebí del tirón y lo cierto es que tenía tanto líquido en mi interior que la vejiga me avisó para ir al baño.

—Te acompaño.

—No hace falta, puedo ir sola.

—Lo sé, pero así también iré yo.

—Ah...

Nos acercamos al baño de nuevo con nuestras manos unidas. Había mucha gente y era una forma de ir encadenados y no perdernos. Tampoco significaba nada, ¿o sí?

Me encontré a Susana allí.

—¿Cómo estás, cumpleañera? Veo que te lo estás pasando muy bien... —dijo dándome un codazo.

—Qué va, mujer, es un crío, pero muy majo.

—Pues aplícate la ley de Maura, ya sabes: es mayor de edad.

—Que no... Muchas gracias por esta noche —le dije—. Si no fuera por vosotras, nunca habría salido de casa. Sois las mejores amigas que se puede tener y yo he sido la peor estos últimos meses...

Y, en ese momento, el alcohol hizo su efecto de exaltación de la amistad. Me abracé a Susana lloriqueando.

—Abril, lo estás haciendo muy bien. Estoy segura de que volverás a ser feliz. No llueve eternamente —me consoló, secándome las lágrimas con el dorso de su mano—. ¿Dónde está tu Romeo?

—Está fuera esperándome, pero no es mi Romeo.

—Bueno, nunca se sabe... Ve con él.

—Yo quiero estar contigo.

—Me he encontrado a dos compañeros del bufete y me estoy tomando una copa con ellos. Estoy segura de que no quieres oír hablar de demandas ni juicios.

—Creo que me voy a ir a casa.

—Está bien, pero que te acompañe tu chico de esta noche.

Cuando salí del baño, Óscar me esperaba apoyado en la pared con las manos en los bolsillos.

—¿Eres mi guardaespaldas?

—Sí, al menos por esta noche.

Sonreí.

—Creo que ha llegado la hora de irme.

—Maura me ha pedido que te acompañe a casa.

—Ah, Maura. No te preocupes. Sigue divirtiéndote, iré en taxi.

—Yo también. Podemos compartir uno, si no te importa.

—Vale. —Encogí los hombros.

Salimos del local con las cazadoras en la mano. El frío me impactó de inmediato, ya que estaba en manga corta.

—Ven, que te ayudo —Óscar agarró mi chaqueta y me ayudó a ponérmela. Lo que yo pensaba..., un romántico.

—¿Y cómo es eso de trabajar en un gimnasio? —le pregunté mientras esperábamos el taxi.

—Prefiero llamarlo «centro de salud» —me dijo.

—Siempre he pensado que mucha gente va a los gimnasios a ligar. Hay algunas que hasta se maquillan para después ir a sudar. —Óscar me escuchaba divertido—.Venga, no me digas que no. Los gimnasios están llenos de postureo.

—Y también de personas a las que les importa su salud y les gusta cuidarse. No tiene nada de malo, ¿no?

—Eres tan inocente —le dije mirándolo como una mamá orgullosa y acariciándole la mejilla. Pero ¡¿qué estaba haciendo?!—. Perdona, ha sido tan solo un gesto maternal —me disculpé cortada.

—Bueno, doce años no son suficientes para poder ser mi madre, pero me gusta —me dijo muy bajito.

El taxi hizo acto de presencia y rompió ese momento tan incómodo, pero también tan dulce...

—¿Dónde vives? —preguntó Óscar.

Yo lo miré, sorprendida por su atrevimiento.

—Te lo pregunto para decírselo al taxista.

—Sí, claro —me excusé. Le di la dirección al conductor y me giré hacia Óscar—. Si quieres, podemos dejarte a ti antes —dijo de nuevo la madre que habitaba en mí.

—De ninguna manera. Le he prometido a tu amiga que te llevaría a casa y, por lo poco que la conozco, parece que tiene carácter y no me gustaría enemistarme con ella —explicó divertido.

—Es verdad —dije sonriendo—, Maura puede llegar a ser muy convincente.

—Hemos llegado —informó el taxista unos minutos después.

—Bueno, Óscar, un placer haberte conocido. Eres un *millennial* fantástico.

—Espera, déjame acompañarte al portal.

—No es necesario.

—Lo sé, pero me apetece.

Óscar le pidió al taxista que lo esperase y salió del coche. Se acercó a mi puerta y me puso la mano sobre la espalda para acompañarme al portal. Rebusqué las llaves por el bolso y las mantuve en mi mano. Cuando llegamos a la puerta, intenté abrir y acerté de puro milagro.

—Me lo he pasado muy bien esta noche. Hacía tiempo que no me reía tanto —le dije.

—Es importante tener buenos amigos.

—Sí lo es.

—Feliz cumpleaños, treintañera —me volvió a felicitar posando sus manos en las mías.

—Bueno, seré treintañera durante doce meses más.

—¿Admites un último consejo? —me preguntó sin soltarme las manos—. Bébete un vaso de agua con limón antes de acostarte. Te acordarás todavía más de mí mañana —añadió guiñándome un ojo.

—Lo haré. —Me reí y Óscar se quedó mirándome en silencio—. ¿Qué ocurre?

—Eres una mujer muy guapa y simpática, pero, por algún motivo que desconozco, no lo sabes. —Bajé la mirada sonrojada. Nunca había sabido encajar muy bien los cumplidos—. Me lo he pasado genial esta noche y me ha encantado conocerte. Espero que esta sea la primera de más —dijo acercando sus labios a los míos y despidiéndose con un cauto beso.

Me quedé quieta dentro del portal, mirando cómo desaparecía sonriendo en el taxi.

Mientras subía en el ascensor, saboreé su beso en mis labios. Sabía a melón, a aire fresco, a vida, a salud, a Óscar.

¿Cómo podía su novia haberlo dejado? Pues la misma pregunta me hacía yo cada día acerca de Pedro. Los dos habíamos sido abandonados sin demasiada explicación.

Cuando abrí la puerta, fijé mi mirada en el ramo de rosas que reposaba en la encimera. Me habían llegado esa tarde antes de salir hacia casa de mi madre y Jose Mari. Eran de Pedro y traían tarjeta: *Este será nuestro primer cumpleaños separados en mucho tiempo, pero siempre unidos por un ser maravilloso. Muchas felicidades, Abril.*

Rompí a llorar, como cada noche. Hoy no estaba Álex y podía hacerlo a gusto. De un solo gesto, tiré el ramo al suelo.

«¿Por qué nos has hecho esto, Pedro?».

Fui a la cocina a por un paquete de pañuelos de papel y me acordé de Óscar y su vaso de agua con limón. Dejé de llorar. «Sí, pondré en práctica tu consejo porque eres un buen chico y los abandonados nos unimos para hacernos fuertes».

Qué bien sabía Óscar.

Esa noche me lo había pasado estupendamente. Tenía unas amigas fantásticas que no habían perdido la esperanza conmigo a pesar de mi negatividad de los últimos meses. Y, gracias a ellas, mi cumpleaños había sido distinto y había conocido a un ser maravilloso al que le deseaba muchísima suerte. «En el mundo hay personas buenas y, cuando conoces a una, debes dejarla entrar»; esa era una de las frases que mi padre me había dicho en varias ocasiones.

Después de mi vaso de agua con limón, me cepillé los dientes y me metí en la cama. La casa estaba en silencio, pero había dejado de llorar, toda una novedad. El sopor del alcohol me invadió y, sin apenas darme cuenta, me quedé dormida.

Dulce resaca

El estruendo del reloj despertador me sacó de mi sueño a timbrazo limpio. «Oh, ¡mi cabeza! Si es que no puedo beber...». Había quedado en ir a comer a casa de mi madre y, así, recoger a Álex. Por la tarde le había prometido cine y palomitas. Puf, me habría quedado en la cama todo el día, pero mi pequeño era mi prioridad y había que levantarse.

«¡Dios! Me vuela la cabeza, pero mi estómago no está tan mal, apenas tengo ardores. Qué raro... ¡Ostras!». De repente me acordé: Óscar, el agua con limón, el suave beso con sabor a brisa... Hay que ver lo que hace el alcohol: besar a un bebé era lo último que habría hecho estando sobria.

—Pero ¿qué bebé? —me reclamaba Maura por teléfono—. Tiene veintisiete años y seguramente más experiencia con el sexo opuesto que tú... Yo he pasado una noche de sexo fantástica. Tres veces lo hemos hecho, Abril, ¿ves por qué te digo que estar con chicos jóvenes es la mejor decisión?

—No tienes remedio —la regañé mientras me ponía un paño con hielo en la frente.

—Te sugiero que lo pruebes, nena. Te acompañó a casa anoche, ¿no?

—Sí, cumplió muy bien tus órdenes.

—Parecía muy interesado. ¿Habéis quedado otro día?

—Pues claro que no, Maura, no voy por ahí asaltando adolescentes.

—Pues yo creo que te gusta, hacía tiempo que no te veía tan tontorrona.

—Bah, no me líes. Óscar tiene toda la vida por delante y yo ya he vivido casi la mitad de la mía. He estado casada, he sido madre y ahora estoy casi divorciada, fíjate toda la ventaja que le llevo.

—Pues yo tengo tu edad y no he hecho ninguna de las tres cosas que has dicho.

—Así estás, como una cabra.

—Bah, ya caerás de la burra. El próximo *finde*, más y mejor.

—¡Ay! No me hables de salir, que me vuela la cabeza...

El resto del fin de semana lo pasé con Álex y descansando cuando podía. La noche anterior, gracias a la cogorza que me había pillado no me había tomado mi pastilla para dormir. Sin embargo, había descansado toda la noche sin despertarme ni una sola vez. Algo inusual, pues mis noches eran terribles desde que Pedro se había marchado. Me despertaba como mínimo en cinco ocasiones. A veces lloraba y, otras, mis pensamientos negativos se encadenaban, pero ahora nada de eso había ocurrido. ¿Me volvería alcohólica para dejar la pastilla o el efecto Óscar había tenido algo que ver en mi placentera noche de sueño?

No podía imaginarme con otra persona que no fuera Pedro, y menos con un chico tan joven. Seguía esperando que Pedro volviese, pero quizá debía escuchar más a Maura y a Susana: a lo mejor no regresaba nunca.

Cada vez que imaginaba a Pedro con otra mujer, se me revolvían las entrañas. Lo que me había dicho Maura me había hecho pensar. ¿Me habría engañado Pedro? Maura afirmaba que la mayoría de los hombres no rompen con sus mujeres hasta que tienen a otra bien amarrada. Lo cierto era que había notado cambios en él antes de que me dejase, pero ¿habría sido tan cruel de acostarse con otra y volver a nuestro hogar como si nada? Ya no sabía qué pensar de él, era un auténtico desconocido para mí.

La mujer que había escogido no era más joven. Tenía nuestra edad, según Susana. Al menos, no había sido abandonada por una más joven. «¿Qué más da?», resolvió la loca de la casa. «Abandonada al fin».

En unos días, Pedro aterrizaría en la ciudad para pasar sus diez días de estancia. De lunes a jueves, Álex dormía conmigo en casa y, de viernes a domingo, con él, pero todos los días lo recogía Pedro en el cole por las tardes.

Llevábamos casi un año separados, pero cada vez que lo veía mi herida se volvía a abrir un poquito. Pedro estaba cambiado. Había rejuvenecido y estaba más guapo, el muy capullo... Yo, al contrario: estaba hecha unos zorros, con ojeras de no dormir, niebla mental de los ansiolíticos y agotada cada día. «Eres muy guapa y simpática, pero no lo sabes». Las palabras de Óscar volvieron a mi mente. Al menos, a él le había causado una buena impresión.

Encuentros
en la tercera fase

—Mami, ¿hoy viene papi a buscarme?

—Sí, Álex, hoy te recogerá a la salida del cole.

—Yo prefería que vinieras tú... —protestó haciendo pucheros.

Todos los meses teníamos la misma conversación el primer día que su padre hacía acto de presencia. Después, con el paso de los días, se iba acostumbrando y, cuando comenzaba a estar a gusto, Pedro se iba y vuelta a empezar.

—Bueno, pues yo creo que él tiene muchas ganas de verte y seguro que hacéis algo divertido juntos —le dije para convencerlo.

—¡No me apetece! ¡Quiero venirme para casa!

«Respira, Abril», me decía a mí misma.

La verdad era que Álex no me lo ponía nada fácil. Estaba rebelde y dolido con su padre por haberse marchado y aparecer tan solo diez días cada seis semanas.

Cuando le comenté a Pedro lo que estaba pasando, me propuso llevar al niño a un terapeuta. «Así me gusta, echando balones fuera», había recriminado Maura.

Después de dejar a Álex en el colegio, me acerqué a casa de mi madre.

—Hola, cariño. ¿Cómo estás? —me saludó desde el jardín—. Termino de regar y voy. Hay café hecho en la cocina.

Me quedé en el porche observando el fructífero jardín, que tan bien cultivaba con Jose Mari, y me vi a mí misma corriendo por ese jardín muchos años antes, con mi padre detrás. Él me había transmitido su respeto por los seres vivos, especialmente por los que crecían en la tierra, ya que eran los más débiles. Desde que él se había ido, nunca más había vuelto a regar una planta. Había negado todo lo que me unía a él, así me resultaba menos doloroso. A mi madre, sin embargo, le había ocurrido todo lo contrario. Vivir donde había vivido con él, cultivar su jardín, mantener sus fotos de boda en el salón y rememorar todos y cada uno de sus recuerdos le habían dado fuerza para seguir adelante. Qué distintas éramos, pero cuánto la quería...

—Ya estoy aquí —dijo mi madre deshaciéndose de sus guantes—. ¿Has desayunado?

Dije que no con la cabeza.

—Uy, ya veo. Anda, ven, siéntate conmigo. Deduzco por tu estado que hoy llega Pedro.

Asentí y obedecí como una niña pequeña.

—Abril, mi pequeña preciosa —dijo pasándome su mano por el cabello.

Me desplomé sobre la mesa de la cocina, dejándome acariciar.

—Cuando pierdes a un ser querido, el sentimiento es extremadamente doloroso, lo sé —contó con voz calma—. Es cierto que Pedro sigue vivo, pero ha desaparecido de tu vida, por lo que el efecto es el mismo.

—Es peor —susurré—, porque tengo que verlo continuamente sin poder tenerlo.

—Lo sé, pero creo que, si Pedro se ha ido, es porque vas a comenzar una nueva etapa en la vida que te hará desenterrar fantasmas del pasado y te hará mucho más fuerte.

—No sé, mamá —dudé acurrucada en sus brazos.

—Me gusta pensar que todo en esta vida ocurre por una razón. Es hora de vivir, Abril, de hacer lo que siempre te ha gustado, de sacar todo lo bueno que llevas dentro, de ser la persona que eras cuando tu padre estaba con nosotras. Eras una niña muy sensible que abría las ventanas para que salieran las moscas en lugar de matarlas. Cada vez que una planta de las del huerto de tu padre se mustiaba, le preparabas un entierro en el jardín y pedías a las estrellas por ella... Ay, qué tiempos aquellos, Abril —suspiró mi madre melancólica.

—Y después llegó Pedro y le restó importancia a mis sensibilidades, que finalmente desaparecieron con la marcha de papá —dije todavía acurrucada en su regazo.

—Te equivocas. No han desaparecido. Todavía están ahí dentro, forman parte de tu esencia, solo tienes que desenterrarlas. Quizá podrías empezar por volver a tener plantas en casa. Te conectarán de nuevo con la naturaleza y... con la vida —afirmó ella sonriente.

La miré con una media sonrisa.

—Qué suerte tenerte, mamá.

—¿Sigues yendo a clases de yoga? —Asentí—. No las dejes, te ayudarán a salir de este bache, porque lo vas a hacer, y más pronto de lo que crees, lo percibo...

Después de charlar un rato más con mi madre, regresé a casa a traducir unos documentos tan aburridos como voluminosos. Estaba tan desganada que ya no me gustaba mi trabajo, aunque, por consejo de mi madre, mis amigas y también mi terapeuta, me había reincorporado, para tener la mente ocupada. A colación de lo que me había comentado mi progenitora, me acordé del momento exacto en el que había decidido lo que quería ser de mayor.

Estábamos en casa y debía de tener ocho años. A mis padres les gustaba ver un programa de entrevistas de la época en el que invitaban a todo tipo de artistas y, aquel día, el protagonista era un cantante británico muy conocido. El presentador le hacía preguntas en castellano y él respondía en otro idioma desconocido para mí.

—Está hablando en inglés, Abril —me dijo mi padre al ver mi cara de estupor.

De repente, y tras un momento en silencio, comenzó a escucharse la voz de una mujer. Todo el mundo prestaba atención a lo que decía, pero ninguno podía verle la cara. Me quedé maravillada.

—¿Quién habla, papá?

—Es una traductora simultánea, una persona que se dedica a contarnos lo que está diciendo este chico y que, los que no sabemos hablar inglés, no podemos entender.

—¿Así que, como por arte de magia, ella entiende lo que nosotros no?

—Bueno, no exactamente por arte de magia; pero sí, ella lo entiende.

—De mayor voy a ser traductora simultánea, como ella.

Durante mucho tiempo, soñé con poder hablar varios idiomas y comunicarme con diferentes personas en distintos lugares del mundo (soñaba con viajar y conocer diferentes países). Y, de hecho, conseguí ser bilingüe en italiano, inglés, gallego-portugués y francés.

Nunca había sido buena en Matemáticas ni sentido interés por los números, pero por las letras era otra historia. Me encantaba abrir mis libros de Lengua Castellana, Lengua Francesa y Lengua Inglesa, y hasta conseguí que mis padres me apuntasen a este último idioma como actividad extraescolar, con muy buenos resultados. Sí, se me daban bien los idiomas, pero en el colegio se empeñaban en decirles a mis padres que tenía que mejorar en Matemáticas y les propusieron ponerme unas clases de refuerzo en casa y así lo hicieron, pero fue todavía peor: mi interés disminuyó más y más hasta llegar a tenerles manía. ¿Por qué me obligaban a dedicar horas a algo que no me gustaba, y en lo que además no era buena, en lugar de dejarme invertir mi tiempo en potenciar mi talento natural? Pues porque el sistema educativo estaba enfocado de esa manera. Hoy en día, si a Álex le pasase algo así, no cometería ese mismo error con él.

El caso es que, poco después de llegar a la mayoría de edad y matricularme en la carrera de mis sueños, mi padre, que era mi principal motivador, desapareció de mi vida y, con él, la ilusión por mi futuro profesional.

No estoy bien, gracias

Ya eran casi las ocho de la tarde. Pedro y Álex estaban al caer. Cómo me costaba abrir la puerta cada vez que venía para recoger o traer a nuestro hijo y tener que saludarlo. La casa pertenecía a su familia, pero sus padres se la habían cedido en vida. Recordaba cuando nos habíamos instalado y habíamos decidido pedir nuestro primer préstamo bancario para ponerla a nuestro gusto. Continuar viviendo en ella no me ayudaba a olvidarlo.

Escuché el sonido del interfono y respiré profundamente tres veces. «Te va a ver hecha una mierda, Abril», me pinchaba la loca de la casa.

—¡Hola, cielo! —exclamé mientras me agachaba para abrazar a Álex.

—Hola, Abril —saludó Pedro.

—Hola —respondí muy seca.

—Ha merendado muy bien y también hemos hecho una tarea que tenía del cole.

Álex ya se había escabullido.

—Genial —respondí de forma escueta.

—¿Vienes a despedirte? —preguntó Pedro desde la puerta.

—¡Estoy en el baño! —gritó—. Y voy a tardar.

A Álex siempre se le ocurrían artimañas para que su padre y yo pasásemos tiempo juntos.

—¡Está bien, mañana nos vemos! —respondió Pedro.

—Acuérdate de que mañana tiene natación —le dije mirando al suelo.

—Sí, tranquila, tengo el horario que me enviaste en tu último correo —dijo sonriente mientras sacaba del bolsillo del pantalón el *planning* de actividades de Álex.

Fruncí los labios a modo de respuesta.

—Bueno, pues hasta mañana —dije cerrando la puerta.

—Hasta mañana, Abril —respondió amable.

Me apoyé en la puerta tras cerrarla y respiré profundo de nuevo. Tenía el corazón a mil y muchos sentimientos enfrentados. Quería gritarle, reprocharle, hasta tirarle un cojín a la cabeza por habernos abandonado de esa manera, pero también echaba de menos sus abrazos, las cenas en familia y dormir a su lado como había hecho en los últimos años.

—Mami, ya acabé. —La voz de Álex me sacó de mi estado de *shock*.

Como cada vez que Pedro hacía acto de presencia, esa noche a Álex le costó dormirse. Estaba alterado y, a pesar de haberle leído tres cuentos, Morfeo no llegaba. A mí me pasaba lo mismo. ¡Menos mal que al día siguiente tenía sesión de yoga con Maura y Susana!

—Por tu cara de muermo, ya sé quién está por aquí.

—Sí, Maura, el padre de mi hijo.

—Bueno, menos mal que ya no dices «mi marido».

—Porque ya no lo es, estamos inmersos en un divorcio, ¿recuerdas?

—Cómo olvidarlo... Solo digo que ese capullo siempre que viene te desestabiliza. —Resoplé y ella continuó—: Pero tengo buenas noticias. ¿A que no sabes quién me ha preguntado por ti?

La miré mientras daba la bienvenida a Susi, que se unía a nuestra mesa.

—Óscar.

—¿Óscar?

—No pongas esa cara, chica. Sí, Óscar el cachondo, el yogurín, el que resucitó tu risa la otra noche.

—Ah, ¿y qué tal le va?

—¿Que qué tal le va? Pues no lo sé, pero lo importante es que me ha preguntado por ti y me ha pedido tu teléfono. —Abrí los ojos como platos—. Que sepas que se lo he dado.

Sacudí la cabeza.

—¿Y cómo es que lo has visto?

—Bueno, verás, es que estoy liada con Fernando, su amigo, ¿recuerdas? Aunque solo quedamos de vez en cuando, la otra noche lo vi y nos encontramos con tu pretendiente.

—Ya... —dije mirando de reojo a Susana.

—Me alegro por ti, Abril, el chico es muy majo y el otro día se te veía muy a gusto con él.

—¿Sabías que trabaja en el H_2O? —añadió Maura.

—Ajá —contesté sin querer mostrar interés.

—Es el gimnasio más chic de la ciudad. Venga, Abril, date una alegría; si es que lo tiene todo: joven, guapo, deportista y le gustas. ¿Por qué no lo llamas? Yo también le pedí su número.

La miré como si le hubieran salido tres cabezas.

—No lo conozco de nada, Maura, y además es un bebé.

—Y dale, pero qué bebé ni qué ostias. Abril, de verdad, llevas un año muy triste y quiero recuperar a mi amiga. Creo que este chico podría ayudarte a olvidar a Pedro, aunque parezca una misión imposible.

—Déjalo, de verdad. No estoy de humor. No me lo pide el cuerpo, no me apetece conocer a nadie y mucho menos a un crío que está despertando a la vida.

—No seas injusta con él, Abril —me recriminó Susana—, el otro día te vino muy bien su compañía.

—Tienes razón, es un chico fantástico y le deseo lo mejor, es solo que estoy furiosa con Pedro y no puedo evitar que se me note.

—¡Ay, Abril! Creo que debes cambiar de terapeuta y apuntarte al *mindfulness*. Estoy segura de que supondría un antes y un después en tu vida.

Asistimos a nuestra sesión y nos despedimos rápido. Susana tenía que llegar a casa para darle el relevo a su niñera y yo tenía que llegar antes que Pedro con Álex. ¿Cómo habría pasado el día mi pequeño? La evolución de las visitas de su padre tenía una pauta muy marcada en él: primero me reclamaba a todas horas y, tras el primer fin de semana juntos, las cosas cambiaban para mejor; Álex adquiría confianza y ya necesitaba menos mi presencia. Los últimos días, Álex se sentía realmente feliz con su padre, pero la dicha le duraba poco, ya que Pedro volvía a saltar el charco y le decía adiós hasta al cabo de seis semanas, provocando en mi pequeño una nueva entrada en su bucle emocional y, de paso, también en el mío. Y así era nuestra vida desde hacía nueve meses. Realmente agotadora.

Bye my sweet honey

—¡No te vayas, papi! —sollozaba Álex.

—Te prometo hacer una videoconferencia cada día.

—Noooooooooo, no te vayas... Quédate en casa con mami y conmigo.

Álex lloraba abrazado a su padre. ¿Cómo lo podía soportar Pedro? Ver sufrir a su hijo de esa manera y seguir con su vida como si nada. ¿Es que acaso era más importante ganar más dinero que estar presente en el día a día de su pequeño? Pues parecía que sí; eso y la mujer que lo esperaba en su nueva casa.

Lo peor de todo era que esta escena se repetía cada seis semanas y en ese momento odiaba a Pedro por habernos hecho tanto daño, por hacer sufrir a nuestro hijo con sus ausencias, por darle prioridad a su trabajo y a su nueva vida. ¿No podía haberse echado una amante nacional?

—Es un cabrón, Abril, estoy hasta las narices de ver lo mal que lo pasas todos los meses por su culpa —me decía Maura por FaceTime.

En cuanto Pedro se iba y yo conseguía dormir a Álex, que no era tarea fácil, necesitaba desahogarme con alguien, y ese alguien era Maura. A Susi procuraba no molestarla a esas horas, ya que, con tener que dormir a sus *mellis*, ya tenía bastante.

—Abril, mírate, escúchate, ¿no te cansas de verte así todos los meses? Tienes que reaccionar, hacer algo, pararle los pies, ponerle condiciones. Estoy segura de que la psicóloga de Álex no aprueba este comportamiento.

—Pero ¿y qué voy a hacer, prohibirle que vea al niño? Es su hijo y me consta que lo adora y Álex también a él...

—Está bien, cielo —me calmó Susana, que se había incorporado a nuestra sesión con un *look* de *malamadre* total—, te lo voy a decir de otra manera. Imagínate que este verano conoces a un chico del que te enganchas, pero vive en Canadá. Termina el verano y él se va. Como tú puedes permitirte trabajar desde cualquier lugar y además eres bilingüe en francés, te ofrecen un puestazo de trabajo en una de las mejores empresas de traducción del país. ¿Aceptarías el puesto siguiendo a tu nuevo *churri*, dejando aquí a Álex para verlo cada seis semanas?

—¡Pues claro que no!

—Entonces ya tienes tu respuesta, Abril. Para ti, la prioridad a día de hoy es tu hijo, y es normal porque es pequeño y te necesita, pero para Pedro su prioridad es su trabajo y...

—¡También la tipa esa con la que se acuesta! —gritó Maura.

—Joder, Susi, no me extraña que te paguen tanta pasta por lo que haces. Eres muy buena exponiendo casos, no querría verme yo en un tribunal contra ti —le dije a mi amiga.

Después me quedé en silencio. La verdad era que Susana había dado en el clavo, solo que a veces cuesta darle la vuelta a la tortilla.

—Jamás dejaría a mi pequeño por nada del mundo. Aun en el caso de estar superenamorada del canadiense ese, buscaría la forma de llevármelo conmigo —admití tras un buen rato.

—Y si no, pues te jodes y te quedas. Haber estado quieta —afirmó Maura.

—No sé, chicas, quiero cortar esta situación de raíz, porque no sé cuánto más vamos a aguantar Álex y yo.

—Pues eso digo yo, ¿por qué coño no se busca un trabajo aquí? O simplemente le dice a su empresa que manden a otro a Estados Unidos o, si tan enganchado está a esa mujer, que se la traiga; pero no hace ninguna de las tres cosas y eso es porque solo piensa en su polla y en su cartera.

—Amén —convino Susana.

—Muchas gracias por escuchar esta mierda todos los meses, sois la mejor familia que se puede tener...

—Tómate alguna de esas drogas legales que manejas y descansa. Mañana será otro día —me aconsejó Susana.

—¡Por cierto! —exclamó Maura como una loca—, en unos días inauguran una nueva clase de zumba en el H_2O y... mi chico veinteañero me ha dado invitaciones para asistir a una clase gratis y, por supuesto, vendréis conmigo.

—Maura, ¿quieres matarme de un infarto antes de cumplir los cuarenta? ¿Has visto cómo ha quedado mi faja abdominal tras el embarazo gemelar? —exclamó Susana.

Susana se había quedado con doce kilos de más desde que había tenido a sus mellizos. Su embarazo había sido tan deseado que no le importaba, o eso era lo que nos decía, pero nunca nos dejaba sacarnos fotos con ella, así que algo de insatisfacción debía de haber.

—Pues por eso mismo, nos vendrá genial mover el culo a las tres.

—No te prometo nada —susurré.

—Ah, no, ¡sí que vendrás! Yo aguanto tus quejas y más carros y carretas si hace falta, pero tú vienes, ya lo creo que vienes.

Y, cuando Maura se ponía pesada, mejor no llevarle la contraria.

Hop, hop

El sábado por la mañana vino mi madre a casa a buscar a Álex.

—Hola, mi niña.

—Hola, mamá.

—¿Cómo estás, cielo?

—Bueno, pues mejor, no te preocupes.

—Me gustaría tanto creerte, pero soy tu madre y, por desgracia, no puedes mentirme. Anda, ve y distráete, en una hora nos viene a buscar Jose Mari y llevaremos a Álex a jugar por ahí.

—Gracias, mamá.

Cuando Álex se quedaba con mi madre y Jose Mari, le cambiaba el carácter para mejor. Dicen que todo se pega y, con el buen rollo y el estado de paz que transmitía mi madre, debía de pasar algo así.

Recogí a Maura en su casa. Susi nos vería allí directamente.

Me había puesto unos *leggins* de yoga negros con una franja cruzada en violeta, a juego con la camiseta, pero qué poco me apetecía moverme en zumba...

—¿Estás preparada para mover ese cuerpo serrano? Vamos a quemar un montón de calorías —dijo Maura mientras sorbía una bebida energética.

En la entrada del centro de salud (así lo llamaba Óscar), nos esperaba Susana embutida en sus mallas y con una amplia sudadera. Tras abrazarnos, nos dirigimos al *hall*, que era todo de cristal y estaba lleno de imágenes de personas de todas las edades fotografiadas en medio de la naturaleza que, a diferencia de la típica imagen de gimnasio en la que se mostraba mucha carne, iban vestidas con ropa normal. Me gustaba aquel sitio. Nada más entrar, transmitía serenidad. Como Óscar. ¡Dios mío! Óscar, no había pensado en él, ¿trabajaría ese sábado?

—Qué grande es esto, ¿no? —dijo Susana—. Menudo gimnasio.

—Sí, hasta hay pistas de pádel. Creo que las clases de zumba son al fondo.

Había un grupo de mujeres apelotonadas a la entrada de una sala que, como nosotras, llevaban toallita y botellín de agua.

—Buenos días, chicas —nos sorprendió Fernando, el veinteañero con el que se acostaba Maura.

—Hola, Fer —saludó Maura, plantándole un beso en todos los morros.

—Tiene muy buena pinta la clase, dicen que el monitor que la da es uno de los mejores del país —nos comentó él.

—Mmm, estoy deseando moverme —le respondió ella picarona.

Susana y yo fuimos testigos de cómo Fer y Maura se manoseaban a la entrada de la clase de zumba por encima de los límites públicamente tolerables.

—Hola, Abril —me sorprendió una voz por detrás. Me giré y ahí estaba Óscar con su maravillosa sonrisa.

—Ho... la —dije sorprendida al verlo allí. «Habla, Abril, ¿estás tonta o qué? Es normal que lo veas: trabaja aquí», me riñó la loca de la casa.

Se acercó para darme dos besos que le devolví de inmediato. Si algo me habían enseñado mis padres era educación.

—¿Estás preparada para una sesión con Fabri?

—La verdad es que no, pero cualquiera se lo dice a Maura —respondí señalándola con la cabeza.

Sonrió.

—Yo creo que os vais a divertir un montón.

Las puertas se abrieron y todos los asistentes comenzaron a acomodarse en la sala.

—Venga, tienes que entrar, cuando salgas me cuentas qué te ha parecido.

—¿Te refieres a cuando salga con la cara roja y empapada en sudor?

—Mmm, me gustan tus expectativas —sonrió de nuevo.

Cuando al fin entré en el aula, Maura y Susana ya estaban situadas, pero yo me sentía acelerada, consecuencia del encuentro con Óscar. «¡Así que este es el efecto que provoca en ti!», volvió a chincharme la loca de la casa.

Qué guapo era Óscar, y seguía oliendo a verano, a aire fresco y a melón.

—¡Y un, dos, tres, vamos! ¡*Hop, hop, hop*... ! —gritaba el tal Fabri.

Ya no había marcha atrás, estaba en medio de una clase de zumba con muchas mujeres y otros tantos hombres desbocados a mi lado. Que el fin del mundo me pillara confesada...

Al terminar la clase, había superado mis predicciones: el color de mi cara no era rojo, sino amoratado. Sin embargo, como una campeona, había seguido el ritmo hasta el final (demasiada adrenalina y rabia dentro reprimidas), y la verdad era que me sentía superbién. Maura también lo había dado todo, pero ella estaba resplandeciente y sin despeinar. Y Susana se había tomado la clase medio a risa y había parado en varias ocasiones; al menos, había pasado un buen rato.

—¡A la ducha, campeonas! —nos ordenó Maura.

Cuando nos dirigíamos al vestuario, Óscar nos asaltó por el camino.

—¿Qué tal la sesión, chicas? Veo que ha sido efectiva... —dijo fijándose en cómo me secaba el sudor de la frente—. Espera —pidió, agarrándome del codo para hablar conmigo de forma más discreta—. Toma estos tres pases para la sauna. Es de pago para los que no son socios, pero hoy sois mis invitadas —dijo guiñándome un ojo.

—Muchas gracias —respondí sin ningún salero: toda mi energía se la había llevado aquel baile demoniaco llamado «zumba».

—Antes de que te vayas, hablamos, ¿vale?

—Ajá... —afirmé sin poder pronunciar palabra.

Cuando entré en el vestuario con los pases de la sauna en la mano, Maura y Susana me miraban sonriendo como quien pilla a un hijo haciendo una trastada.

—¿Qué?

—¿Todavía no te has dado cuenta de que le gustas? —preguntó Maura.

—Bah.

—Yo de ti, no dejaría pasar la oportunidad —me dijo Susi desinteresadamente—. Desde que Leo y Tony llegaron a mi vida, ya no sé lo que es ligar, ni salir a ligar, ni coquetear, ni hablar con alguien con otra intención que no sea ganar un caso o decirme cómo bajarles la fiebre a mis hijos.

—Yo tampoco sabría cómo hacerlo, después de veinte años con Pedro...

—Pues la noche de tu cumple no te vi tan perdida —insinuó Maura.

—Si a cualquier hombre de nuestra edad le dices que tienes dos mellizos de tres años y sale huyendo, imagínate a un chaval de menos de treinta.

—Pues a lo mejor es todo lo contrario —respondí por inercia—, tienen más energía y menos pereza.

—Ah, ¿sí? —dijeron las dos al unísono—, pues aplícate el cuento —remató Maura.

Nos sentamos las tres en la sauna envueltas en nuestras toallas.

—¿Y a ti cómo te va con Fer? —se interesó Susana.

—Nos lo pasamos bien juntos. Nos vemos cuando queremos y sin tener que quedar para otro día en concreto. Con libertad, vaya.

—No suena nada mal, algo así necesito yo —manifestó Susana—. Echo de menos un revolcón, tengo muchas emociones dentro y por algún lado tienen que salir.

—Por la comida —le dijo Maura—. Comes sin hambre.

—Sí, es verdad, ya que mi agenda no me permite pasármelo tan bien como tú, me lanzo al dulce.

—Bueno, bueno —intervine poniendo un poco de paz—, pues yo no echo nada de menos el sexo, ni me acuerdo.

—Eso son los antidepresivos, en cuanto los dejes, estarás desbocada —sentenció Maura.

—Elisabeth me dijo un día, comentándole un caso, que muchas personas que toman antidepresivos no son capaces de alcanzar el orgasmo —afirmó Susana.

—Menudas conversaciones que tienes con la niñera, ¿no? —observó Maura.

—Es que Elisabeth es mucho más que eso, es mi salvavidas, ya lo sabéis, la segunda madre para mis niños, y mi confidente también. Cuando estoy triste, me lo nota, y le cuento mis penurias y, por supuesto, me desahogo con ella y con vosotras poniendo verde a toda mi parentela antes de una reunión familiar.

—Pues, entonces, tienes dos opciones: o te casas con Elisabeth o le subes el sueldo —respondió Maura.

Desde que la conocía, Susi había querido formar una gran familia. Al cumplir los treinta y cinco y seguir sin pareja, había decidido ser madre sola a pesar de la mentalidad *opusina* de su familia. Por supuesto, Maura y yo la habíamos apoyado; bueno, más yo que Maura, que no paraba de preguntarle si estaba segura de lo que hacía, si lo había pensado bien, si había valorado todos los pros y contras. La respuesta de Susana había sido firme: «Llevo pensándomelo toda mi vida». Y así fue como formó su familia, dos niños en un solo parto. Ya entonces había contratado a Elisabeth para que la ayudase en el embarazo y con los preparativos prenatales.

«Después de los *mellis*, Elisabeth es la persona más importante para mí en estos momentos. Si se va, me muero», nos decía en repetidas ocasiones. Y es que Susana adoraba a sus mellizos, pero, si ser madre en pareja ya resulta duro en ocasiones, hacerlo sola, de dos niños y sin compartir la responsabilidad con otro, mucho más. Me sentía muy orgullosa de ella al ver la mujer fuerte en la que se había convertido.

—Algunas veces me quedo a trabajar por las tardes —confesó Susana mientras las gotas de condensación de la sauna caían por su frente.

Maura y yo la miramos con el mismo gesto.

—¿Por las tardes? ¿Y desde cuándo los funcionarios trabajan por las tardes? —pregunté.

—Bueno, si queremos, podemos hacerlo.

—Ya, pero uno de los beneficios de ser funcionaria es precisamente el horario, ¿no? —insistí.

—Bueno, digamos que el trabajo me sienta bien.

—Ah, no me digas que ahora eres una *workaholic*, este concepto tan de moda —dijo Maura, orgullosa de estar al día de la terminología *millennial*.

Yo entendía a Susana perfectamente. Sabía que el motivo de quedarse a trabajar por las tardes era tener unas horas de tranquilidad antes de llegar a casa, porque ser madre es algo fantástico, pero también muy duro cuando lo haces en solitario. Yo ahora lo estaba experimentando en mis propias carnes; tenía que educar sola a Álex y ayudarlo a gestionar todas sus emociones. Pedro lo llamaba todos los días por videoconferencia, sí, pero había algunos en los que el niño no quería hablar con él y la psicóloga nos había dicho que no lo obligásemos.

La miré cómplice. Antes de ser madre, había pensado muchas veces en cómo sería serlo, pero lo cierto es que es de esas cosas que te puedes imaginar muchas veces, pero que no sabes lo que es hasta que realmente lo eres (entre otras cosas, porque no suele ser como te lo cuentan o imaginas).

—¿Vas a quedar con él? —me preguntó Susana sacándome de mi ensimismamiento.

—¿Con quién?

—Si es que tienes que dejar ya las pastillas —refunfuñó Maura—. ¡Con Óscar!

—¿Y para qué iba a quedar con él? —pregunté sorprendida.

—¿Para distraerte, pasar un buen rato, volver a reírte, charlar de otro tema que no sea Pedro, darle una alegría a tu cuerpo y, de paso, un empujón a tu alma? —contestó Maura.

Negué con la cabeza.

Cuando salimos del vestuario, duchaditas y estupendas después de una sesión de deporte, vi a Óscar en una de las salas hablando con más gente.

—Voy a acercarme a darle las gracias —les dije a las chicas.

—Uh...

Óscar me vio a través del cristal y me hizo un gesto de espera con la palma de la mano. Fui buena chica y lo esperé. Cuando llegó, ya podía hablar y respirar a la vez.

—¿Qué tal la sauna?

—Genial, nos ha venido de perlas a las tres. Nos vamos de aquí muy relajadas. Muchas gracias.

—Misión cumplida, entonces —dijo sonriendo—. Por eso me gusta trabajar aquí.

—A lo mejor por eso eres tan feliz. —«¿Has dicho tú eso, Abril? Pero bueno...». La loca de la casa se hacía cada vez más visible—. Perdona, no quería...

—Es verdad, Abril, el deporte te hace una persona más feliz, y también la buena compañía. Ahora tengo que seguir trabajando, pero me encantaría cenar contigo esta noche, si no tienes planes, claro...

—Pues... —vacilé. No estaba preparada para contestar a esas preguntas por la mañana y sin un mojito— esta tarde me toca trabajar. Álex pasará todo el día con los abuelos.

—Yo también tengo que trabajar —respondió—. ¿A qué hora crees que acabarás?

—Pues... no lo sé, en realidad tengo muchas tareas pendientes.

—Ok, Maura me dio tu número el otro día, te llamaré. Pero, si por la tarde sufres una confusión con tanto idioma y necesitas que alguien te traiga de nuevo al castellano, me llamas tú, ¿vale?

Reí. Sí, reí, porque Óscar provocaba ese efecto en mí.

Se acercó para darme dos besos, situando una de sus manos en mi cintura. Era... tan agradable ese olor a fresco, a oxígeno, a mar...

Las chicas me esperaban fuera. Nos habíamos ganado un buen desayuno.

Cita inesperada

Entré por la puerta de casa y sentí hambre de nuevo. Parecía que el deporte estaba haciendo su efecto, porque, además, el cuerpo me pedía alimentos verdes.

Traduje todo el día, excepto una hora en la que me tumbé a dormir la siesta. Era consciente de que trabajaba en piloto automático. Antes de que Pedro se fuera, solía explotar mi creatividad y aplicarla a las traducciones, darles esa chispa para convertirlas en textos atractivos. Esa chispa se había ido con Pedro ya casi un año atrás; aunque, si lo pensaba de verdad, tenía que admitir que, antes de la huida, ya había abandonado mi mejor versión, pues llevaba tiempo sin trabajar en un proyecto que me interesara de verdad.

A las siete de la tarde llamé a mi madre para saber de Álex.

—Hola, hija. ¿Cómo vas con las traducciones?

—Bien, he hecho más de lo que esperaba.

—Bien por ti. Nosotros lo hemos pasado de maravilla. En un ratito meteré a este pequeño hombrecito en la ducha.

«Mamiiiiii», lo escuché de fondo. Mi madre le pasó el teléfono.

—Jose Mari va a hacer búrguers como las que él comía en Donosti. Quiero dormir aquí, mami, *porfa*, *porfa*.

—¿Estás seguro, Álex?

—Síííí, *porfa*, *porfa*.

—Está bien. Si es lo que quieres, por la mañana iré a buscarte.

—Biennnnnnn, ¡gracias! Te quiero, mami —dijo dándole el teléfono de nuevo a mi madre.

—Mamá —me quejé—, no sé si será buena idea lo de las búrguers vascas. Su padre acaba de irse y llenarle el estómago no lo ayudará con las pesadillas.

—No te preocupes, Abril, descansa. Ha estado muy tranquilo todo el día y yo dormiré con él, seguro que estamos bien.

—Bueno... Cualquier cosa, me llamas y voy a por él, ¿vale? A la hora que sea...

—No te preocupes, Abril, déjame disfrutar de mi nieto.

Por lo general, cuando Álex estaba en casa de mi madre, estaba más tranquilo y obediente. Claro que le consentían todo, pero la verdad era que el niño se sentía seguro allí, más que conmigo, y eso no sabía cómo me sentaba.

El sonido de un wasap me sacó de mis pensamientos.

¿Cómo van esas lenguas? Espero que el gimnasio te haya dado energía para una tarde productiva. Me ha encantado verte.

Oh... era Óscar. «¿Qué hago, qué hago, qué hago?». Me levanté de la silla como una adolescente, dejando el teléfono sobre la mesa, como si Óscar pudiera verme. «Contrólate, Abril», me decía la loca de la casa. «¿Contesto? Sí, claro, es un chico muy educado y yo también lo soy».

Hola, Óscar, ¡qué sorpresa! Pues la tarde no ha cumplido todas mis expectativas, pero al menos he adelantado trabajo.

¡Mejor hecho que perfecto!, contestó él.

Ese es uno de los lemas de tu generación que me encantan.

«Oh, no contesta. ¿Le habrá parecido mal que haya hecho alusión a su edad?». «Si es que siempre la cagas», me decía la loca de la casa. Escribiendo... «Menos mal».

Pues a ver si te gusta este: «La edad es un estado mental». Eso decía Freud.

Oh, lo había ofendido.

Perdona, Óscar, no quería ofenderte.

Mmm, no lo has hecho, solo quería enfadarte un poquito.

No sabía qué decir... ¿Qué se decía por un chat?

Abril, perdona, era una broma.

Sí, claro, no te preocupes.

¿Puedo remediar mi chascarrillo invitándote a cenar? Si no te apetece salir, puedo enviarte un exquisito plato por Just-Eat.

Eso me hizo reír... Qué majo. Sería buena. Podía ir a cenar con él, pero ¿para qué? «Pues para divertirte y dejar de ser un muermo»: las palabras de Maura sonaron en mi cabeza, pero no quería darle esperanzas, era solo un crío, aunque adorable... «Tiene veintisiete años», increpó la loca.

Está bien, acepto ir a cenar, pero no la invitación. Pagamos a escote, a medias, fifty o como prefieras decirlo.

 Ya veremos… ¿Crees que en una hora estarás lista?

Sí, ¿dónde nos vemos?

Puedo ir a buscarte, sé dónde vives.

Oh, tenía coche, no era tan bebé. Era sábado por la noche y el metro estaría abarrotado, más me valía aceptar su invitación.

Nos vemos en un ratito.

Colgué el teléfono y aún temblaba. Pero ¿qué había hecho? Había quedado con un veinteañero. Al final, todo se pegaba, tantos años con Maura... Miré mi rostro en el espejo. ¡Dios mío! ¡Qué pinta! Pero ¿quién era esa mujer ojerosa, delgaducha y con los hombros caídos que me miraba? No podía ser yo. ¿En qué me había convertido? Hacía tanto que no me arreglaba, que no soltaba mi melena, que no me cuidaba...

«¡A la ducha!» ordenó la loca de la casa sin contemplaciones.

Me di una ducha calentita con mascarilla reparadora incluida para pelo y piel, y puse un poco de música para animarme. Lo cierto era que estaba nerviosa. ¿Cuánto tiempo hacía que no tenía una cita? Pues más de veinte años... Joder, me sentía como un dinosaurio.

«¿Y qué me pongo?». Podría llamar a Maura y preguntarle. Pero no, qué va, después tendría que aguantar su interrogatorio.

«Tengo que buscar algo juvenil que disimule la diferencia de edad entre nosotros. Unos vaqueros nunca fallan», me dije. «¿Tendré algunos que me sienten bien?». Había adelgazado tanto que flotaba en ellos... Entonces recordé que tenía una falda de tela vaquera que se ajustaba a mis nuevas formas. Podría combinarla con la camisa rosa de cuadritos y la cazadora vaquera. Las noches comenzaban a ser calurosas y no necesitaría más ropa. Sin embargo, pronto me acechó otra duda: ¿tacones o deportivas? ¿Cuánto tiempo hacía que no me ponía tacones? Ni me acordaba. Desde que había nacido Álex, desde luego que no... Ni lo uno ni lo otro: unas zapatillas de esparto azul marino estarían bien.

«¿De verdad te estás preparando para una cita?», se reía la loca de la casa. «Es solo un crío que te va a pasear para animar un poco el funeral en el que estás metida».

Diez minutos antes de la cita, ya estaba lista.

Mis ojeras no tenían remedio, y eso que me había puesto corrector y una muestra de un sérum que había arrancado de una revista hacía más de un año, pero la huella del insomnio no me abandonaba.

Abrí el portal y lo que vi me sorprendió. Óscar estaba sentado sobre una moto grande, muy grande. Mi ignorancia sobre este medio de transporte era obvia, pero lo que sí tenía claro era el miedo que me daba subirme.

Iba vestido con vaqueros negros, deportivas del mismo color y una cazadora de cuero. ¡Guau! ¡Qué chico tan guapo! El negro y la barbita incipiente lo hacían mayor.

Sujetaba un casco en una de sus manos y en la otra tenía otro para... ¿mí? ¿Iríamos a cenar en moto? ¡Yo nunca me había subido a una! Pedro y yo las odiábamos, no entendíamos cómo, sabiendo el porcentaje de accidentes y muertes en ese medio de transporte, alguien podía utilizarlo. «Ya estamos», susurraba la loca de la casa.

—Hola, Abril, estás guapísima.

¿Perdona?

—Hola. Qué moto tan… grande.

—¿Te gusta?

—Y tan peligrosa… —rematé.

—Bueno, llevo desde los dieciocho utilizando este medio de transporte y todavía estoy vivo, así que creo que puedes fiarte de mí —dijo ofreciéndome el casco.

Óscar se bajó y se acercó a darme lo que yo pensaba serían dos besos, pero fue solo uno y en la mejilla derecha.

Mmm, qué bien olía. Tenía el pelo mojado, seguro que venía directo del gimnasio.

—¿Tienes hambre? —me preguntó.

Encogí los hombros como una niña de cinco años.

—Ya veo —dijo él—. Mira, ven, que te ayudo.

Se acercó más de lo previsto y me salió la sonrisa tonta que me sale cuando no sé qué hacer ni qué decir. Me colocó el casco con delicadeza y me ajustó la cinta a la barbilla. Yo me dejé hacer.

—¿Te sientes más segura ahora?

—Mmm…

—Te prometo que iré despacio.

Óscar se montó primero y yo no sabía muy bien cómo subir mientras él me miraba sonriente desde el asiento delantero.

«Puedes hacerlo, Abril: levanta la pierna y demuestra tus años de yoga», me dije. De repente, una energía liberadora me invadió y subí rauda y veloz. Ya estaba hecho, iba a ir en moto por primera vez en casi cuarenta años. ¡Dios! Estaba realmente acojonada.

—Puedes agarrarte a mí —dijo Óscar sonriente a través de su casco.

—Bueno, también puedo agarrarme aquí —respondí señalando las asideras a ambos lados del asiento.

—Tú mandas —aceptó mientras ponía la moto en marcha.

El motor rugió y me asusté. Estaba a tope de adrenalina.

—¡Vamos allá!

Óscar se incorporó despacio al tráfico de esas horas de la tarde.

Yo iba rígida como el palo de una escoba. Me agarraba con tanta fuerza a las asideras de la moto que estaba segura de que me las llevaría incorporadas cuando me bajase.

—Abril —me dijo Óscar girando su cabeza levemente hacia atrás—, si te pegas a mí, la conducción será más fácil. Estás demasiado tensa y me cuesta tomar las curvas así.

«¿Qué hago?». ¡Dios! ¡Cuánta indecisión en tan pocos minutos! «Bueno, seamos racionales, en cuanto a seguridad no hay quien me gane. Si hay que agarrarse al chico, pues oye, no seré yo quien ponga en peligro nuestras vidas». Pegué mi cuerpo a su espalda mientras mis manos abrazaron tímidamente su cintura.

El transporte en moto era algo erótico. Nunca lo había visto desde esa perspectiva, dos personas tan juntas en un espacio tan pequeño...

Nos incorporamos al tráfico de la ronda circular, que a esas horas de una noche de sábado era denso, y comencé a sentirme relajada, tanto que me sorprendí de mi propia reacción. ¿Relajada sobre una moto con un veinteañero? Pues esa era yo en ese momento.

De forma natural, giré mi cabeza y la apoyé en la parte alta de su espalda. Sin saber ni cómo ni por qué, cerré los ojos. Qué gusto sentir el aire cálido de una noche de junio por todo mi cuerpo, era una liberación.

Óscar se dio cuenta de mi estado de relajación, porque pude atisbar una media sonrisa por debajo de su casco. En aquellos momentos, me daba igual adónde me llevase; de hecho, ojalá me llevase muy lejos. Solo por una noche, solo por esa noche, iba a permitirle una tregua a mi depresión, una noche libre, con él...

La loca de la casa quedó anulada por mi tranquilidad espontánea y me dejó disfrutar de ese momento. Yo, Abril, de treinta y nueve años, distendida transportándome encima de una moto con un veinteañero un sábado por la noche a sabía Dios dónde, qué maravilla... Cuánto tiempo hacía que no me sentía así.

Nos dirigimos a la parte alta de la ciudad, una zona de reciente construcción en la que había varios barrios orientados a familias jóvenes. No conocía la zona, apenas había pasado por allí en coche un par de veces, pero había escuchado a Maura decir que era el barrio alternativo de la ciudad; vamos, el que estaba de moda.

Óscar aparcó la moto frente a una cervecería con mucho ambiente y bajó las manos hacia su cintura atrapando las mías, que todavía lo abrazaban.

—No te imaginas lo que siento tener que interrumpir este momento, pero hemos llegado. ¿Bajamos?

—Sí, claro —respondí sonrojada. Menos mal que tenía puesto el casco.

—¿El viaje te ha abierto el apetito?

—No mucho —respondí.

—Pues en este local hacen los mejores montaditos de la ciudad. Anda, ven.

Bajamos de la moto y Óscar me abrió la puerta del local para dejarme pasar primero. Ese gesto me sorprendió, un *millennial* con excelentes modales...

El lugar estaba lleno de grupitos de gente bebiendo, charlando y riendo en torno a mesas altas.

—Allí tenemos un hueco —avisó Óscar señalando hacia un lateral—. ¿Qué quieres tomar?

—Lo mismo que tú —respondí. En ese instante me di cuenta de que esa había sido una respuesta muy arriesgada, pero, por algún motivo que desconocía, me sentía desinhibida. ¿Cuánto tiempo hacía que no tenía una cita? Bueno, en realidad esta tampoco podía considerarse una, solo había bajado a tomar algo con un amigo. «Pero ¿qué amigo, si lo acabas de conocer?» reclamó la loca de la casa. Había vuelto.

—¿Dos cañas bien tiradas te parecen bien?

Dije que sí con la cabeza y Óscar se acercó a la barra a transmitir nuestra petición al camarero mientras yo salvaguardaba la mesa, buena era yo con eso...

Regresó con dos cañas y un bol de patatas fritas.

—¿Recomendáis a los usuarios del gimnasio comer este tipo de *snacks*?

A Óscar le hizo gracia mi ironía.

—Lo que les recomendamos es que sean felices, y el deporte y la comida contribuyen a conseguirlo, ¿no crees?

-Claro, solo era una broma —sonreí.

Óscar me contó que llevaba tres años trabajando como *personal trainer* en H_2O. Le apasionaba su trabajo, pero sentía que quería algo más. Esa historia me sonaba. Me habló de la importancia de tonificar el *core*, sobre todo, las mujeres después de la maternidad. Ayudaba a muchas mamás a recuperar la forma y, de paso, su figura después de esa «increíble experiencia» (y lo de «increíble» fue una palabra suya).

Escuchar hablar a Óscar era contagiarse inmediatamente de su positivismo, de su pasión por las cosas, de su energía tan blanca.

—¿Te apetecen unas tapas?

—Tú eres el experto, hoy estoy en tus manos, bueno... Quiero decir... en lo que respecta a los aspectos culinarios.

«*Culinarios* y *cunnilingus* se parecen mucho, ¿no crees?», me incomodaba la loca de la casa.

—No te preocupes, estás en buenas manos —dijo Óscar apoyando las suyas sobre las mías. Posé mi mirada en ese gesto y me quedé obnubilada, sin moverme.

Llegaron las raciones de calamares y de montaditos con dos cañas más. Desde la cogorza de mi cumpleaños no había vuelto a probar el alcohol, pero ¡qué bien sientan unas cañitas un sábado por la noche!

Estaba todo delicioso. Comimos, bebimos y reímos, algo que este chico tenía la virtud de provocarme. Y, a pesar de la poca graduación, la cerveza comenzaba a hacer efecto en mí. «Si es que hace mucho que no salgo...».

—¿Estás muy cansada? —me preguntó Óscar.

—No, estoy bien; de hecho, mejor de lo que esperaba —dije abiertamente.

—Bueno, entonces he conseguido entretenerte.

Asentí.

—Genial, porque todavía me gustaría enseñarte un sitio más.

Quise pagar las consumiciones, pero no aceptó mi petición. Hice un puchero como una niña pequeña. «No sé quién es peor de los dos», se desesperaba la loca de la casa.

Subimos de nuevo a la moto, esta vez de forma más decidida por mi parte, y Óscar condujo alejándonos del bullicio del barrio. Bajamos por una carretera secundaria hacia la costa y volví a sentirme relajada en ese caballo a motor de dos ruedas, ¿quién me lo iba a decir?

Cuando llegamos al nivel del mar, nos dirigimos a una explanada donde había varios coches aparcados. Al fondo, pegadito a una pequeña playa, había una especie de *pub* al aire libre.

Bajé de la moto y Óscar me dio la mano mientras me miraba.

—Vamos, creo que te gustará.

Cuántas sorpresas y nuevas sensaciones estaba viviendo esa noche.

El local tenía dos terrazas, una semicubierta y otra al aire libre. Nos sentamos en la más próxima a la playa. Al fondo había un DJ pinchando lo que parecía música *chill out* que conocía; no estaba tan anticuada.

Desde nuestra mesa se escuchaba el rugir de las olas rompiendo contra las rocas. ¡Guau! ¡Qué maravilla de lugar! Maura nunca me había hablado de este sitio, a lo mejor no lo conocía.

Óscar se levantó a pedir sin preguntarme y regresó con un chupito para él y un mojito para mí.

—Todavía me acuerdo de tu bebida favorita —dijo divertido señalando el mojito.

—Muchas gracias, eres un cielo.

—¿Puedo hacerte una pregunta, Abril? —Di permiso mientras bebía el mojito—. ¿Cuánto tiempo hace que te separaste?

Esa pregunta me atravesó como una bala. ¿Cómo sabía él...? Ah, claro, ya recordaba. La noche de mi cumpleaños le conté que me habían abandonado y a él también le había pasado lo mismo.

—Poco más de un año.

—Perdona, no quería incomodarte, pero no se me ha pasado por alto tu alianza.

La miré avergonzada. Mi alianza, ¿qué sentido tenía llevarla todavía? Representaba una promesa rota.

—Tienes razón, no te preocupes. No debería llevarla, es solo que me cuesta desprenderme de los últimos veinte años de mi vida y del padre de mi hijo de seis años.

—Vaya..., veinte años y un hijo, qué genial.

—Sí, casi los que tú tienes...

Óscar bebió un sorbo de su chupito.

—En eso debo decir que me superas. Mi ex me dejó después de cuatro años, sin muchas explicaciones y desde Polonia.

—¿Polonia?

—Sí, se fue a hacer su doctorado y, a los seis meses, se acabó.

Me mantuve en silencio.

—Ahora que ya ha pasado más de un año, lo veo en perspectiva y sé que fue lo mejor. Nunca llegamos a conectar del todo.

—Ajá —dije mientras bebía. Necesitaba beber, no estaba acostumbrada a tener conversaciones de ese tipo y menos con desconocidos, no sabía muy bien qué contestar.

Óscar me miró fijamente sonriendo.

—¿Qué? —dije divertida.

—Ya tienes esa cara que me gusta tanto.

—¿Qué cara?

—Una de relajación, de hablar sin tapujos.

Reí.

—¿Tú crees?

—Sí, y te aseguro que me encanta hablar sin tapujos. Seré bueno y te pediré otro mojito.

—No sé si debo, mañana tengo que trabajar.

—El último y nos vamos, ¿vale?

Pues vale, mi sentido común no respondía racionalmente ante un ofrecimiento de mojito.

Vi a Óscar alejarse hacia la barra. Mmm, esos pantalones oscuros y caídos le hacían un buen culo. «Pero bueno, si es que no se te puede dar de beber», me sermoneó mi acosadora interna.

Miré hacia la oscuridad de la noche. El ambiente era tranquilo y relajado, apenas había gente. Me sentía tan a gusto...

Óscar regresó con mi mojito y un helado de fresa

—Mi dosis de alcohol se acabó por hoy, dijo saboreando su helado. Voy a devolverte sana y salva —afirmó mientras volvía a acariciarme la mano. Me gustaba que lo hiciera—. Estás muy guapa y relajada.

—¿Relajada?

—Sí. Transmites una energía especial, ¿nunca te lo han dicho?

—Me lo dice mi madre, y también me lo decía mi padre; él también me abandonó, aunque para irse al otro barrio —dije señalando a las estrellas.

Óscar no sabía si sonreír o quedarse serio ante ese comentario.

—La vida es sorprendente —dijo saboreando su helado—. Mi padre ha sido la persona que más daño me ha hecho en mi vida y la que más me ha hecho crecer personalmente. Consiguió sacar lo peor y lo mejor de mí. Lo que se conoce como un «maestro espiritual»...

Lo escuché sorprendida por su afirmación.

Posó su mano en la parte alta de mi muslo. Mi mano, arrastrada por una energía superior, acudió a su encuentro y se apoyó sobre la suya.

Óscar me miró y se acercó. Estábamos en una mesa tranquila alejada de los demás. Lo miré fijamente con la respiración entrecortada. ¿Esto estaba pasando de verdad? ¿A mí?

Con su mano derecha acarició mi mejilla. Dejé caer el peso de mi rostro sobre su palma cerrando los ojos. Lo siguiente que sentí fueron sus labios helados y con sabor a fresa sobre los míos. Mmm, qué bien sabía Óscar. El olor a fresa y a verano se intensificó en su boca, recordándome las vacaciones que pasaba con mis padres en la casa de la playa que mi madre había vendido tras el fallecimiento de papá. Me trasladó a una época feliz, de calma e ilusión, justo lo mismo que sentía en ese instante.

Los labios carnosos de Óscar acariciaban los míos sin prisa, saboreando los restos de azúcar de mi bebida. Respondí mejor de lo que esperaba a ese dulce beso, dejándome llevar por el momento y también por el mojito que corría por mis venas.

Qué beso tan especial...

Cuando pude abrir los ojos, me encontré a Óscar mirándome fijamente, sonriendo. Sus manos todavía sostenían mi cuello.

—Eres preciosa, Abril. ¿Qué te parece si cambiamos de lugar?

Manifesté mi conformidad sin poder hablar. Tampoco pude pagar los mojitos. La mano de Óscar me llevó de vuelta a su moto.

Me colocó el casco de nuevo, no sin antes besarme. Esta vez apoyó sus manos en mis caderas y yo hice lo mismo en su pecho. No cruzamos más palabras, simplemente nos subimos y nos encajamos como un puzle perfecto para una conducción segura. Maura tenía razón, Óscar tenía un cuerpazo.

La moto rugió mientras ascendíamos por la ladera de la montaña, alejándonos del nivel del mar y de ese chiringuito tan especial sacado de un sueño. La carretera de costa tenía bastantes curvas, pero Óscar conducía suave y a poca velocidad. Desde esa altura, las vistas eran cada vez más impresionantes. Al cabo de un rato, paramos en una especie de mirador desconocido para mí. Pero ¿cuántos años llevaba viviendo en esa ciudad?

No había palabras para describir lo que teníamos delante. El reflejo de una luna resplandeciente sobre el mar nos iluminaba incluso a esa altura, la brisa era más fresca pero agradable, y el olor a mar, a vida, inundaba la naturaleza que nos rodeaba.

—Qué sitio más mágico... —susurré maravillada.

Avancé un par de pasos para no perderme ningún detalle. Óscar me siguió.

—Me alegro de compartir uno de mis escondites contigo.

—¿Escondite?

—Cuando me siento mal o tengo que tomar una decisión importante, me siento aquí arriba y observo toda la abundancia que nos rodea y de la que apenas somos conscientes. El océano es el mejor ejemplo, ¿no crees?

Lo miré con los ojos muy abiertos. No tenía palabras, estaba hipnotizada. Entre las dos cañas, los mojitos, la adrenalina de la moto, los besos con sabor a mar de Óscar y esa postal...

Óscar se abrazaba a mi cintura por detrás, apoyando su cabeza en mi hombro.

Me giré y abrió sus labios para agrandar su sonrisa perfecta.

—Muchas gracias por esta noche, por traerme aquí, por descubrirme tantos sitios desconocidos para mí.

—Muchas gracias por dejarme descubrírtelos —dijo él muy cerca de mis labios.

Su aliento seguía siendo fresco, a fresa, a aire de primavera y a mar. Se integraba perfectamente en el paisaje.

Esta vez fui yo la que lo besó, presa de la adrenalina. Él respondió de buena gana, atrapando mis labios con los suyos, y nuestras lenguas se encontraron tímidamente a medio camino, acompasándose lentamente hasta compenetrarse.

Fuimos acercándonos a la moto hasta que tropezamos con ella. Me apoyé sobre su asiento mientras continuábamos con nuestro baile de besos, que ya se iban transformando en tímidos jadeos.

A esos besos les siguieron muchos más, por mis mejillas, la barbilla, el cuello y los huecos de mis hombros. Esto último me hizo estremecer. Era uno de mis puntos débiles.

Óscar me miró con esos ojos negros todavía más oscuros y brillantes a la luz de la majestuosa luna. ¿Era deseo lo que había en ellos? Yo también lo sentía, tanto tiempo de sequía sexual... A lo mejor a él le pasaba lo mismo, hacía un año que había roto con su novia, aunque, con lo guapo que era y trabajando en ese gimnasio tan chic, seguro que tenía muchas oportunidades...

Necesitaba vivir el presente, mañana sería otro día. Me sentía envuelta por la magia del momento, el aquí y ahora, la teoría del *mindfulness* que tanto nos repetía el profesor de yoga... Había llegado la hora de ponerla en práctica y perderme en ella.

Rodeé su cuello con mis brazos y seguimos nuestro baile de besos, esta vez acompañado por caricias. Las manos de Óscar comenzaron a perderse por debajo de mi camisa, recorriendo la línea de mi columna, y mis suspiros avivaban los suyos.

Sus manos se desplazaron hasta mi ombligo, acariciándome hasta llegar a la línea del sujetador.

—Abril... —susurró Óscar—, si quieres que pare, solo tienes que decirlo.

—No quiero...

Apoyé mi trasero en el asiento de la moto y lo atraje hacia mí con las piernas. Sentí su erección contra la tela vaquera de mi falda.

Óscar continuó con sus caricias bajo mi blusa y me acarició por encima de la copa del sujetador. Yo me desabroché los tres primeros botones, hasta que mi ropa interior quedó a su vista y sentí cómo atrapaba mis pechos en las palmas de sus manos y ese gesto me puso todavía más.

Entre los dos ya no había espacio. Cerré los ojos y eché la cabeza hacia atrás. Sentí un ligero mareo por el alcohol. Estaba liberada. Volví a apretarlo más contra mi pelvis, rodeándolo con mis piernas: lo necesitaba allí y en ese mismo instante.

—Abril —susurró Óscar—, me estás volviendo loco...

—Quiero sentirte ya —le susurré al oído. Eso lo excitó todavía más.

Esa vez, sus manos desaparecieron debajo de mi falda de vuelo, apartaron mi ropa interior y acariciaron mi zona más íntima. Lancé un suspiro de placer al vacío de la noche. Óscar me acariciaba paciente. Introdujo dos dedos en mi interior y casi tuve un orgasmo. ¿Tanto tiempo sin sexo me habría hecho eyaculadora precoz?

Sus dedos índice y pulgar se quedaron dentro de mí mientras su palma rozaba el clítoris. Con la otra mano, me sujetaba fuertemente por la cintura.

De repente, Óscar paró sus caricias; retiró mi ropa interior y la guardó en el bolsillo trasero de sus vaqueros negros. Abrió su cartera y extrajo un condón mientras yo le desabrochaba los pantalones rozando su erección. Le acaricié la punta y eso lo hizo gruñir.

Mi cuerpo acogió al suyo acompasando sus movimientos como si nos hubiéramos encontrado muchas más veces, quizás en otras vidas... Nuestros gemidos se unieron en algún lugar del océano. Aspiré sus exhalaciones mientras entraba y salía de mí. Aceleró el movimiento y, en una milésima de segundo, ascendí directa al cielo, por encima del agua que nos miraba, expectante pero discreta. Explotamos en un clímax simultáneo alcanzando la luna juntos y tuve un orgasmo que no recordaba ni en mis mejores tiempos.

Óscar se desplomó sobre mi pecho, exhausto, y es que no es fácil hacer lo que habíamos hecho sobre una moto sin perder el equilibrio.

—Joder, Abril —confesó aún jadeando—, eres sorprendente, explosiva y fantástica. Juro que, cuando te invité a cenar, no entraba en mis planes esto tan maravilloso que acabamos de compartir —susurró mientras me besaba de nuevo en los labios.

Salió de mí despacio. Fue justo en ese momento cuando se evaporó la magia y regresó la cruda realidad (y, con ella, la loca de la casa).

Volvió a besarme mientras me ponía las braguitas en la mano y yo me las puse rápido, muerta de la vergüenza. Pero ¿qué hacía en medio de la carretera en sabía Dios dónde y con un desconocido? Ahora sí que me había vuelto completamente loca. ¡Que tenía un hijo que criar, por el amor de Dios! Solo le faltaba perder a su madre...

En un instante, toda la tranquilidad, la relajación, el embrujo del lugar y de la noche se esfumaron. Solo quería desaparecer y volver a mi casa, a un sitio seguro. ¿Seguro?

Óscar sintió mi tensión.

—Eh... ¿Estás bien?

—Sí —mentí nerviosa—, es solo que es tarde y me gustaría regresar a casa.

Él me abrazó de nuevo y me revolví, incómoda. Me miró preocupado.

—Perdona, no eres tú; soy yo, es que... todo esto es nuevo para mí, estuve casada muchos años y no suelo hacer cosas como esta.

—No te preocupes, lo entiendo —dijo acariciándome la mejilla—. Solo quiero que sepas que esta ha sido sin duda una de las noches más divertidas, sorprendentes y embriagadoras de mi vida. Nunca había compartido este rincón con nadie.

El motor rugió de nuevo y nos pusimos en marcha. ¡Dios mío! Pero ¿qué había hecho? ¡Qué vergüenza! «¿Cómo has podido tirarte a un veinteañero en la primera cita?».

Cerré los ojos con fuerza intentando teletransportarme a mi salón.

Óscar era fantástico, puro, un soplo de aire fresco y además sabía a fruta de verano, pero no era para mí. Me había comportado como una adolescente desbocada, pero con casi cuarenta años. Si me viera Maura, seguro que estaría orgullosa, y Susi diría algo así como «que te quiten lo bailado», pero yo no era así, yo era diferente, yo era... ¿Cómo era yo?

El viaje en moto fue tenso. Ya no me apoyé relajada en la espalda de Óscar, sino todo lo contrario, en ese momento me apetecía estar sola, pero en una moto, ya me dirás cómo.

Paró delante de mi portal. Bajé y le di el casco rápido.

—Espera, Abril —dijo tomándome del brazo—. No te vayas así, por favor. Me da la sensación de que he hecho algo mal y no sé qué ha podido ser. Para mí, esta noche ha sido genial desde el principio hasta el final.

Dije que no con la cabeza.

—No eres tú, de verdad —repetí mirando al suelo—. Perdona, pero no me encuentro bien, necesito descansar —me excusé liberándome de su mano y colándome en el portal.

No tenía paciencia para esperar el ascensor. Subí las escaleras, cerré la puerta de mi casa y me apoyé en ella como una fugitiva que se siente por fin a salvo. «Pero ¿qué he hecho?».

Abrí la ducha. Necesitaba sentirme limpia. Todo eso era culpa de Pedro. «¿Por qué te has ido? ¿Por qué me has dejado? Mira lo que hago cuando no estás. Menudo ejemplo para Álex». Rompí a llorar en la ducha. Mi vida iba de mal en peor. Si no tuviese a Álex, me metería en la cama y no saldría en años, pero no podía, tenía un niño que criar, no podía ver derrumbada a su madre. Decidimos traerlo a este mundo con nuestro amor y era nuestra responsabilidad que fuera feliz.

Salí de la ducha con la piel arrugada. ¿Cuánto tiempo había estado bajo el chorro?

Pobre Óscar. Había salido huyendo, tan majo y tan guapo. A mi mente regresaron recuerdos de sus caricias, de sus manos, de sus labios, de lo que habíamos hecho encima de su moto... A ver quién dormía de esa guisa. Me tomé el somnífero de todas las noches sin muchas esperanzas.

Fui entrando poco a poco en un estado de sopor pensando en la sonrisa de Óscar, su aroma natural a verano, a helado de fresa, a brisa y a mar, a novedad y a ilusión...

Felices sueños

El despertador rugió a las ocho de la mañana recordándome que tenía que terminar la traducción para el lunes. Había dormido seis horas del tirón. ¿Desde cuándo no ocurría eso? Desde la noche de mi cumpleaños en la que había conocido a Óscar.

Recordé la noche anterior y me tapé la cara con la almohada. Estaba como una cabra desbocada. Pobre Óscar, lo había dejado ahí tirado a pie del portal, escapando cual fugitiva. «De esta me encierran, de verdad».

¿Cómo habría dormido mi pequeño? Ojalá no lo hubieran visitado las pesadillas. Me levanté a mirar el móvil, quizá mi madre me habría enviado algún wasap.

Tenía un mensaje y no era de mi madre:

A mi moto y a mí nos ha encantado compartir la noche contigo. Espero que sea la primera de muchas. Todavía conozco más escondites que me gustaría enseñarte. Confío en que te encuentres mejor. Disfruta del domingo, Abril. 🖤

«Oh, Abril, ¿qué has hecho?».

Tras dos horas en blanco delante del ordenador sin poder traducir ni una sola línea, me vestí para ir a buscar a mi hijo.

—¡Mamiiiii! —exclamó Álex nada más verme. Nos abrazamos—. Me porté muy bien —afirmó el pequeño mientras miraba hacia mi madre.

—Es verdad, ha dormido toda la noche como un angelito.

—¡Y sin pesadillas! —exclamó Álex.

—Qué bien, mi amor... —dije envolviéndolo en mis brazos.

—Voy a terminar la partida del FIFA con Jose Mari.

La pareja de mi madre se había comprado la Nintendo Swicht, decía que para él, pero yo sabía que era para darle el gusto a Álex.

—¿Qué tal estás, hija? Tienes buena cara —dijo mi madre besándome en la mejilla.

—¿Buena cara?

—Claro, sienta bien tener una noche para ti de vez en cuando, ¿a que sí?

—Creo que vamos a tener que mudarnos aquí, mamá —dije cambiando rápidamente de tema. Mi madre rio—. Álex solo tiene pesadillas en nuestra casa, aquí está feliz —me quejé sentándome a la mesa.

Mi madre puso dos tazas de café sobre la mesa y se sentó a mi lado.

—Álex es un niño precioso por dentro y por fuera, solo necesita tiempo —me dijo ella poniendo su mano en mi antebrazo.

—Tiempo... ¿Y yo cuánto necesitaré, mamá, para dejar de sentirme tan mal? —me lamenté apoyando mi cabeza sobre la mesa.

—Pronto, Abril. Ya ha pasado un año y es hora de que empieces a dominar la situación. Sé que es difícil. Cuando tu padre se fue yo también estuve perdida, pero después me di cuenta de que el simple hecho de estar vivo es algo maravilloso y tenerte a ti era el mejor regalo. Comprendí que, si yo mejoraba, tú también lo harías, y así fue.

—Tú siempre has sido muy espiritual, mamá, ojalá yo fuera como tú.

—Tú también lo eres, todos lo somos, es algo con lo que nacemos. No creas que fue fácil contigo, todavía recuerdo las rabietas que te pillabas, pero en general fuiste muy buena, me lo pusiste muy fácil, siempre tan responsable, tan adulta...

Levanté la vista para mirarla. Su mirada también estaba perdida por la cocina, recordando tiempos pasados. Pobre mamá, cómo tuvo que sufrir con la pérdida de mi padre.

—Poco a poco recuperé las ganas otra vez, de vivir, de viajar, de hacer cosas, de quedar con mis amigas, de respirar y de verte crecer feliz y sana. Y, cuando menos me lo esperaba, tu padre me puso delante a Jose Mari y ya ves lo bien que me ha venido.

Jose Mari era cuatro años mayor que mamá. Había trabajado como meteorólogo en el aeropuerto local y le apasionaba su trabajo. Cuando mi madre empezó a salir con él, yo tenía veintisiete años. Nunca se había casado y tampoco tenía hermanos, vagaba bastante solo por el mundo hasta que conoció a «su ángel», así describía él a mi madre. Él me había enseñado a diferenciar el nombre y aspecto de algunas nubes como los cirros, los estratos o cumulonimbos; estas últimas eran las que más me gustaban por el misterio que encerraban: «nadie sabe lo que hay dentro de ellas, solo se sabe que son muy peligrosas para la aviación», me decía. El testigo lo había recogido en ese momento mi hijo Álex, al que le encantaba escuchar a Jose Mari y sus predicciones meteorológicas para el fin de semana.

—Estoy segura de que pronto te sentirás mejor, pero también tienes que poner un poquito de tu parte. Sal los fines de semana, ya ves que Álex aquí está tranquilo y a Jose Mari y a mí tener un pequeño en casa nos alegra la vida.

—Tengo que estar con él, mamá, tiene mucho follón en la cabeza.

—Y tú también, por lo que veo. Hija, ten por seguro que, cuando tú estés mejor y más tranquila, él también lo estará. Lo queramos o no, las emociones también se transmiten.

Mientras mi madre terminaba de hacer la comida, yo puse la mesa y me senté en la hamaca columpio que había en el porche, donde tantas tardes había compartido el tiempo con mi padre observando las estrellas. Mi padre era astrónomo, y me contaba muchas historias sobre constelaciones y nuevas galaxias. Siempre tan apasionado y con tantas ganas de vivir el momento...

Me tumbé en la hamaca y cerré los ojos. «Papá, no imaginas lo que te echo de menos. Me gustaría tanto que estuvieras aquí... Necesito uno de tus abrazos, de tus historias con final feliz, de tus señales. Me siento tan perdida...».

El sol del mediodía calentaba mi cuerpo y, en aquel momento, Óscar inundó mis pensamientos. Su sonrisa, su naturalidad, su energía, sus ganas de vivir tan contagiosas, su helado de fresa... Lo cierto era que la noche anterior me lo había pasado realmente bien. Me había sentido relajada después de ese último año. ¡Hasta había cerrado los ojos encima de una moto! No pude evitar sonreír. Con ese pensamiento me sumí en un profundo sueño.

Unos besos suaves me trajeron de nuevo a la realidad.

—Mmm, Óscar —susurré.

—Soy yo, mamiiii. ¿Quién es Óscar? —preguntó el pequeño.

—Chsss, nadie, cariño, estaba soñando.

—¿Una pesadilla?

—Sí, eso es, una pesadilla. Gracias por despertarme, cielo.

—De nada, mami. ¿Hoy me puedo quedar a dormir aquí?

—Cariño, mañana hay cole, tenemos que regresar a casa.

—Joooo, ¡yo quiero vivir con la abuela!

Esa frase supuso una patada directa a mi corazón. Ni mi hijo quería estar conmigo. Pedro me había dejado y ahora él también quería hacerlo.

—No te pongas dramática, Abril, que te conozco. Es normal que los niños quieran estar con sus abuelos, son nuestros consentidos. —Mi madre, que parecía leer mis pensamientos, salió al porche con dos tazas que desprendían un olor muy peculiar.

—Mmm, ¿qué es esto, mamá?

—Es té *kukicha*, me lo ha recomendado Chelita. Es muy alcalino. ¿Sabías que las bacterias solo proliferan en un medio ácido? Si estamos alcalinos no tienen nada que hacer, así que bebe, estás muy flacucha.

—Me alimento bien, mamá.

—Cada día estás más delgada y la mala leche acidifica y hace que bajen las defensas. Dice Chelita que la mayoría de los futbolistas toman este té después de un entrenamiento de alta intensidad y ellos sí que saben.

Miré a mi madre con una sonrisa; las conversaciones entre ella y Chelita no tenían desperdicio. La verdad era que el té sabía delicioso.

—Álex no quiere estar conmigo —le dije derrotada.

—No digas eso, claro que sí. Lo que pasa es que esta temporada no has sido la persona más divertida del mundo.

«Si me vieras anoche», pensé.

—Mamá, no empieces de nuevo, por favor, estoy en pleno duelo, no me apetece reírme, ni divertirme ni hacer nada.

«¡Mentirosa!», me acusó la loca de la casa.

—Abril, recuerda lo que hablamos antes: si tú estás bien, Álex estará bien. Te mereces ser feliz. Cuando eras pequeña eras muy soñadora y querías ser traductora simultánea. ¿Te acuerdas?

—Bueno, al final he acabado siendo traductora a secas.

—¿Y es eso lo que quieres?

La miré como si hubiera visto entrar un dinosaurio. ¿No pensaría que...?

—Todavía estás a tiempo, Abril, tienes treinta y nueve años, no ochenta y, aunque así fuera, también estarías a tiempo; lo importante es la actitud —dijo ella guiñándome un ojo.

Bebí el *kukicha* de un solo trago y dejé que me calentase por dentro.

—Mamá, cuando papá se fue, se llevó con él muchas cosas.

—Lo sé, pero también sé que tu padre está conmigo cada día. A Jose Mari me lo mandó él; sabía que odiaba la soledad y no pudo acertar mejor. Las señales, ¿te acuerdas?

Mi padre siempre decía que el mundo está lleno de señales y que cada uno tenemos las nuestras propias, pero no prestamos atención, porque las señales pueden presentarse de cualquier manera: en forma de mariposa, de viento, de canción, de pregunta, de símbolo, de persona...

—Solo te pido que pienses en ello, hija. Yo he seguido las señales y no me ha ido tan mal. Seguir las señales me ayudó a sacarte adelante y a esforzarme por que crecieras feliz a pesar de la ausencia de tu padre.

—Gracias, mamá, lo has hecho muy bien —dije abrazándola—, has sido muy valiente.

Se sentó en el columpio y apoyé la cabeza en su regazo como cuando era pequeña. Ella comenzó a acariciarme el pelo y cerré los ojos. Álex tenía razón, quizá deberíamos mudarnos allí una temporada. Nuestra casa ya no era el hogar que habíamos conocido y, además, ese piso era de Pedro. Pero ¿no necesitaba el niño una estabilidad? Cambiar de casa ya sería el colmo.

—Siempre quise tener tres hijos, ¿sabes? Pero no llegaron. Creo que siempre me quedará esta espinita contigo, la de no haberte dado hermanos con los que pudieras compartir lo que te ocurría.

Posé mi mano sobre la de mi madre. Me incorporé y la miré a los ojos. Estaban tristes. La abracé.

—Mamá, te quiero muchísimo y he estado bien sin hermanos, no te preocupes. Tú y Álex sois lo más importante de mi vida.

De todos modos, entendía perfectamente lo que quería decir mi madre, a mí también me habría gustado darle un hermanito a Álex, pero, cuando se lo había planteado a mi marido, había salido huyendo. «Aún estás a tiempo», me recordó la loca de la casa, «el yogurín seguro que tiene buen material». Buf, mis pensamientos iban de mal en peor.

—Mami, quiero agua. ¿Me das agua? ¿Me das agua? ¿Me das agua?

—Ya voy yo —se ofreció mi madre.

Me quedé en el columpio, mi columpio, pensando en todo lo que habíamos hablado, en mi padre y en la magia. ¿En qué me había convertido?

Pedro era un hombre clásico y cuadriculado, no creía absolutamente en nada de eso. Cada vez que le contaba una historia sobre las señales y el universo dejaba de prestarme atención, así que todas las historias, las señales y la magia se fueron esfumando a lo largo de aquellos años. No podía culparlo por eso, pero dicen que «los que duermen en el mismo colchón se vuelven de la misma condición», y eso me había pasado a mí.

Me encantaría darle un hermanito a Álex, sí, ese que yo no había tenido y tanto había anhelado, pero yo no era como Susana, no tenía valor para hacerlo sola. Necesitaba un compañero. La maternidad con Álex había sido tan especial, con las visitas al ginecólogo en pareja y la ilusión... Eso sí, el parto había sido en soledad. Pedro no había querido entrar al ser una cesárea y yo no lo había forzado. Le parecía una situación muy desagradable y había preferido esperar fuera. De hecho, aquello era algo a lo que nunca había dado importancia hasta ahora, que me daba cuenta de que siempre había sido un poco capullo, la verdad...

Maura me había dicho que, en cuanto empezase a verle defectos, estaría llegando al final de mi duelo. Ojalá tuviera razón.

Lunes de confesiones

La semana comenzó como todas, pero con algo diferente: había practicado sexo, mi primera relación carnal tras varios meses de sequía. Me había reestrenado a lo grande, a la intemperie, encima de una moto y con un veinteañero.

—Estás un poco distraída hoy, ¿no? —me dijo Maura.

—Yo llevo una semana superdespistada. Con tantas horas de luz, mis hijos no quieren irse a la cama a la hora de siempre y me cuesta un montón dormirlos.

—Me he acostado con el veinteañero —solté de golpe.

Las dos abrieron mucho los ojos y dejaron sus tés sobre la mesa.

Susana sonreía y Maura me miraba con los ojos desorbitados.

—¿Quéeeeee? ¿Y nos lo dices ahora y así?

—Pues, chica, ¿qué esperabas? ¿Que redactase una nota de prensa?

—Enhorabuena, amiga, qué suerte tienes, cabrona —me dijo Susana—. Yo llevo tanto de sequía que la próxima vez que me acueste con alguien no sabré cómo hacerlo —se lamentó mientras le daba un mordisco a su cruasán.

Maura me observaba orgullosa.

—Al fin, Abril, ¡joder! Estaba a punto de tirar la toalla contigo, pero cuéntanos, ¿cómo fue?

—Fue imprevisible, agradable, reconfortante y... mágico.

—Mágico... —repitió Maura.

Susana comía su cruasán a más velocidad de lo habitual.

—No sé lo que me pasó. Me sentí muy bien con él... Me llevó en moto... ¡Por el amor de Dios! Jamás había ido en moto en mis treinta y nueve años de vida, pero lo mejor de todo es que me encantó, lo disfruté como pocas cosas en mi vida.

Maura arqueaba sus cejas sonriente.

—Lo hicimos sobre su moto, en un mirador en lo alto de la colina del norte. —Esta afirmación hizo que Maura escupiera su té de vuelta a la taza.

—Pues sí que te has estrenado a lo grande —dijo Susana mientras se pedía otro cruasán.

—¡Exhibicionista! Bien por ti. —dijo Maura dándome un pellizco.

—¡¡Au!! Lo peor fue que, cuando acabamos, me sentí fatal y lo hice sentir mal a él también. Salí huyendo, tal como suena.

—Joder, pues sí que tienes noticias recién salidas del horno —dijo Susana.

—Es que es un crío, chicas...

—Y dale con la edad... A ver, eso no es cierto, tiene veintisiete años, es muy adulto. Además, no te digo que te cases con él, tan solo diviértete y entra en *flow* con la vida, no seas tan rígida ni tan exigente contigo misma —respondió Maura.

—En eso yo soy un hacha... —dijo Susana con restos de cruasán en las comisuras de los labios.

—¿Has vuelto a saber algo de él?

—Me envió un wasap el domingo por la mañana, muy majo —conté con una media sonrisa en los labios—. Me dijo que le había encantado la cita y que esperaba que fuera la primera de muchas.

—¡Como para no gustarle! Un polvo sobre su moto a la luz de la luna —exclamó Susana, a la que ya se le había subido el azúcar de la bollería a la cabeza.

—Imagino que habrás respondido a su mensaje —siguió interrogándome Maura.

Negué con la cabeza. Quería hacerlo, no era una maleducada, pero no sabía qué decir después de cómo me había comportado.

—Pues yo lo haría —insistió Susana—. Yo no he tenido oportunidades y, en lugar de disfrutar del sexo, como cruasanes. Estoy tan agotada que lo que menos me apetece es follar.

—Tienes que dejar de comer bollería y cuidarte más, Susi —le reclamó Maura.

—Te mueres de envidia porque estás a dieta permanente —le contestó ella guiñándome un ojo.

—Yo tengo que ponerme un uniforme para trabajar y, además, somos lo que comemos.

—Haya paz, por favor —rogué—, no quiero ser motivo de discusión.

—Si lo digo por su bien —protestó Maura—. Pues nada, sigue comiendo bollería hasta tupir todas tus arterias y después me cuentas qué tal.

Susana la miró indiferente. Maura respiró profundamente.

—Abril, lo que nos cuentas es una excelente noticia, al fin has dado un primer paso en tu estado de letargo. Mañana me voy a Cuba, pero vuelvo en setenta y dos horas. Voy a organizar algo para el próximo fin de semana que libro de nuevo, así que, Susi, vete programando con Elisabeth los horarios, y tú —eso iba por mí—, no acepto un no por respuesta.

—Bah, cuando te pones mandona, eres insoportable, pero la idea de volver a salir juntas me gusta. Algún día me gustaría invitar a Elisabeth a unirse a nosotras, es tan divertida, os encantaría.

La miramos sorprendidas.

—¿Y con quién dejas a los *mellis*?

—Ya, ese es el problema. Elisabeth tiene una hermana que ya ha estado en casa varias veces, así que los niños la conocen, pero creo que todavía es pronto para dejarlos a solas con ella.

—¿Cuál es el plan? —dije mirando a Maura.

—Este fin de semana hay un concierto de tributo a los Guns and Roses en Capital, lo pasaremos bomba —aseguró.

—No te prometo nada —respondió Susana—, hay un virus en el cole y tengo muchas probabilidades de que Leo o Tony lo pillen.

Revivals

Al final, las predicciones de Susana se cumplieron, y por duplicado, así que tuvo que quedarse el fin de semana cuidando de sus niños con la incondicional ayuda de Elisabeth.

Maura había quedado con Fer y su pandilla de amigos, entre los que se encontraba Óscar. No nos habíamos vuelto a ver, aunque yo había contestado a su wasap con un escueto «gracias por todo». Su respuesta, de nuevo un simple emoticono de corazón. Era probable que, para él, hubiera sido solo una noche; al fin y al cabo, con veinte años, lo que se hace es saltar de cama en cama, experimentar... «Pues eso no es lo que hiciste tú», me echó en cara la loca de la casa.

No me apetecía ir al concierto, igual que no me apetecía hacer nada que se saliese de mi rutina. Además, ¿cómo sería mi reencuentro con Óscar? Seguro que incómodo. La última vez que lo había visto, había salido huyendo como una niña pequeña y no le había pedido disculpas por ello. Si es que Maura me metía en cada berenjenal...

Quizá debería escribirle para evitar malos entendidos. Sí, lo haría, me iba a comportar como la mujer adulta que era.

> Hola, Óscar, ¿cómo estás? Este sábado me ha liado Maura para el concierto de tributo a los Guns. La verdad es que no estoy muy animada, pero, yendo con ella, la diversión está asegurada.
>
> Si te animas, nos vemos allí.
>
> Un saludo.

¿Un saludo? Madre mía, qué rancio, si es que no sabía cómo se despedía la gente que se acuesta hoy en día, aunque lo nuestro había sido solo una noche y no se repetiría.

En cinco minutos llegó su respuesta. Era más considerado que yo.

Hola, magia. 😊 Qué alegría saber de ti. Pues este fin de semana hay congreso en H_2O y me toca trabajar.

Una pequeña punzada de decepción me apretó el corazón. Escribiendo...

Me había prometido ser un buen chico y acostarme temprano, pero ahora que sé que tú estarás allí, me pensaré ir a cantar un revival contigo antes de dormir. 😉

Oh, le envié un emoticono de *ok*, con el pulgar hacia arriba. Por ahora, no me salía nada más. Y él me contestó con otro lanzando un beso.

Me miré en el espejo. Estaba sonriendo de nuevo, y es que me hacía ilusión volver a ver a Óscar, con él me sentía bien. ¿Por qué? A saber, quizás era una señal, una de esas de las que hablaban mi padre y mi madre. A lo mejor mi padre también me lo había puesto en el camino para ayudarme en este momento de crisis personal y profesional. No lo sabía, sonaba todo tan raro...

Maura vino a recogerme en taxi a las ocho.

—¿Sabías que Óscar no tenía pensado venir hasta que se enteró de que tú vendrías?

La miré sorprendida. Las noticias vuelan.

—Le dijo a Fer a última hora que le comprase una entrada.

—¿Cómo fue tu viaje a Cuba? —pregunté.

—Bueno, un poco diferente de lo que esperaba.

La miré pidiendo más información.

—Han vuelto a darle a Roberto esa línea, así que me temo que lo veré más de lo que me gustaría.

—Noooo, Maura, no vuelvas a caer... Porque no lo has hecho, ¿verdad?

Ella negó con la cabeza, pero no la veía muy segura. De aquello ya habían pasado tres años, en los que ella había vuelto a su vida alocada de hoy aquí, mañana allí, hoy con este, mañana con aquel y, en definitiva, a su filosofía de vivir sin responsabilidades.

—Dime que no te vas a volver a liar con él.

Ella me miró orgullosa.

—Por supuesto que no, no sé para qué te he dicho nada. Hoy he quedado con Fer y vamos a pasarlo de coña.

No las tenía todas conmigo. El comentario de Maura me había dejado preocupada. Ese hombre había tenido mucho poder en la vida de mi amiga y su regreso no podía traer cosas buenas.

—Espero que hoy te des de nuevo una alegría con el yogurín, haz con él todo lo que no hiciste con Pedro en diez años. Rejuvenecerás y tu piel te lo agradecerá —aconsejó ella resuelta.

La miré con ojos de asesina.

Capital estaba lleno de gente, pero en su justa medida. Era un local ideal para los conciertos, ya que nunca vendían más entradas de las estipuladas y, en general, se estaba a gusto. Hacía muchos años que no iba, desde que había nacido Álex. Antes de eso, sin embargo, Pedro y yo solíamos ir a algún concierto.

En la planta baja, que era un espacio abierto con dos barras a ambos lados, ya había ambiente, aunque aún faltaba más de media hora para el comienzo.

Maura buscaba a Fernando entre todas las cabezas y lo encontró en una esquina de la barra con más gente.

—Allí están, vamos.

Buf. Respiré profundamente.

Al llegar junto a ellos, di dos besos a Fer y a unos cuantos chicos más que me presentó y de los que no recuerdo el nombre. No vi a Óscar por ninguna parte, quizá no había podido ir.

—Óscar está al caer —me dijo Fernando—, vendrá directo del trabajo. ¿Qué queréis tomar? —nos preguntó a Maura y a mí.

—Yo, un Martini —pidió ella agarrándolo por la cintura.

—Para mí una cerveza, gracias —dije.

A medida que pasaban los minutos, el local se llenaba con más gente animada por escuchar a unos tipos que se vestían, interpretaban y cantaban igual que uno de sus grupos favoritos. Pedro siempre decía que los grupos que hacían tributo eran una prueba real de que la música estaba decayendo y había que recurrir a los clásicos...

En ese momento, sentí una mano por detrás de mi cintura y me giré.

—Hola, Abril. —Era Óscar. Tenía un botellín de cerveza en la mano, estaba despeinado, con cara de cansado, muy guapo y, como siempre, me ofrecía su sonrisa.

Me sentí incómoda porque no sabía cómo debíamos saludarnos. Él rompió ese momento embarazoso besándome una sola vez en la mejilla.

—Hola —saludé sonriendo como una quinceañera—, me alegro de que hayas venido. —Y era cierto: toda la noche con Maura, Fer y sus amigos se presentaba peligrosa.

—Y yo me alegro de estar aquí contigo, al fin.

Sonreí. Óscar se dirigió al grupo para saludarlos con un *give me five* y, después, regresar a mi lado.

—¿Te apetece otra cerveza? —dijo mirando mi botellín vacío.

—No te preocupes, ya voy yo. —Al poco tiempo, volví con dos botellines—. ¿Qué tal el día en el trabajo?

—Bien. El congreso es muy interesante, aunque implica muchas horas de esfuerzo, antes, durante y después. La verdad es que termino agotado, pero merece la pena.

Óscar, siempre acabando sus argumentos con una frase positiva. ¿Cómo sería su loco de la casa? Seguro que alguien agradable que lo mimaba y cuidaba, no como la mía, que había que darle de comer aparte.

—Bueno, con veinte años se tiene energía para todo, ¿no? —pregunté mientras daba un sorbo a mi cerveza.

Óscar resopló sonriendo. Otra vez lo había vuelto a hacer, un comentario sobre nuestra diferencia de edad.

—¿Y a ti cómo te va con las traducciones?

—Bah, rutinarias, nada que me agote, la verdad.

—¿Y Álex cómo está?

Oh, se acordaba del nombre de mi hijo.

—Pues bien, muchas gracias por preguntar.

—Los niños son seres fantásticos, inocentes y sin filtro. Eso es lo que más me gusta, hablar sin tapujos —dijo guiñándome un ojo.

Asentí contenta.

De repente, las luces se apagaron y cesó la música de fondo. Varios asistentes comenzaron a silbar y a aclamar a los imitadores de sus ídolos.

—¿Nos acercamos hacia delante con los demás? —me preguntó.

—Sí, claro —respondí.

Él me dio la mano en un gesto natural y avanzamos entre la muchedumbre hasta situarnos cerca de Maura y el grupo. En aquel momento comenzaron a sonar los acordes de *Sweet Child O' Mine* y la gente se volvió loca. Miré a Óscar sonriendo y él me devolvió el gesto. Las luces del local reflejaban su preciosa sonrisa blanca.

Óscar apretó mi mano antes de soltarla y dar un sorbo a su botellín.

Todos comenzaron a botar, incluida Maura, y yo me sentí un poco ridícula, así que bebí mi botellín casi de golpe. Para unirme a la euforia, no me vendría mal un poco de movimiento.

Me sorprendí a mí misma cantando todos y cada uno de los temas de los Guns, hasta que llegó mi favorito, *November Rain*.

—Tiene que ser genial entender al momento todo lo que dicen en una canción que te gusta —afirmó Óscar.

—¡Sí, lo es! —exclamé gritando más de lo normal.

—Aunque a veces imagino que la belleza de la melodía no se corresponderá con la letra.

¡Guau! ¡Qué bien se expresaba ese chico!

El ambiente se había puesto romántico con *November Rain* y a este le siguió *Don't Cry*. Miramos hacia Maura y Fer, que se metían la lengua hasta el fondo sin importarles nada ni nadie. Qué maravilla vivir así, sin preocupaciones...

—¡Iros a un hotel! —gritaban los amigos de Fer, empujándolos de broma mientras, literalmente, se devoraban. Pues menos mal que había venido Óscar, si es que iba a ser una señal...

—Siempre me gustó esta canción —comentó él—, pero hay partes que no sé lo que significan, seguro que en eso puedes ayudarme.

—Sí, eso puedo hacerlo.

Después de unos cuantos temas, estaba muy animada.

—¿Y tú no decías que te tomarías una y te irías? —le dijo Fer a Óscar guiñándole un ojo.

—Sí, papá, gracias por recordármelo —respondió él con ironía—. Me lo estoy pasando muy bien —me dijo al oído.

—Yo también —respondí.

—¿Por qué será que, siempre que estoy contigo, me ocurre?

Lo miré tímida, sonriendo.

Y llegó el final.

—Nos vamos a La Barrera, ¿venís? —Maura estaba pedo.

—Si voy, estaré perdido —respondió Óscar—, y en unas horas tengo que estar al cien por cien.

—Yo tampoco voy —le dije a Maura. No me apetecía nada ese plan.

—Puedo acompañarte a casa —propuso Óscar.

—No te preocupes, estás cansado y mañana tienes que trabajar.

—No me importa, esta vez he traído el coche.

—Mmm —le dije sorprendida—, coche y moto, un chico con recursos.

Óscar tenía un Seat León, un coche pequeño, utilitario, que, como no podía ser de otra manera, olía a mar, a sal y a verano, como él. ¿Seguiría siendo igual en invierno? Me temía que sí.

—¿Tú también madrugas mañana?

—Sí, tengo que llevar a Álex a la piscina. Nos hemos apuntado este trimestre para ir juntos los domingos.

—Qué buena idea. El deporte es fantástico para conectar y divertirse, además, a los niños hay que crearles el hábito desde el principio.

—Sí, yo pienso lo mismo. —Me llevé las manos a la garganta—. Estoy afónica.

—Eso es bueno, ¿no? Nos lo hemos pasado bien.

—Sí, y, la verdad, no las tenía todas conmigo. —Sonreí.

Llegamos a mi portal y, esa vez, me había prometido no salir corriendo. Óscar detuvo el motor y nos quedamos en un silencio algo incómodo.

—Que te salga todo bien mañana —le deseé.

—Muchas gracias, es el último esfuerzo.

Cuando me acerqué a darle dos besos para despedirme, Óscar atrapó mi cara con sus manos, nos miramos y me besó.

—Llevo toda la noche queriendo hacer esto, perdona —se disculpó soltándome.

Lo miré sonriendo y le acepté su disculpa con un nuevo beso.

Nuestros labios se acoplaron ya a la perfección. Los besos de Óscar eran suaves pero firmes, con deseo, pero con cautela, y los míos... ¿cómo eran los míos? Veinte años besando al mismo hombre, no tenía ni idea, pero parecía que a Óscar le gustaban.

Me invadió el frescor a sandía recién cortada de su aliento y volví a perder el sentido, la noción del tiempo y los papeles. Me estaba morreando con un veinteañero dentro de un coche delante de mi portal.

Óscar paró. Nuestros jadeos eran evidentes.

—¡Dios! Abril, me encantas y te deseo. Ahora mismo me moriría por llevarte conmigo a mi casa, pero, si lo hago, seguramente perdería mi trabajo, porque no saldríamos de la cama en unas cuantas horas.

¡Guau! ¿Qué decir ante algo así?

—Tienes razón —respondí mientras le retiraba un resto de saliva de la comisura de los labios.

—Esta noche he bajado solo para verte a ti —aseguró señalando a mi pecho.

—Yo... también tenía ganas de verte —admití. «Voy a bajar del coche, Dios me libre de ser culpable de incrementar el nivel de paro de este país».

Nos besamos de nuevo y salí del coche sin mirar atrás.

¿Qué me pasaba con Óscar? Habiéndolo visto tan solo en tres ocasiones, ¿había derribado todos mis muros? ¿Sería una señal de papá para que viviese la vida?

Lo que estaba muy claro era que tenía un calentón de tres pares de narices.

Cuando cerré la puerta de casa, estaba tan despejada que decidí sumergirme en mis redes sociales.

Un correo entrante de Pedro me sorprendió:

Hola, Abril, ¿cómo estás? Te escribo para informarte de que este mes adelantaré mi viaje un poco, por lo que espero aterrizar en unos días en la ciudad.

Confío en que puedas organizar esta semana, que ya sé que tú necesitas hacerlo con antelación.

Esa última frase fue una bofetada a mi ego. ¿Pues cómo iba a ser? Como siempre, como había sido los últimos veinte años a su lado, como él me había enseñado y como los dos nos sentíamos cómodos.

¡Dios! ¡Qué cabreo me producía tener noticias suyas! Había adelantado el viaje por sabe Dios qué motivos y todos teníamos que adaptarnos a su maldita agenda.

La sonrisa y emoción que tenía unos minutos antes por la encantadora compañía de Óscar se habían evaporado en los pocos segundos que había tardado en leer su correo.

—¡Cómo te odio! —grité a la soledad de mi salón.

Un wasap me sacó de mi bronca. Era Maura:

Esta noche he visto en ti a una Abril que no veía desde hace mucho tiempo, como hace veinte años, más o menos… Me alegro de que los pipiolos te traigan de nuevo a este mundo.

Mañana me lo cuentas todo. Disfruta, la sexualidad a los cuarenta es fantástica.

¿Sexualidad?

Bueno, la verdad es que lo del otro día en la moto con Óscar había estado muy, pero que muy bien y, seguramente, si él no hubiera tenido que trabajar, habríamos repetido.

Mmm… No era justo usar a este chico como paño de lágrimas de todos mis problemas con el cabrón de mi marido (bueno, exmarido, o lo que fuera). Si de algo me había dado cuenta era de que Óscar era un veinteañero muy especial, con buen corazón, y al que le gustaba hablar sin tapujos. Sonreí recordando nuestra conversación.

Otro wasap interrumpió mis pensamientos. Era él:

Estoy tumbado en mi cama y no consigo dormirme. Tengo tu sabor en mis labios. Creo que no ha sido buena idea marcharme… No dejo de pensar en lo que habría pasado si no me hubiera ido.

«Oh… Está bien: juguemos».

¿En qué piensas exactamente?

Pienso en besar toda tu piel. Empezaría por recorrer tu cuello, hasta llegar a ese sitio tan especial en tus hombros.

Vaya, se había dado cuenta de mi punto débil en una sola noche. Mi corazón dio un vuelco.

Eso… me gustaría.

Ajá… Después, mis manos se deslizarían bajo la blusa transparente que llevabas hoy y recorrerían tu espalda.

Mmm, qué agradable.

Oye, pues no se me daba tan mal aquello.

¿Quieres que siga contándote lo que haría contigo esta noche?

«Vamos a por todas, Abril», me animó esta vez la loca de la casa.

Últimamente no le doy mucha credibilidad a las palabras…

Está bien…

No dijo nada más. Esperé un rato y miré la hora. Eran las dos y veinte de la mañana. No quería terminar aquella conversación.

¿Sigues ahí?

Sí, cada vez más cerquita de ti.

«Oh, Abril, ¿qué has hecho? ¿No será que viene para aquí? ¡Dios, Dios, Dios, Dios...!», me repetía. «Si es que los cuarenta te enloquecen», volvía a la carga mi acosadora particular.

El teléfono no tardó en sonar.

—Hola, pequeña... —susurró Óscar. *¿Pequeña?*

—Hola —susurré.

—Estoy aquí, debajo de tu casa, ¿me dejas entrar?

Lo vi a través de la pantalla del interfono. Era cierto, estaba allí. Mi dedo pulsó instintivamente el botón de apertura y corrí al baño a mirarme rápido en el espejo. Todavía estaba vestida con la ropa del concierto, así que solo me puse un poco de perfume. Entonces me acerqué a la puerta y abrí. Lo encontré subiendo los últimos escalones, no había tenido paciencia para esperar el ascensor.

Nos miramos y no hizo falta nada más. Agarré su mano, tiré de él hacia dentro, cerré la puerta, y lo apoyé después sobre ella. Los dos sonreímos.

Óscar me besó con ganas, con una pasión que hacía tiempo que no sentía. Yo respondí con todos mis instintos, derramando en su boca todo el arrebato de rabia y deseo que había vivido en las últimas horas.

Él cumplió las palabras que me había escrito por WhatsApp, introdujo sus manos por debajo de mi blusa (estaban calentitas) y recorrió mi columna con sus dedos de abajo arriba hasta tropezar con el broche de mi sujetador. Sin apenas darme cuenta, ya lo había abierto. Levanté los brazos y adiós a mi parte de arriba. Estaba semidesnuda en el recibidor de mi casa.

Óscar también levantó sus brazos e imité su gesto para desprenderlo de su camiseta. Su piel estaba tonificada y muy suave. Apenas tenía vello en el torso. Olía a brisa de mar, a verano, a él...

Posé mis manos sobre su cuello y de un salto lo abracé con mis piernas (¡bendito yoga!). Nuestros cuerpos encajaron a la perfección, como la última vez.

—Mmm, despacio, pequeña, me tienes muy excitado.

¿Pequeña, yo? Era la segunda vez que me llamaba así un chico doce años menor, pero lo mejor de todo era que me encantaba escucharlo.

Óscar no mentía: pude sentir su erección contra mi pelvis.

No podíamos quedarnos en el recibidor, pero ¿dónde llevaba a Óscar? Al salón.

Aflojé la presión de mis piernas sobre su cintura y lo guie hasta allí.

Me senté sobre la mesa del comedor. Jamás había hecho nada con Pedro en ese lugar en tantos años: la primera vez sería con Óscar.

Óscar estaba plantado en silencio en medio de mi salón, esperando un gesto mío para moverse. Se sentía intimidado, y es que, si yo hubiera tenido veinte años y me hubiera liado con un hombre que hubiera acabado de romper un matrimonio de dos décadas y con un hijo, también lo habría estado.

Le hice una señal con mi índice para que se acercase a mí como en el final de *Grease*, cuando Olivia Newton-John tira el cigarrillo al suelo y le pide a John Travolta que se acerque. Igual que él, Óscar obedeció y caminó hacia mí.

Nos besamos de nuevo y ya no había marcha atrás. Intenté desabrochar los botones de su pantalón, pero él me paró.

—Espera —gimió—, déjame a mí...

Lo dejé hacer.

Desabotonó mis vaqueros sin dejar de mirarme a los ojos. Me quitó el pantalón e hizo lo mismo con mis braguitas. ¡Dios! ¡Estaba siendo la protagonista de una escena erótica en medio de mi salón!

Sin apartar su mirada, se agachó. Con una de sus manos, sostuvo mi tobillo y comenzó a darme pequeños besos seguidos de mordisquitos mientras ascendía hasta llegar a la parte interna de mi muslo. En ese momento, se paró y me miró a los ojos con los suyos llenos de deseo, de expectación, de ganas de vivir.

Yo estaba sometida a la adrenalina, a la novedad. Cuando creí que iba a besarme donde más lo deseaba, volvió a descender por mi pierna, esta vez, hacia el otro tobillo. Comenzó de nuevo con su tortura de besos y mordiscos hasta llegar al mismo punto.

Mis jadeos eran evidentes, mi cuerpo se lo pedía a gritos. Volvió a pararse y protesté. Se acercó para besarme de nuevo en los labios y mirarme a los ojos.

Apoyé mi espalda sobre la mesa. Sus labios fueron bajando por mi pecho hasta llegar al ombligo y a la cicatriz de mi cesárea, que también besó.

Sentí su respiración en mi vello púbico hasta que, al fin, me invadió el calor de su aliento. Su lengua se adentró en el interior de mis pliegues, haciéndome vibrar. Me agarré con fuerza a la mesa.

Introdujo dos dedos en mi interior y ese gesto intensificó todas mis sensaciones hasta el punto de comenzar a contraerme. El orgasmo estaba cerca. Óscar lo intuyó y mantuvo el ritmo de sus caricias.

—Explota para mí —susurró sin dejar de besarme.

Antes de que terminara la frase, me invadió el clímax. Estallé en su boca, en sus labios, en sus dedos, en la mesa, retorciéndome como no recordaba... Subí muy alto, sobrepasando el límite donde nada importa.

Cuando pude entreabrir los ojos, vi a Óscar bajándose el pantalón con un condón en la mano y observé su esplendorosa erección.

—¡Espera! —musité. Me incorporé y me bajé de la mesa para apoyarlo a él sobre ella.

Volví a mirar su erección; era poderosa, perfecta, joven y seguro que también sabía a verano. La rodeé con mi mano derecha y Óscar gruñó. Comencé a acariciarlo haciendo una pequeña parada al llegar a la punta. Él echó la cabeza hacia atrás, emitiendo un gruñido más profundo.

Continué las caricias hasta que puso su mano sobre la mía, frenando mis movimientos.

—Quiero estar dentro de ti —pidió en un jadeo.

Se aferró a mis caderas y me sentó de nuevo sobre la mesa, esa mesa donde tantas veces había comido con Pedro sin imaginar que algo así podría pasar.

Se puso el condón asegurándose de hacerlo bien y separó mis piernas, clavándome su oscura mirada.

Mi cuerpo lo recibió con todos los honores. Emití un gemido sordo. Abrí más las piernas para verlo y para facilitar su acceso. Volvía a estar muy enardecida. Óscar mantuvo el ritmo, paciente, esperándome de nuevo.

Lo sentí muy dentro, tanto que me dieron ganas de llorar. ¿Por qué? No lo sabía. Tantas emociones, sensaciones, novedades en tan solo dos encuentros que no sabía cómo encajarlas.

Nuestras lenguas se mezclaron, aspirando nuestros gemidos. Óscar bajó una de sus manos hacia mi sexo, acariciándome de nuevo hasta sentir la contracción de mis músculos internos. Ya estaba allí de nuevo.

Mi joven amante aceleró el ritmo y nos llevó a un orgasmo simultáneo demoledor en el que hubo gemidos, gruñidos, pellizcos y mucha energía. ¿Cuándo me había ocurrido aquello con Pedro?

Ambos nos desplomamos sobre la mesa sin aliento. A nuestros pulmones les costaba llenarse de aire. Óscar comenzó a reírse a mi lado. Yo lo miré y me contagió de su alegría. Me estaba impregnando con su aroma a verano, a mar, a él y a mí.

Los dos reímos abiertamente. Eran las cuatro de la mañana y, a las diez, Óscar debía entrar a trabajar.

—Eres preciosa, Abril, y... me vuelves completamente loco, mira qué hora es... —se sorprendió llevándose las manos a la cabeza.

—Deberías llevar varias horas durmiendo —respondí.

—¿Y perderme esto? —Movió la cabeza a un lado y al otro—. Por nada del mundo.

Óscar se quitó el condón y le hizo un nudo.

¿Cuánto tiempo hacía que no utilizaba un condón? Pedro y yo lo habíamos utilizado el primer año de nuestra relación, después comencé a tomarme la píldora y, en los últimos años, me había puesto un DIU.

—Ah, necesito dormir —dijo abrazándome—. Si estás de acuerdo, me gustaría quedarme.

—¿Aquí, a dormir conmigo?

—Ajá —respondió él—, me quedan tan solo cuatro horas y me encantaría dormir a tu lado.

—Está bien.

No sabía cómo encajar esa propuesta, pero lo que estaba claro es que no podía echarlo de casa a esas horas de la noche después de todo lo que había hecho por mí y, además, me gustaba el calor de sus abrazos.

Nos levantamos y me dirigí al baño. Óscar se quedó en el salón poniéndose la ropa interior y la camiseta.

—¿Tienes un cepillo de dientes? —me preguntó.

—Sí, espera —le dije. Regresé con uno de muestra que tenía guardado de uno de mis viajes con Pedro.

—Puedes usar este, está sin estrenar. El baño está al fondo del pasillo a la derecha.

—Gracias por atraerme con tu hechizo de nuevo hasta aquí —dijo besándome de nuevo.

¡¿Hechizo?! ¿Qué más podía pedir? ¡El hechizo me lo había lanzado él a mí!

Me puse una camiseta rosita para dormir a juego con un culote de la pantera rosa. Infantil pero sexi.

Tomé su mano y lo guie hasta mi dormitorio, hasta mi cama y la de Pedro. Ningún hombre, excepto él y mi pequeño Álex, había dormido allí.

Nos acostamos exhaustos y sentí el cuerpo de Óscar acoplándose al mío. Nos sumimos en un profundo sueño, no sin antes poner el despertador para cuatro horas más tarde.

—He traído la mochila en el coche. Mañana iré directo al gimnasio —me dijo, y fueron las últimas palabras que escuché conscientemente.

Un sonido estruendoso me arrancó de mi sueño profundo. Pero ¿qué era eso?

—Tranquila, ya lo apago yo... —susurró alguien a mi lado.

¿Esa voz? ¡Era Óscar! Había dormido allí a mi lado, en mi cama. Me sorprendí de mis horas de sueño profundo. Hacía mucho que no había tenido un sueño tan reparador. Estaba claro que se trataba del efecto Óscar. Había permanecido encajado a mí durante cuatro horas de espléndido sopor y parecía ser que eso había tranquilizado mi cuerpo, mi mente y mi insomnio.

—Mmm, buenos días, pequeña —saludó besándome en los labios—. Me encantaría quedarme contigo en la cama toda la mañana. Sigo teniendo ganas de ti —dijo acariciándome el trasero.

Ese comentario me hizo abrir los ojos de golpe. Óscar se puso encima de mí y pude sentir su erección mañanera. Ahora entendía las ventajas que Maura me explicaba de los veinteañeros.

Nos besamos con los primeros rayos de luz y sin gota de alcohol. Si no hubiera tenido que irse, estoy segura de que habríamos repetido lo de la noche anterior.

—Lo siento, Abril, pero tengo que irme... Debo ducharme en el gimnasio y cambiarme de ropa antes de que empiece el evento.

Se vistió muy rápido y volvió para besarme antes de irse.

—Quédate en la cama. Ya cierro yo la puerta, descansa.

Y así se fue de mi piso; quiero decir, del piso de Pedro. Una leve sonrisa vino a mis labios. Sentía una pizca de placer por habérsela devuelto de alguna manera.

Entonces caí en la cuenta de que no me había tomado la pastilla para dormir y, sin embargo, lo había hecho como un bebé al igual que la primera noche que lo conocí. Cerré los ojos de nuevo y me sumí en un sueño hondo. Parecía que mi cuerpo quería más de esa cura de sueño.

Cuando desperté de nuevo, eran las diez de la mañana. ¡Tenía que ir a recoger a Álex para ir a la piscina!

Miré el teléfono y tenía un wasap de Óscar:

Buenos días. ¿Cómo ha amanecido la culpable de mi falta de sueño?

«Y tú, la bendición de mi sueño profundo», pensé.

He dormido muy bien, aunque estoy algo cansada. «Y dolorida», pero eso no se lo puse. Muchas gracias por tu compañía, eres un cielo. Espero que pases un buen día y que puedas irte a descansar pronto.

No te preocupes por mí, lo de venir de reenganche ya lo he hecho antes. 😉

Claro, es lo que se hace cuando uno es joven y tiene menos de treinta años. Trasnochar, ir a trabajar sin dormir y follar como si no hubiera un mañana. Ya estaba allí la loca de la casa, tomando el control de mis wasaps. *Y ahora, a la ducha.*

Qué autoritaria y *mandarica* era mi voz interior.

Bumerán

—¿Hoy llega papá? —preguntó Álex unos días más tarde en el trayecto al colegio.

—Sí, cielo, te irá a buscar al salir del cole.

—¿Y nos podemos quedar a dormir aquí contigo el fin de semana?

—A ver, mi vida, este tema lo hablamos cada vez que viene papá. Ya sabes que ahora papá y mamá tienen casas distintas y eso es genial porque tú ahora tienes más sitios adonde ir y más juguetes.

—Papá no tiene casa. Dormimos en un hotel que no me gusta, huele raro y hay pocos juguetes.

Bajé la cabeza, para controlar mi estrés.

—Cariño, ya sabes que la casa de papá ahora está en Miami, ¿recuerdas?

El pequeño salió del coche refunfuñando y se despidió de mí en la puerta de clase, enfadado. Odiaba que se fuera así al colegio. Su profesora me miró con empatía.

—¿Hoy viene su papá?

Asentí.

—Tranquila, estará bien —me calmó. No me había quedado más remedio que ponerla al día de mi situación conyugal y de la de mi hijo. Su comportamiento había cambiado y eso repercutía allí.

—Me he dado cuenta de algo —les dije a las chicas en nuestra sesión de café de la tarde—. Así es imposible avanzar.

Las dos me miraron expectantes.

—Álex tiene razón. ¿Acaso un hotel es lugar para criar a un niño? ¿Por qué mi hijo tiene que pasarse varios días al mes en uno? Pedro tiene que alquilar un hogar para nuestro hijo.

En realidad, estaba pensando en alto con ellas de público. Susana me miraba asintiendo.

—Tienes toda la razón. Es una petición muy lógica y buena para el niño y, de paso, también para ti; seguro que eso calmará sus rabietas y os dará tranquilidad. Ya está bien de pensar solo en los demás, estoy hasta las pelotas de esta sociedad y de las exigencias de la gente —exclamó enfadada.

—*Congratulations*, Abril, al fin empiezo a ver un atisbo de ti. Sin embargo, te está saliendo de nuevo la roseta en la piel, que siempre te sale cuando él está aquí.

—Lo sé, Maura, ¿y qué hago? ¿Le lanzo un conjuro para desviar su vuelo cada mes? Además, esta vez se ha adelantado y todos hemos tenido que cuadrar nuestra vida para adaptarnos a su agenda.

—Sabes que eso no tienes por qué hacerlo, ¿verdad? El muy capullo no se lo merece —afirmó Susana, la abogada.

—Lo sé, Susi, pero lo hago por Álex, echa mucho de menos a su padre —admití derrotada.

—Mmm, está muy cabrón Pedrito últimamente.

—¿Y a ti qué te pasa hoy? No comes cruasanes de forma compulsiva y, además, dices más tacos que de costumbre.

—Soy humana y estoy hasta el *toto* del postureo que hay en mi vida en general. Si pudiera, me iría un año sabático y a la mierda todo.

Maura y yo nos miramos sorprendidas; tanta mala leche no era propio de Susi.

—A ver, mis dos locas atolondradas, vamos por partes. Abril, tienes que hablar con Pedro y exigirle que se alquile una vivienda aquí para poder tener a su hijo en un mejor ambiente cuando venga. Puede que eso mejore las cosas y, además, su psicóloga seguro que lo aprueba.

—En eso tiene razón la sabelotodo —estuvo de acuerdo Susana—. Un niño necesita un ambiente hogareño, aunque solo sea diez puñeteros días cada seis semanas.

Maura continuó sin hacerle mucho caso a Susana, que estaba claro que algo rumiaba.

—Toma las riendas, Abril, y haz que la situación mejore. Ya lo estás haciendo en tu vida personal con el yogurín y debes seguir por ese camino.

—Creo que cruzar meridianos tan a menudo te hace tener buenas ideas —se mofó Susana.

—A ver, abogada desbocada, ¿y a ti qué coño te pasa?

—La pasada noche, Elisabeth me besó.

—¡¿Quéeee?! —exclamamos Maura y yo al unísono.

Susana nos miró a la defensiva.

—¿Tengo que explicarle a una mujer que estuvo casada veinte años y a otra que presume de récords de posturas sexuales lo que significa «besar»?

—¿Te refieres a que te besó en… los labios? —siguió indagando Maura.

Susana afirmó con un gesto de la cabeza.

—Ya veo por qué estás tan borde —continuó Maura—. ¿Y?

—¿Cómo que *y*? —respondió Susana enfadada.

—A ver, Susi, desbloquéate y no nos chilles, que estamos aquí para ayudar —la animó ahora Maura en tono cariñoso.

—Es cierto —estuve de acuerdo yo—. Tranquila, cielo —le dije pasándole una mano por el hombro.

Susana se tapó la cara con las manos.

—Cuéntanos, ¿qué ocurrió exactamente? —pregunté.

—Pues… ayer por la noche acostamos a los niños a la hora de siempre. Elisabeth se quedó hasta que se durmieron. Lleva una temporada haciéndolo y vemos alguna serie juntas. Ella… vive sola y combina el cuidado de los niños con su plataforma de *e-commerce*. —Maura y yo hicimos un gesto para que prosiguiera—. No sé cómo decir esto… Entre nosotras ha habido mucha complicidad durante los últimos meses, a veces hasta se queda a dormir en la habitación de invitados. De hecho, el mes pasado, hasta me propuso alquilarme la habitación para ahorrarse tantos viajes y estar más cerca de los niños. El caso es que… ayer, cuando estábamos viendo la serie, noté algo extraño: se sentó más cerca de lo habitual. Lo pasamos muy bien, nos reímos mucho con el capítulo…

—Sintetiza, abogada, o me va a dar un parraque —reclamó Maura.

Le di un codazo para que no la cortase.

—Pues… cuando estaba a punto de irse, le puse en un táper la tortilla que había sobrado de la cena porque sé que le encanta para desayunar y ella me dio las gracias con un beso en los labios y una gran sonrisa.

—¿Y eso es todo? —dijo Maura aplaudiendo.

—¿Qué más necesitas? —contestó ella.

—A ver, a ver, quizá fuera un beso cómplice y nada más —comenté yo—. Si os estáis haciendo tan amigas...

—Nosotras somos amigas desde hace más de veinte años y no nos besamos en la boca —protestó ella.

—Bueno, excepto cuando salíamos y queríamos quitarnos de encima a algún pesado —recordó Maura.

—¡Dios! ¿Qué voy a hacer...? —se lamentó Susana llevándose las manos a la cara de nuevo.

—La pregunta es... —le dije despacio— ¿qué pasó después? ¿Qué sentiste tú?

—Después se fue y ya. Esta mañana me he despedido de ella en la puerta sin apenas mirarla a los ojos. Joder, estoy en un buen lío, ¡que es la segunda madre de mis hijos! ¡Que, si se va, me muero! Que ¿dónde voy a encontrar a otra como ella?

—¡Ay, Susi! Toda la vida resolviendo casos para los demás y ahora te toca resolver el tuyo. La buena noticia es que puede ser realmente beneficioso para ti, puede ser lo mejor que te ha pasado en mucho tiempo, lo que estabas esperando, lo que la vida tenía preparado para ti o puede ser que no haya sido nada más que... agradecimiento.

—¿Te consta si a Elisabeth...?

—¿Qué? —dijo Susana—. ¿Que si le gustan las mujeres? Nunca me lo ha dicho, solo sé que hace mucho que no tiene pareja... Qué lío, qué lío.

—¿Pero te gustó o no? —insistió Maura.

—¿Estás insinuando que soy lesbiana?

—Eso lo has dicho tú. No le pongas etiquetas al amor, ¡qué más da! Lo importante es lo que sientas.

—¿Que no le ponga etiquetas, Maura? Soy abogada, en mi trabajo se etiqueta todo, se le pone nombre a todo. Joder, estoy en una puta crisis existencial a los cuarenta.

—Tranquila, Susi, nunca te había visto así. Relájate, voy a pedirte una tila. —Me levanté y fui a la barra.

—Primero debes averiguar lo que sientes y, después, aceptarlo —le aconsejaba Maura cuando regresé a su lado.

—¿Estás más tranquila? —le pregunté ofreciéndole la tila y acariciándole la espalda.

—Abril, ¿qué voy a hacer? Tú también eres madre y me entiendes mejor que esta *hippy* convertida en dalái lama.

—Sí, Susi, te entiendo, pero creo que lo que está diciendo Maura con poco tacto tiene mucho sentido. Piensa en ti, aísla a tus niños en esta decisión. Te encanta pasar tiempo con Elisabeth, es la segunda madre de tus *mellis* —dije sonriendo para animarla—. Quizá sea tu media naranja, a veces está tan cerca que no podemos verla.

—Pero yo... nunca he estado con una mujer. Bueno, en realidad hace más de cinco años que no me acuesto con un hombre y nunca he tenido ninguna relación estable... ni tampoco he querido, si lo pienso de verdad.

—Pues por algo será —opinó Maura.

Le di otro codazo.

—No te agobies, tómate tu tiempo para pensar en todo esto y, mientras tanto, compórtate como siempre con Elisabeth. Sois excelentes amigas y eso no tiene por qué cambiar.

—Puede que ella quiera hablar contigo sobre ese beso... —auguró Maura.

Susana la miró presa del pánico.

Pues sí que habíamos empezado bien el lunes. Con la historia de Susi, mi encuentro con Óscar pasó a un segundo plano y no hubo preguntas acerca de mi fin de semana.

Susana y Elisabeth. Qué fuerte... La vida está llena de sorpresas y de señales. A veces están delante de nuestras narices y tenemos que tropezar con ellas para verlas. Yo, por mi parte, había tropezado con Óscar el día de mi cumpleaños gracias a las chicas y no sabía muy bien cómo me hacía sentir eso.

Ya estaba en casa cuando sonó el móvil. Era Maura.

—Menudo culebrón —exclamó al otro lado de la línea—. Susi con la niñera, podría ser un *best seller*.

—No seas mala, somos sus amigas y tenemos que apoyarla decida lo que decida.

—Y eso es lo que hice, ponerle las cosas claras. Yo creo que es lo que ha estado esperando y que Elisabeth está enamorada de ella desde hace tiempo. Todas esas cosas que nos ha contado de que se queda a dormir, pasan fines de semana juntas, ven series juntas, ¡si solo les falta follar!

—Qué bruta eres.

—Pero es verdad. Espero que se dé cuenta pronto. Creo que a ella también le gusta.

—No debemos presionarla —dije—, pero puede que esta vez estés acertada. Sería una historia genial también para los *mellis*.

—Y hablando de follar, ¿qué tal con el yogurín la noche del concierto?

—Muy bien, lo pasamos genial.

—¿Y?

—Y nada más.

—¿No pasó nada más?

Resoplé, si es que esa mujer tenía poderes para sonsacarme toda la información.

—Nos acostamos.

—¡Lo sabía! Bien por ti.

—Si es que no sé para qué te digo nada.

—¿Fuiste a su casa?

—No —respondí seca.

—¿Otra vez a la intemperie? Estás desbocada, mi putón verbenero.

—Subió a casa.

—¿A casa? ¡¿A tu casa de verdad?!

—¿Conoces alguna otra?

—¡Cien puntos, Abril! Estoy orgullosa de ti.

—¿Y qué hay de ti?

—Este jueves regreso a Cuba.

—Maura, ten cuidado, por favor. No vuelvas a caer. Te costó mucho salir.

—No te preocupes. Sé cuidarme, no pasará nada.

Sabía que eso no era cierto, porque los ojos de Maura aún se iluminaban cada vez que salía el tema del comandante.

El universo nos estaba trayendo muchos cambios a las tres.

Los puntos sobre las íes

Estaba decidida. Hablaría con Pedro; tenía que alquilar un piso, por el bien de nuestro niño. Así que lo llamé:

—Hola, Pedro, soy yo.

—Hola, Abril, ¿ha pasado algo?

—No, pero quería hablar contigo sin que Álex estuviera delante.

—Estoy cerca de casa, si quieres me paso en cinco minutos.

¿Por casa? Prefería hablar con él por teléfono. Verlo entrar y salir del que había sido nuestro hogar seguía haciéndome daño, pero aproveché el ofrecimiento. Lo más importante era Álex.

El timbre me sobresaltó, a pesar de esperarlo, y abrí la puerta.

—Hola —saludé muy seca.

—Hola, Abril, ¿estás bien? —contestó mirándome con preocupación.

—Pasa, por favor —le pedí.

Me senté en el sofá con las manos unidas y sudorosas. Ese era el efecto que todavía producía en mí.

—Perdona, pero necesito un vaso de agua. Ahora mismo vengo.

Fue hacia la cocina como si aquella siguiera siendo su casa (bueno, en realidad, sí lo era).

—¿Quieres algo de beber? —me gritó desde allí.

—No.

«Tienes que prohibirle andar por aquí como si nada. Ahora ya no forma parte del grupo», me exigió la loca de la casa.

Pedro se sentó a mi lado en el sofá. Su cercanía me ponía muy nerviosa. Estaba bronceado y había cambiado su estilo de vestir. Parecía más joven. «¿Tan mala vida te daba, maldito?».

—Has adelgazado —observó—, estás muy guapa, pero ¿va todo bien? Me quedé preocupado con tu llamada.

Se me ocurrían cientos de respuestas y de insultos a esa pregunta, pero me los guardé para mí.

—Estoy bien, gracias. Tú también estás diferente.

—Bueno, ya sabes, ¡es América! —gritó intentando arrancarme una sonrisa que no me salió.

—Pedro, quiero hablarte de Álex y de los hoteles a los que lo llevas cuando estás aquí. No es buena idea, le está afectando. Creo que, si tuvieras una casa aquí, iría más contento y sería mejor para todos.

Pedro se mantuvo un momento en silencio.

—Me parece lógico, no hay problema. Puedo buscar algo para las dos semanas que paso aquí.

No me había imaginado que fuera tan fácil.

—No se me ha olvidado que esta es tu casa y también la de Álex, por eso, quizá lo mejor es que, cuando tú estés aquí, sea yo la que me vaya.

—No, Abril, no quiero hacerte eso. ¿Adónde irás? Esto es para ti, además, la reforma la pagamos a medias.

—Esto es tuyo y yo ya no soy tu mujer. Me pediste el divorcio, ¿te acuerdas?

—Abril... Este es el hogar de nuestro hijo y quiero que así siga siendo. Tú eres su madre.

Aquella conversación me estaba revolviendo las tripas.

—Creo que es mejor que te vayas —me despedí levantándome.

—Abril, solo digo que lo haré. No te preocupes, buscaré algo cerca de aquí, en Airbnb quizá. Me parece buena idea. Todo por él.

—¿Vas a volver a casarte? —pregunté sin preámbulos.

Él me miró sorprendido. Desde que nos habíamos separado, jamás le había hecho preguntas personales para protegerme de sus respuestas, pero ahora me había salido del alma.

—No, claro que no —negó él—. ¿Por qué lo dices?

—Bueno, si te quieres divorciar de mí es porque igual ya tienes a otra esperando en el altar.

¿Yo había dicho eso?

—Abril, no me volveré a casar, es demasiado... complicado.

—Ya veo. Ahora tengo que trabajar —lo invité a largarse.

Pedro se acercó por detrás.

—Me gustaría que las cosas fueran diferentes —dijo él.

—¿Estás enamorado? —pregunté—. Porque solo así entendería lo que hiciste conmigo; lo de dejar a tu hijo, eso ya no tiene nombre.

—Abril, creo que no es bueno que hablemos de estas cosas.

—¡Pues yo creo que sí! —chillé—. Después de un año, necesito respuestas.

—Está bien. Como te dije en su día, tengo una ilusión con otra persona, pero nada más.

—¡Eso me lo dijiste hace casi un año! ¿Tan mal ha evolucionado?

—¿Crees que esto ha sido fácil para mí? ¿Renunciar a esta casa, a mi vida durante los últimos veinte años? ¿Ver a mi único hijo dos semanas cada seis?

Esa reflexión me dejó desconcertada.

—La decisión la tomaste tú.

—¿Y te piensas que fue fácil? ¿Que es fácil? Construir una nueva vida cuando llevas ya casi vivida la mitad es complicado —dijo pasando la mano por su pelo.

—Eres un cabrón —lo insulté mirándolo—. No me diste opción, no me diste tiempo para asimilar algo así, ni a mí ni a él. Regresaste para darme la noticia y saliste huyendo. Yo fui la que tuvo que quedarse aquí sola con Álex, con un niño de cinco años, sin saber qué hacer ni cómo consolarlo. ¡Todavía no entiende por qué su padre vive en Miami, joder! —Las lágrimas comenzaron a brotar de mis ojos—. ¿Es que ahora esperas que tenga compasión de ti?

—No he venido aquí para discutir contigo.

—¡Sigues huyendo! —grité—. Te guste o no, ahora necesito respuestas. No puedes dejar a alguien después de veinte años e irte así sin más.

—Pero ¿qué respuestas, Abril?

—¿Por qué lo hiciste? ¿Por qué te fijaste en otra mujer? ¿Por qué aceptaste un trabajo que no te permite ver a tu hijo crecer, estar presente en su día a día? No estuviste en su cumpleaños ni en Navidad, nunca vas a ninguna tutoría ni lo acompañas a la psicóloga, solo me pides a mí el parte por correo. ¿De verdad eres así y no me había dado cuenta? ¿Qué nos pasó, Pedro? Creía que éramos felices, quería tener otro hijo contigo... —Me derrumbé sobre el sofá tapando con las manos mis sollozos. Desde que Pedro se había ido, jamás habíamos tenido una conversación como esa, pero, después de tantos meses, ya iba siendo hora de poner los puntos sobre las íes.

Pedro no respondió a ninguna de mis preguntas, solo intentó acercarse a consolarme.

—No me toques, por favor —le pedí—, es mejor que te vayas.

Se agachó, agarró mis manos y me dijo muy bajito:

—Abril, no soporto discutir contigo. Nunca me gustó y ahora, menos. Espero que algún día puedas perdonarme.

Pedro salió en silencio y cerró la puerta detrás de él. Estuve mucho tiempo sentada en el sofá desahogándome, liberando demonios. No había obtenido ninguna respuesta, solo su silencio una vez más. Por lo menos, había aceptado dejar los hoteles y alquilar un hogar para nuestro hijo. Qué mal sonaba eso. ¿Perdonarlo? Había llegado a creer que sería posible hacerlo y retomar mi vida con él, pero era demasiado doloroso. Llevaba más de un año acostándose con otra mujer.

«Bueno, tú también te has estrenado», me recordó la loca de la casa.

Ese día no pude traducir ni una sola palabra. Me lo pasé entero sollozando tirada en el sofá. A las ocho de la tarde, me recompuse. Álex estaba al caer y lo traería su padre. No me apetecía volver a verlo en mucho tiempo, pero había que aguantarse y hacer de tripas corazón. Es lo que tienen las separaciones con hijos.

Puse mi mejor cara para recibir a Álex.

—¡Mamiii! Papi me ha llevado a merendar al McDonald's.

Lo miré de reojo, sería posible...

—Ya tienes la bañera preparada, cielo, ¿puedes ir quitándote tú la ropa, que ya voy yo?

El pequeño desapareció en el cuarto de baño de mi habitación.

Quise cerrar la puerta con un seco adiós a Pedro, pero él no me dejó.

—Abril, por favor, déjame hablar —pidió él—. Cada vez que entro en esta casa, veinte años de mi vida contigo me golpean. Soy un ser humano y... tengo dudas. A veces me pregunto si habré tomado la decisión correcta. ¿Y si me he equivocado y te pierdo para siempre?

«Ya la has perdido para siempre», respondió la loca de la casa poniéndose de mi parte.

—Pedro, es mejor que te vayas.

—Abril, déjame abrazarte, por favor.

Cerré los ojos agarrada al marco de la puerta y él aprovechó ese momento de debilidad para abrazarme y fue... raro. Pedro no olía a verano ni a helado de fresa; tampoco olía a Pedro, y no reconocía su gesto ni su cuerpo. Me miró a los ojos y yo hice lo mismo. Otra vez las lágrimas volvían. Él limpió una con su dedo índice. Sus ojos también estaban llorosos. En los últimos meses, nunca se había comportado así conmigo. Había sido educado, pero nada más.

—¿Por qué me diste el álbum, Pedro? Ya estabas con ella y lo hiciste como recuerdo de despedida, ¿verdad? Para que no olvidase las dos décadas que pasamos juntos.

—Eso no importa.

—Sí importa, a mí me importa.

—Mamiiiii, ya estoy en la bañera.

—¡Ya voy, cielo! Buenas noches, Pedro. —Esta vez sí cerré la puerta. ¡Dios! ¿Qué había sido eso?

Cuando Álex se durmió, me fui a la cama, pero no pegué ojo. ¿Dudas? ¿Perdonarlo? ¿Es que acaso su nido de amor no iba tan bien como esperaba y ahora quería volver?

«Él no ha dicho nada de eso», me recordó la loca. «No sueñes, Abril, no volverá». ¿Yo quería que volviera? Durante un año había sido mi mayor deseo, pero ahora... ya no sentía lo mismo, su abrazo había resultado vacío, doloroso. Ya no era Pedro, mi Pedro; era otro, uno que me había engañado sabe Dios durante cuánto tiempo, hasta que había asegurado su nueva relación y su nuevo puesto de trabajo, para dejarme sin previo aviso y sin posibilidad de reaccionar. Uno al que no le había importado no mirar atrás y que me había dejado sola con el marrón de tener que ver

117

sufrir a mi hijo y responder preguntas para las que yo tampoco había obtenido respuesta.

Ese fin de semana, Álex lo pasaría entero con su padre y Óscar me había wasapeado para contarme que se iba a Madrid a un congreso sobre suelo pélvico, qué cosas... No regresaría hasta el domingo por la tarde. En realidad, yo no le había preguntado (ya bastante cacao mental tenía con el padre de mi hijo y su reacción del lunes anterior), pero a Óscar le gustaba enviarme wasaps de vez en cuando sin necesidad de quedar, solo para saber de mí y contarme su día o sus aventuras. Quién tuviera veinte años de nuevo...

«Que tiene veintisiete», me reñía mi torturadora interna, «y, además, tú a esa edad ya estabas muy pillada».

«Y muy feliz», pensé.

El sábado quedé con Susana para ir al cine y, como Maura llegaba esa tarde de Cuba con un *jet lag* tremendo, por lo que no podría pegar ojo, se unió a nuestro plan.

Vi llegar a Susana más ojerosa de lo habitual. Maura llegaría tarde, como siempre.

—Hola, neni —me saludó ella—, ¿cómo estás?

—Bien, ¿y tú?

—Bueno, este es el mejor plan que he tenido en muchos días.

Sonreí.

—¿Y los niños están con...?

—Con Elisabeth —se adelantó ella.

—¿Cómo va ese tema?

—Pues va igual, pero raro, muy raro. Ninguna de las dos ha vuelto a hablar de... lo que ocurrió, pero se respira tensión en el ambiente cuando estamos solas. No ha vuelto a quedarse a ver ninguna serie conmigo.

—Lo siento, Susana, seguro que con un poco de tiempo se arregla.

—La verdad es que los niños no han notado nada, con ellos sigue siendo la de siempre, pero conmigo... No sé..., algo ha cambiado. Intento hablarle como antes, pero no me sale.

En ese momento, vimos bajar a Maura de un taxi.

—Hola, chicas, ya me explicaréis cómo dos mujeres en edad de merecer y solteras quedan para ir al cine un sábado por la noche antes que intentar echar un *kiki* por ahí.

—Maura, ni Susi ni yo tenemos el horno para bollos.

—Pues por eso —dijo ella guiñándonos un ojo—. La verdad es que yo hoy tampoco, estoy hecha polvo.

—¿Cómo está Cuba? —preguntó Susana.

—Pues cada vez menos comunista.

—¿Y el que te llevó a Cuba y te trajo de allí? —pregunté sin paños calientes.

—Pues... ¿Cómo va a estar? Como siempre, hecho un pedazo de cabrón.

Habíamos elegido una comedia romántica, algo fácil para un sábado por la noche. Las tres necesitábamos un final feliz.

—Me apetece tomar algo caliente —dijo Susana al salir.

—A mí también me apetece —la apoyé.

—Pues nada, a *viejunear* —respondió Maura—. Por cierto, ¿cuándo se va el virus? —me preguntó directamente.

—No lo llames así, es el padre de mi hijo. Se va el martes.

—Y vuelta a empezar... —afirmó Maura.

—Bueno, esta vez ha sido algo diferente. —Tenía la atención de mis dos amigas—. Le he exigido que deje los hoteles y se alquile un apartamento para darle estabilidad a Álex los días que esté aquí y me ha dicho que vale.

—Mmm, algo quiere —sospechó Maura.

—Bueno —continué—, también me dijo que tenía dudas, que no soportaba discutir conmigo y que se preguntaba si se había equivocado en su decisión.

—¡No! ¡Será cabrón! —se enfadó Maura.

—Chsss... —la calmó Susana.

—Por favor, Abril, no caigas, ahora que estabas empezando a salir y a follar.

Susana le dio un codazo bien merecido.

—Estoy muy confundida, chicas. Ahora siento que necesito respuestas, las que no tuve cuando se fue. Quiero saber qué pasó, por qué lo hizo, por qué lo hace. Creo que hasta que no lo sepa no voy a poder seguir.

—Cerrar el ciclo, suena lógico —admitió Susi mientras sorbía su chocolate caliente—. ¿Y qué hay de ti? ¿Te sigue molestando el comandante?

Maura tardó en responder y eso fue una señal de alerta.

—En realidad lo veo algo cambiado, no sé, más tranquilo, educado, calmado...

—Vaya..., que estamos bien jodidas las tres —afirmó Susana sin levantar ni un ápice la voz.

Un soplo de aire fresco

El domingo por la tarde recibí un wasap de Óscar. Acababa de llegar de Madrid y me preguntaba si podíamos vernos. ¿Por qué no? Álex no llegaría hasta el lunes por la tarde y me sentía enjaulada en casa. Las frases de Pedro no paraban de dar vueltas en mi cabeza.

Quedé con él en una cafetería a medio camino entre mi casa y la estación de tren. Como comenzaba a refrescar, decidí caminar para despejarme. Cuando llegué, lo vi a través de la cristalera. Estaba sentado en la mesa del rincón con la vista puesta en su portátil. Llevaba gafas y tenía el pelo revuelto. Parecía más joven todavía.

Sonreí. Unos pasos antes de llegar a su mesa, me invadió el olor a mar.

—Hola —saludé.

Miró hacia arriba y se levantó.

—Hola, pequeña —respondió posando su mano en mi cintura mientras besaba mis labios tímidamente—. ¿Cómo ha ido el fin de semana? —preguntó sin separarse.

—Aburrido —contesté.

—Mmm, quizá yo pueda hacer algo para mejorarlo —ofreció mostrándome su esplendorosa sonrisa y desarmándome por completo.

—¿Trasplantas cerebros? —le dije.

—No, pero puedo ayudarte a entender y querer el tuyo.

Óscar me habló de su fin de semana, del congreso, de los ponentes, de lo que había aprendido y de la sesión de meditación colectiva con la que había finalizado el evento.

—La meditación es una asignatura pendiente para mí —le dije—, tantos años de yoga y aún no lo he conseguido...

—¿Sabías que el cerebro tarda veintiún días en crear un hábito? Si consigues llegar a ese límite, después lo harás de forma más instintiva.

—¿Tú lo haces a diario? —quise saber.

—Ajá. Tengo mi propio reto: no desayunar sin haber meditado. Lo mejor de todo es que me quita toda la mala hostia que pueda tener ese día.

Reí.

—Pues voy a tener que probarlo, porque yo llevo un tiempo que tengo mucha —confesé.

—Seguro que te va genial —sonrió—. De hecho, creo que la meditación debería estar integrada en los colegios desde la etapa infantil. Enseñar a los niños a gestionar sus emociones evitaría muchas frustraciones, episodios de acoso y agresividad. Y ya no te digo nada en la etapa de la adolescencia.

Cada vez que Óscar hablaba sobre estos temas, demostraba un grado de madurez impropio de su edad. A lo mejor había subestimado a los de su generación...

Como si leyera mi pensamiento, continuó:

—Hace años viví durante doce meses en un monasterio en Bérgamo.

Me sorprendió su confesión y lo demostré abriendo mucho los ojos.

—Ajá, así fue y debo decirte que hubo un antes y un después en mi vida. Allí descubrí la meditación y los verdaderos maestros espirituales que, al contrario de lo que se suele pensar, no son hombres barbudos en leotardos sentados en lo alto de una montaña.

Sonreí interesada en su historia.

—Los mejores maestros espirituales suelen estar en tu día a día. Son esas personas que te hacen perder el control, que te desbordan, que te cabrean, que te ponen la sangre a cien grados centígrados en cuestión de segundos... Ellos ponen a prueba tu resistencia, tu paciencia, tu grado de autocontrol. Son excelentes para crecer personalmente y aprender a perdonar... —miró pensativo hacia el suelo— y a perdonarte.

—¡Oh! Óscar...

—Perdona, te estoy aburriendo con mi pasado. —Sonrió de nuevo recuperando su luz.

—Me has enganchado con tu historia. Por favor, sigue.

Asintió sin perder la sonrisa.

—La vida en Bérgamo era sencilla. Me levantaba antes del amanecer y me acostaba después de cada puesta de sol. Meditábamos todas las mañanas y todas las tardes, siempre en silencio. A veces las sentadas eran tan largas que tenía los huesos entumecidos de la postura y de la humedad. ¡Dios! ¡Cuánto frío pasé los primeros meses...! —Sonrió con la mirada perdida de nuevo—. Pasábamos el resto del día trabajando en los viñedos de las tierras que incluía la propiedad. Cultivábamos nuestros propios alimentos y, por supuesto, no había ningún tipo de tecnología ni contacto con el exterior. Fue como vivir en el siglo xix durante un año.

—¿Y por qué un chico tan joven querría hacer algo así? —pregunté.

Su mirada se dirigió de nuevo hacia mí ensombreciéndose y en ese momento supe que había mucho más.

—Fue una elección personal —dijo sin profundizar más. Entonces, se acercó y acarició mi mejilla con el dorso de su mano—. El dolor pasará, Abril. Te lo prometo —añadió dándome un tierno beso en los labios.

Al cabo de un rato, salimos de la cafetería y decidí acompañar a Óscar al metro. Una vez en la calle, él unió nuestras manos y así caminamos hasta llegar a su parada. Ir de la mano por la calle con un hombre adulto era algo que no hacía desde... ¿cuándo? Creo que nunca. Pedro y yo no lo habíamos hecho ni de novios. Él no era «de esos» y a mí no me había importado; sin embargo, ahora me reconfortaba cada vez que Óscar tomaba mi mano y me llevaba con él adonde fuese.

—Esta es mi parada. Necesito una ducha y dormir —dijo sin perder la sonrisa.

—¿Cómo lo haces? —pregunté. Él me miró sin entender—. Me refiero a lo de estar siempre feliz, contento, con esa maravillosa sonrisa que nunca pierdes.

—Veamos... —empezó, soltando su maleta y abrazando mi cintura con sus dos manos en plena calle—. Dicen que somos un cincuenta por ciento genética y otro cincuenta por ciento lo que decidamos ser. En mi caso, creo que la genética me ayuda, porque provengo de una familia de optimistas natos, pero, y ahora viene lo bueno —me dijo sin soltarme—, hace varios años que decidí no perder nunca la sonrisa, esa es mi forma de engañar a mi cerebro. Ahora lo hace él solo —concluyó besándome la punta de la nariz.

—¡Anda ya!

—Es verdad. Tienes que probarlo, podría enseñarte unas cuantas técnicas para camelar a tu cerebro y ponerlo de tu parte, ¿te imaginas?

—No sabes la falta que me hace.

—¡Hecho!

Óscar me besó en plena boca de metro. Yo recibí su beso y lo frené. ¡Por Dios, que mi exmarido andaba por ahí con mi hijo! Y, además, en veinte años de relación nunca me había mostrado cariñosa en público. «Siempre hay una primera vez», dejó caer la loca de la casa, que parecía que estaba tranquila últimamente. A ver si Óscar iba a tener razón y se iba a poder entrenar... ¡Poner a la loca de la casa de mi parte! ¡Impensable!

Vi a Óscar desaparecer por el túnel del metro, no sin antes darse la vuelta para obsequiarme con una última sonrisa (¡qué maravilla de ser humano!), y regresé a casa de bastante mejor humor que con el que había salido. Óscar provocaba ese efecto en mí, todo lo contrario que Pedro.

Y se marchó...

Pedro me miraba desde el umbral de la puerta con la mochila de Álex al hombro.

—Aquí está todo —me dijo.

—Muy bien, que tengas buen viaje —respondí a modo de despedida.

En esta ocasión, el pequeño se había despedido de su padre más tranquilo. Pedro le había prometido que la próxima vez tendrían una nueva casita para los dos y parecía que eso le había hecho ilusión.

—Abril, te he hecho caso y he estado mirando pisos por este barrio. Creo que ya tengo uno que encaja con lo que Álex y yo necesitamos.

—Me alegro mucho, le vendrá genial —dije cortante.

—Vamos, no seas así, sé que no eres así —me pidió acercándose más. Me quedé quieta. Álex seguía en el baño.

Lo tenía delante, muy cerca. No debía mirarlo a los ojos, si no, estaría perdida. Pedro lo sabía. Levantó mi barbilla con una de sus manos para buscar mi mirada y cerré los ojos.

—Abril... —susurró más cerca. Sentí sus labios sobre los míos.

—¡Papi!

Nos separamos de inmediato. Pero ¿qué...?

Pedro tomó la iniciativa y se acercó a él para despedirse. Menuda noche me esperaba, pensé, pero la actitud de Álex me sorprendió:

—¿Ya te vas?

—Ajá —contestó Pedro.

—¿Harás fotos a las estrellas desde el avión? —preguntó.

—Claro que sí, y te las enviaré todas para que puedas verlas, ¿de acuerdo?

El pequeño agachó su cabeza.

—¿De verdad tienes que irte?

—Volveré muy pronto y... ¡tendremos casa nueva!

—¡Qué bien! Voy a tener dos casas.

Lo miraba orgullosa por su nueva reacción. Mi pequeño estaba madurando.

A quien no podía mirar después de lo que acababa de pasar era a Pedro, que levantó a Álex en brazos y lo llevó a su habitación para que no lo viera marchar.

—Ahora viene mami y te ayuda con el pijama, ¿vale?

Yo me había quedado plantada en la puerta, totalmente bloqueada.

—Abril... —me llamó parándose al llegar a mí.

—Vete, Pedro, por favor —supliqué.

—Cuando regrese, tenemos que hablar.

«Tenemos que hablar». Otra vez la frase disparadora de la incertidumbre por excelencia.

Piloto automático

Tras la marcha de Pedro, regresaron las pesadillas de Álex, aunque esta vez parecía que las notaba con menos fuerza y, en lugar de despertarse repetidamente por las noches, lo hacía en una o dos ocasiones como mucho. Definitivamente, alquilar una casa había sido buena idea.

Yo, por mi parte, puse el piloto automático y mis traducciones eran cada vez más planas (sin embargo, apenas me pedían correcciones, así que tan mal no lo debía de hacer). No podía dejar de pensar en ese beso... pero no en el casi beso en sí, sino en cómo me había hecho sentir, y la respuesta era mal, fatal. Pero ¿qué se creía? ¿Que podía dejarme sin apenas explicaciones y volver después de más de un año a trasladarme sus dudas y besarme como si nada hubiera pasado? Estaba furiosa. «¡Pero si es lo que llevas esperando todo este tiempo!», se desquiciaba la loca de la casa, y no estaba equivocada. Durante los últimos meses, había soñado muchas veces con que Pedro regresaba a casa, se arrodillaba, me suplicaba perdón y yo se lo ofrecía con muchas condiciones, pero al fin volvíamos a ser una familia. Pero no había ocurrido así exactamente; lo que había pasado era que Pedro tenía dudas, me había pedido perdón de una forma muy peculiar y se había acercado a mí para besarme e introducir la confusión en mi mente.

El sonido del WhatsApp me sacó de mis pensamientos. Era una foto de Óscar. Tenía unos días de vacaciones, había ido con un grupo de H_2O a hacer un ruta en bicicleta, y me iba enviando fotos de los lugares especiales que iba encontrando. En la imagen que me enviaba ahora, se lo veía sentado sobre una roca al atardecer mirando hacia el mar. Tenía mensaje:

Y, de repente, llegó ella... ¿Es esta suficiente abundancia para ti, Abril? Estoy deseando verte.

Sonreí. Qué maravilla poder viajar sin pensar en nadie más. Esa libertad para decidir la anhelaba, pero la mayor parte del tiempo que estaba sin Álex me sentía culpable por divertirme, por no estar a su lado, por la maldita programación social de mi mente. Tenía que aceptar los consejos de Óscar y entrenarla para ponerla de mi parte.

Le contesté:

El mar es abundancia infinita, Óscar. Afortunado tú en este instante que puedes contemplarlo. Voy a seguir tu recomendación con la meditación. ¿Algún consejo para principiantes?

Su respuesta no tardó en llegar.

Daría la puntita de mi dedo meñique por compartir este momento contigo. 😄 Instálate esta app y comienza por la mañana antes de desayunar. 😉

«Oh, qué majo...».

Esa tarde me reuní con el consejo de sabias a la salida de yoga. Susana había vuelto a los cruasanes y Maura tenía la mirada perdida a más de nueve mil metros.

—¿Quién empieza? Porque creo que hoy tenemos mucho que contar —las espoleé dándole un trago a mi cerveza.

—Creo que necesito alguna cerveza más para empezar —se lamentó Maura.

—Está bien, empezaré yo —aceptó Susana—. Elisabeth me habla lo justo, no se ha vuelto a quedar a cenar ni una sola noche y me ha pedido vacaciones.

—Menuda bomba —dijo Maura—, pero eso es lo que pasa cuando alguien te gusta, le echas pelotas para besarlo y pasa de ti como si nada hubiera ocurrido —remató—. Y la que pasa como si nada eres tú, amiga mía.

—No es fácil, Maura —apoyé a Susana—; pero creo, Susi, que tiene razón. Dale vacaciones, pero antes tienes que hablar con ella.

—No puedo hacerlo. No sé qué me pasa. Cuando la veo siento ansiedad, no sé cómo tratarla, cómo hablarle, cómo explicarle...

—¿Explicarle qué? —la animó Maura.

—Que... estoy confundida, que no sé lo que sentí cuando me besó, pero, desde luego, rechazo seguro que no, que la echo de menos cuando veo nuestra serie y que nunca he estado con una mujer ni sé si voy a poder estarlo...

—Vaya..., creo que ahí tienes tu discurso —indicó Maura—. Dile todo esto antes de que se vaya de vacaciones y se busque otro trabajo.

Susana me miró y yo hice ver que estaba de acuerdo con la cabeza.

—¡Dios! —exclamó frotándose la cara con las manos—. De esta ya fulmino a mis padres. ¿Y qué hay de ti? ¿Cómo lo lleva Álex?

—Pues, curiosamente, mejor. Ha aceptado muy bien que su padre vaya a tener una vivienda para él cerca de nuestra casa.

—¡Cómo me alegro! —dijo ella—. ¿Y qué hay del yogurín?

—Está fuera unos días. —Tras un brevísimo silencio, añadí—: Pedro me besó antes de irse.

—¡Joder! Ya sabía yo que había algo más, será cabrón...

—Mauraaaaa —la riñó Susana, animándome a que siguiera.

—Pues me dijo que tenía dudas, que tenía miedo de perderme para siempre, que teníamos que hablar cuando volviese, y me besó.

—¿Cómo estás? —preguntó Susana.

—Pues mal, inmersa en el caos. ¿Por qué me hace esto? —exclamé.

—Porque ya ha pasado más de un año y su necesidad de gustar a otra mujer ya ha quedado cubierta. Esa magia del principio se esfumó y seguramente estará cayendo en la rutina, por eso vuelve a ti, te lo dice una experta... No caigas, Abril, lo hace por él, solo quiere comprobar si ha tomado la decisión correcta sin importarle el daño que puede hacerte a ti. Por cierto, me he acostado con Roberto.

—¡No! —gritamos Susana y yo al unísono.

—Lo sé. ¿Qué coño me pasa? —se lamentó Maura llevándose las manos a la cabeza—. Me ha lanzado una especie de hechizo o algo así, soy gilipollas.

—Chicas, creo que tenemos que empezar a tomar decisiones y dejar de maltratarnos a nosotras mismas —dijo Susi—. Tú no eres gilipollas, Maura. Por mucho que te cueste reconocerlo, estás enamorada de un cabrón, pero tienes que dejarlo porque sabes que no te llevará a ninguna parte, excepto al lugar en el que ya has estado. Y tú, Abril, es normal que estés confusa, cielo. Veinte años y un hijo pesan mucho, pero ve con cuidado. Es la primera vez que vuelvo a verte ilusionada, no des un paso atrás, que lo que has sufrido valga para algo. Y, con respecto a mí, es hora de realizar un viaje interior y poner patas arriba todos mis putos programas mentales.

Mar y sal

El viernes de la semana siguiente, mi madre fue a recoger a Álex a la escuela (se quedaría con ellos esa noche) y yo quedé con Óscar, que ya había regresado de su ruta en bici y a quien no veía desde la última visita de Pedro. En el fondo, me sentía culpable. ¿Estaría traicionando a Pedro ahora que quería volver?

«Tú lo que eres es una idiota. Él no te ha dicho que quiera volver, solo que tiene dudas, nada más». Y ahí estaba la loca de la casa, incombustible.

—¿Cuándo tendrás vacaciones? —me preguntó Óscar.

—Pues, siendo *freelance*, no es fácil, pero suelo reservarme los últimos quince días de agosto.

—¡Qué bien! Yo estoy libre del doce al treinta y uno. Quizá podamos hacer algo juntos —propuso pellizcándome en la barriga.

—Mmm, ¿una proposición indecente? —dije picarona después de tres cervezas 1906.

—Puede ser.

Óscar me habló de su ruta en grupo. Me enseñó algunas de las fotografías que no me había mandado y me puso un paquetito en la mano.

—¿Para mí? —exclamé como una niña de cinco años.

Asintió.

—Es una tontería, pero será nuestra tontería.

Abrí el paquetito envuelto en papel blanco. Era un imán para la nevera. Se trataba de una nave espacial de color rojo en modo despegue que dejaba tras de sí una estela de estrellas.

Oh, qué detalle. Con Óscar también hablaba de estrellas, de universos, de planetas desconocidos..., de la pasión que me había inculcado mi padre por el firmamento (y más allá) y que ahora yo compartía con Álex.

—Muchísimas gracias, lo pondré hoy mismo en mi nevera.

Óscar se acercó y me besó.

—Faltan veinte minutos para las seis. Me gustaría llevarte a un sitio.

—Mmm, miedo me das.

—Prometo que te gustará —dijo entrelazando su mano con la mía. Ya se había convertido en una costumbre ir con él así por la calle.

Nos subimos a su moto y condujo hasta la Casa de las Ciencias. ¿Qué hacíamos allí un viernes por la tarde?

—Venga, vamos, he sacado entradas por internet.

—¿De veras?

¿Cuánto hacía que no iba al planetario? Décadas... Tenía que llevar a Álex, pero nunca encontraba tiempo para hacerlo.

Reí a carcajadas (definitivamente, las cervezas hacían su efecto).

Entramos en el museo y recorrimos las salas de la mano, observando los diferentes experimentos científicos. Antes de la sala de proyecciones había dos columpios que explicaban la ley del equilibrio de Newton. Nos sentamos y comencé a columpiarme como haría mi hijo Álex.

—¿Por qué dejamos de hacer esto los adultos? —pregunté.

—Yo sigo haciéndolo —repuso él.

—Tú eres un bebé —bromeé divertida.

—Pues este bebé —dijo él parando mi columpio en seco— tiene ganas de hacer contigo muchas cosas que no están presentes en la más tierna infancia.

Reí tímida, qué tontorrona me ponía ese chico.

—Tengo que ir al baño antes de entrar —dije.

Cuando estaba lavándome las manos, observé mi reflejo en el espejo. Tenía las mejillas coloradas por el alcohol, el verano, el mar, el olor a sal y él. «¿Quién eres? ¿Qué quieres? ¿Qué estás haciendo, Abril?», me preguntaba la loca de la casa. Decidí ignorarla. Ya era fan del *carpe diem* y Óscar me esperaba sonriente en la puerta del planetario.

—Ven, me han dicho que en la segunda fila están los mejores asientos.

—Bueno, parece que no tendremos que pelearnos con nadie para conseguirlos, ¿no? —respondí divertida ante la falta de público.

Las luces se apagaron y un narrador comenzó a contar la historia de los orígenes de la Tierra. Explicó que, cuando el hombre regresó de la luna, trajo varias muestras de su terreno para analizar y los resultados fueron sorprendentes, ya que concluyeron que aquella compartía muchos materiales con la superficie de nuestro planeta. ¿Cómo era posible? ¿Es que alguna vez habían estado en contacto? Según los científicos, millones de años atrás existía un planeta orbitando en nuestro sistema solar muy cerca de la Tierra y en la misma dirección. Con el tiempo, llegaron a colisionar y eso produjo tal explosión que cientos de materiales terrestres saltaron al espacio exterior, creando lo que hoy conocemos como la luna. ¡Menuda historia!

Durante cuarenta y cinco minutos, toda mi atención se centró en las imágenes del universo, de su esplendor, de su abundancia; en todo eso que está encima de nuestras cabezas sin que seamos realmente conscientes de ello. Me parecía increíble... vivíamos flotando en medio de un universo rodeado de otros universos y de no sé cuántos agujeros negros ¡y yo preocupándome por si volver con Pedro sería buena o mala idea!

Acababa de entender por qué Óscar me había llevado allí: ese lugar te atraía hacia uno de los principios básicos de la naturaleza, el aquí y ahora, que era lo único que existía. Al ser consciente de eso, todos mis problemas se redujeron, se eclipsaron con el poder de creación y la fuerza de todo lo que nos rodeaba.

—El observador, observado —susurró Óscar.

Cuando encendieron las luces, tenía lágrimas en los ojos de emoción.

—Muchas gracias por traerme aquí —le dije.

—Gracias a ti por acompañarme.

—Qué afortunados somos de estar vivos.

Él asintió y me besó.

Volvimos a subir a la moto, esa vez, con otra perspectiva, con otros pensamientos, y Óscar condujo sin importarle adónde. Esa tarde era nuestra.

Yo miraba hacia arriba a través de mi casco y, al cabo de un rato, paramos delante de una urbanización cerca del mar.

—Vivo aquí —me contó él—. Me gustaría presentarte a alguien.

Lo miré en silencio. La proyección me había trasladado a tiempos pasados y estaba sin palabras.

Entramos al edificio que teníamos enfrente y subimos al tercer piso, que era el último.

—Llegamos —señaló Óscar, soltándome la mano para abrir la puerta.

Un ladrido sordo me sacó de mi estado de *flow*.

—¡Holaaaa, amor! —saludó él acariciando a una perrita labrador mientras ella lo besaba como si hiciera siglos que no lo veía.

—Te presento a África. Ella es mi chica, mi compañera de piso, mi guardiana fiel.

Sonreí sorprendida. Qué bonita y cariñosa era. Me agaché.

—¡Hola, África! Encantada de conocerte. Qué calladita te la tenías —le eché en cara a Óscar sin dejar de acariciar a la perra.

—Es mi guía espiritual —afirmó él—. Mmm, parece que le gustas...

—Me encantan los perros, y a mi hijo, también; pero mi marido, bueno, digo... exmarido... era alérgico al pelo o algo así.

Óscar me miró y tiró de mi mano hasta ponerme de nuevo de pie. Entonces apartó un mechón hacia atrás y me miró.

—Bienvenida a mis aposentos. —Sus labios se pegaron a los míos en el recibidor.

Cerré los ojos y me dejé llevar, rendida a las últimas emociones. Óscar me apoyó contra la pared de un pequeño pasillo sin dejar de besarme.

—Tengo muchas ganas de ti, Abril, ¿qué me has hecho? He estado toda la ruta pensando en ti. Mmm, a ver si me has lanzado algún conjuro...

Me mordí los labios y ese gesto lo excitó todavía más. Sus besos recorrieron mi boca, mi cuello, el hueco de mis hombros, mi barbilla y, de nuevo, mi boca.

Nuestra respiración era acelerada y mis manos ya se habían perdido por debajo de su camiseta. Tenía los sentidos empapados por su aroma a helado de fresa.

—Ven conmigo —propuso Óscar, sacándose la camiseta y agarrando de nuevo mi mano.

¡Qué cuerpazo, por Dios!

Entramos en lo que parecía su habitación; era amplia y tenía un ventilador sobre la cama que Óscar activó. Me apoyé contra la puerta y él se acercó, puso sus manos en mis glúteos y me impulsó hacia arriba hasta que rodeé su cintura con mis piernas. Nuestras lenguas danzaron un baile armónico. Con él era todo tan fácil, tan equilibrado... Quizá tenía razón y yo también podía conseguir esa visión de la vida.

Lo saboreé, me saboreó, nuestros alientos se cruzaron y agitaron nuestra respiración. Entonces me presionó contra la puerta haciéndome sentir su erección y, en unos segundos, estaba tumbada sobre su cama. Óscar se separó un poco para tener perspectiva. Se agachó y me descalzó sin dejar de mirarme a los ojos. A los zapatos los siguieron mi pantalón y el resto de la ropa, excepto las braguitas.

—Eres una diosa, ¿lo sabes?

Negué con la cabeza, tapándome con los brazos.

—Eh, tienes un cuerpo precioso, no te avergüences nunca de él.

Óscar se quitó la ropa y se quedó con los bóxeres puestos. Sus manos ascendieron por mis caderas hasta llegar a mi pecho. Con la punta del dedo índice y corazón, rozó mis pezones hasta hacerme estremecer y vi una de sus manos perdiéndose entre nuestros cuerpos hasta llegar a mis braguitas. Sentí sus caricias por encima del suave algodón y emití un gemido que lo hizo reaccionar, deslizando sus ágiles dedos por debajo de la tela, llegando a mi parte más íntima. Eché la cabeza hacia atrás con un suspiro.

—Abril, eres preciosa. Tienes una energía muy bonita —susurró mientras entraba y salía de mi cuerpo con sus manos. El deseo creció en mi interior—. Derrítete en mis manos, amor...

¿Había dicho *amor*?

Quise alcanzar su ropa interior, pero no me dejó y continuó con sus movimientos sin perder el ritmo. Y porque Óscar era pura energía y, en ese momento, yo también lo era, me dejé llevar hasta que me alcanzó el orgasmo, convulsionándome sobre sus dedos mientras bebía de su boca.

¿Qué me pasaba cuando estaba con él? Era como si todas mis barreras, miedos y demás bloqueos se derrumbasen para dejar paso a su energía, que lo inundaba todo. Con Óscar sonreía, reía a carcajadas, me divertía, aprendía y tenía unos orgasmos increíbles; pero lo más importante era que me relajaba y que, de alguna manera, volvía a ser yo, a tener ganas de retomar ilusiones que, por algún motivo, se habían quedado a medio camino.

Óscar se quitó su bóxer y pude ver su erección, tan perfecta que encendió de nuevo mi deseo. Me senté en el borde de la cama y la acaricié. Lo miré fijamente y cerré mis labios alrededor de ella. Un gruñido sordo se arrancó de su garganta.

Continué con mis besos, sintiendo cómo su respiración se agitaba cada vez más.

—¡Oh, Dios! Abril, me vuelves loco —susurró.

Paré mis besos y me puse de pie delante de la cama. Óscar se levantó y así, descalzos, me pareció todavía más alto. Esta vez fue él quien se puso de rodillas para besar mi sexo y provocar de nuevo mis ganas de más. Iba a tener que darle la razón a Maura: el sexo a los cuarenta era fantástico.

Me aparté de Óscar y me acerqué al cabecero de su cama, lo que provocó su acercamiento. Se sentó detrás de mí, abrazando mi cintura mientras se colocaba el condón, y nuestros cuerpos encajaron a la perfección, como en todos nuestros encuentros, fundiéndose en un movimiento armónico.

Sentí su aliento en toda mi piel. Nos unía una conexión muy fuerte e inexplicable. ¿Sería esta la conexión sexual de la que tanto hablaba Maura?

La mano derecha de Óscar acarició mi clítoris desde atrás y aceleré mi movimiento hasta alcanzar de nuevo el limbo y contraerme sobre su erección.

Después de aquello, caímos de lado en la cama, abrazados. Sus manos se mantenían aferradas a mi cintura.

—¿Crees en otras vidas? —pregunté.

—Ajá —contestó Óscar—. ¿Y tú?

—No lo sé, pero, si es cierto, tengo muy claro que tú y yo coincidimos en alguna.

—¿Y qué te hace pensar eso? —rio.

—Lo cómoda que me siento cuando estoy contigo cuando apenas hace dos meses que te conozco.

—A mí me ocurre lo mismo, y estoy convencido de que tú y yo estuvimos juntos en más de una vida. No creo en las casualidades y sí en las señales. Todo pasa cuando tiene que pasar y por algún motivo que normalmente hemos provocado nosotros.

—Esa última frase no la entiendo muy bien —admití.

Óscar se cambió de lado y se acostó de tal forma que nuestras miradas quedaron muy cerca.

—Pues creo que somos responsables de prácticamente todo lo que nos ocurre, y es fantástico, porque eso significa que está en nuestras manos cambiarlo.

—Voy a volver a estudiar —le dije sin pensarlo.

Óscar sonrió.

—Bien por ti.

—Sí, es que... llevo unas semanas pensando en la posibilidad de matricularme en un máster de Traducción Simultánea que comienza en septiembre.

—Parece una buena idea —dijo él animándome.

—Creo que aún estoy a tiempo de cumplir un sueño.

—Es tu misión, Abril, todos tenemos una. La mía es ayudar a las personas a mantener su estado de salud física y mental a través del deporte. La tuya es ayudar a las personas a comunicarse. Estoy seguro de que te vas a sentir genial cuando lo hagas.

—En realidad, ya lo hago —susurré—. Me gusta ver películas en versión original sin subtítulos y traducir de forma simultánea lo que dicen. —Sonreí—. Lo practico con Álex cuando vemos dibujos juntos.

—Me encanta verte así —dijo Óscar acariciando mi mejilla con el dorso de su mano mientras cerraba los ojos.

Dormimos hasta el amanecer. Pero ¿qué me pasaba? «Pues que este chico es tu mejor medicina», me informaba la loca de la casa, por si no me había enterado. «Con él no te hacen falta las pastillas».

Cuando me desperté, Óscar no estaba en la cama. Me puse la camiseta y las braguitas y salí al pasillo. Al llegar al saloncito vi a África, que descansaba en su colchón, pero se levantó para recibirme. Unas caricias fueron suficientes para que volviese a relajarse de nuevo en su camita.

Eché una mirada a la estancia. Era un piso pequeño, pero muy *cuqui*. La puerta de la terraza estaba abierta y pude ver a Óscar sentado en la posición del loto sobre una esterilla de yoga con los ojos cerrados, orientado hacia el mar.

No quise molestar. No cabía duda de que estaba meditando, así que decidí unirme a él. Me senté a su lado sin rozarlo, pero sintió mi presencia. Juntó su mano con la mía y siguió su meditación. Yo me mantuve a su lado con los ojos abiertos. El océano inundaba toda la vista, el sonido de las olas se filtraba por las rendijas del balcón, el olor a mar y a sal envolvía el ambiente y, con ese escenario, cerré los ojos y respiré y respiré y respiré, escaneando mi cuerpo de arriba abajo. Eso era meditar: permanecer en silencio, escuchar con los ojos cerrados los sonidos que te rodean, sentir los puntos de apoyo de tu cuerpo, ser consciente de tu respiración, conectar contigo mismo... Una calma desconocida me invadió hasta que Óscar abrió los ojos y me besó.

—Buenos días, pequeña.

África salió al balcón agitando el rabo tan pronto como escuchó la voz de su dueño. La escena me hizo sonreír. Qué maja era y qué majo era.

—¿Qué tal has dormido? —me preguntó.

—Mejor de lo que lo he hecho en mucho tiempo.

—Mmm, pues entonces vas a tener que dormir aquí más a menudo.

—Tienes un piso muy *cuqui* —le dije.

—Llevo viviendo aquí dos años y la verdad es que es algo pequeño. Solo tiene una habitación y echo de menos un poco más de espacio, pero no quiero renunciar a estas vistas.

Nos quedamos sentados unos minutos más observando el mar en silencio, con las manos juntas y con la compañía perruna de África, que apoyaba la cabeza en el regazo de su dueño.

—¿Seguro que tienes que irte? —me preguntó.

—Ajá.

—¿Hay algo que pueda hacer para que pases el fin de semana conmigo?

—La idea es muy seductora, pero tengo a Álex. Quizás otro *finde* que esté con su padre.

Esta vez, África apoyó su cabecita en mi regazo.

—Pero qué bonita eres y qué zalamera, casi tanto como tu dueño —dije acariciándola suavemente—. ¿Sabes? A mi hijo le encantaría conocerte.

—Pues eso está hecho. Seguro que a África también le gustará, le encantan los niños.

—No sé, Óscar, no le he hablado a nadie de ti. Bueno, a las chicas, sí, pero para los demás eres mi secreto.

—Mmm, suena bien... —dijo abrazando mi cintura—. Mañana llevaré a África a su entrenamiento de Agility. Me encantaría que vinierais, ella se lo pasa bomba y seguro que a Álex también le gusta.

—¿Agility?

—Sí, es un circuito de entrenamiento para perros, lo habrás visto alguna vez. Es superdivertido y me encanta compartir una actividad con ella.

—No sé... La verdad es que, desde que se fue su padre, Álex no para de pedirme que tengamos un perro. Que conste que a mí no me importaría, yo siempre me crie con ellos y me parece una ventaja, pero todavía es muy pequeño y, si algún día lo tenemos, quiero que se haga responsable.

—Pues, por lo que me has contado, creo que a tu pequeño y a ti os vendría genial tener un mejor amigo.

—Puede ser, no sé... ¡Me estás liando! —dije sonriendo.

—Di que sí.

—No te prometo nada. Lo pensaré y esta noche te digo algo, ¿vale?

—Esperaremos ansiosos tu respuesta, ¿a que sí, Afri?

La perrita me miraba con esa cara de cordero degollado por la que se pierde el sentido y que solo ellos saben poner.

—Menudo par.

Salí de la casa de Óscar directa a darme una ducha. Ellos se quedaron dando una vuelta por las inmediaciones de la urbanización, África necesitaba dar su paseo matutino. Y yo tenía que recoger a Álex en una hora: habíamos quedado en el centro comercial con dos amiguitos del cole para comer juntos, ellos y sus madres, e ir a ver la última peli de Spiderman. Apenas conocía a las otras mamás, pero, por lo poco que había tratado con ellas, parecían majas.

Al anochecer, cuando llegamos a casa, Álex se había quedado dormido en el coche. Echaba de menos a su padre en esos momentos. Mi pequeño tenía seis años, había crecido mucho y ya no podía con él.

—Cariño, estamos en casa —le susurré al oído—, tienes que despertarte un poquito hasta llegar arriba.

—Mmmmmmmmmmmmm, quiero dormir...

—Ahora, cielo, ahora.

Saqué a Álex del coche como pude y me metí en el ascensor. Cuando lo acosté sobre su cama, me dijo:

—Mami, no te vayas, quédate conmigo, no me quiero quedar solito...

«Oh..., mi amor».

—Claro que sí, cielo, aquí estoy.

—¿Cuándo tendremos a Bobby?

—¿*Bobby*?

—Sí, es el nombre que le voy a poner a nuestro perro cuando lo tenga —dijo mientras cerraba los ojos.

¿Era eso una señal? La loca decía que sí y yo, también.

Hola, Óscar, cuenta con nosotros mañana en el entrenamiento de Agility. Envíame hora y ubicación, allí estaremos. 😌

Unas diez manos aplaudiendo aparecieron de repente en la pantalla de mi móvil. El día siguiente se conocerían...

Esa noche volvió el insomnio y aproveché para pensar en Óscar, en África, en lo que habíamos hecho la noche anterior y en mi confesión sobre retomar mis estudios y hacer lo que siempre había querido hacer. Iba a tener razón mi madre: en los años con Pedro había actuado en piloto automático, no era algo nuevo. Cuando mi padre nos abandonó lo hicieron también mis sueños, mis ilusiones..., pero quizá no era tarde para retomarlos. No había nada más que hablar: en septiembre me matricularía. «Va por ti, papá, y por mí». Una sonrisa me vino a los labios y, entonces sí, me quedé dormida.

Pura empatía

La aplicación de mapas de mi móvil nos llevó directos al campo de Agility. Álex estaba entusiasmado, le había dicho que un amigo nos había invitado a ver un entrenamiento y llevaba desde que habíamos salido de casa preguntándome cuándo llegábamos hasta que, al fin, lo hicimos.

Allí había un grupo de personas con chalecos rojos rodeadas de un montón de perros. Buscaba a Óscar y África con la mirada cuando los vi venir a lo lejos.

—Mira, Álex, ya vienen.

—¡Hola! —exclamó Óscar agachándose y poniéndose a la altura de mi pequeño—. Me llamo Óscar y esta de aquí es mi mejor amiga, África.

Álex lo miró tímido.

—Puedes acariciarla, le encantará.

Mi hijo me miró y, para animarlo, saludé yo primero a mi nueva amiga.

—Hola, Afri, guapa, ¿cómo estás? —saludé. Álex acercó su manita a la mía acariciando su cabecita—. ¿Ves qué buena es?

El pequeño asintió.

—¿Te gustaría llevarla? —le preguntó Óscar.

—Sí, ¿puedo? —dijo sonriendo.

—Claro —aprobó Óscar pasándole el mando de la correa—. No te preocupes —me dijo susurrando.

Álex y África caminaban delante de nosotros hacia el campo de entrenamiento.

—¿Cómo estás? —me dijo Óscar.

—Bien, hemos venido.

—Sí, y me encanta. Gracias por hacerlo.

Sonreí tontorrona. ¿Por qué? No lo sabía, ese era el efecto que él provocaba en mí.

—Mira a África; está un poco nerviosa, la pobre. Le encanta venir aquí y hace un tiempo que no venimos —comentó cambiando de tema—. Podéis sentaros en esas gradas, empezaremos en quince minutos.

Óscar tomó la correa y yo me fui hacia los asientos con Álex, que había conectado mucho con África, y nos dispusimos a ver el espectáculo. La canción *Tu vuo' fa' l'americano* comenzó a sonar por los altavoces y los que estábamos allí de espectadores nos animamos de inmediato. De repente, comenzaron a salir perros de diferentes razas que recorrían el circuito y sorteaban obstáculos a una velocidad de vértigo, siempre guiados por sus dueños.

—¿Cuándo sale Afri? —preguntó Álex emocionado como si la conociera de toda la vida.

—Seguro que pronto —contesté, y así fue.

Al poco rato, vimos a Óscar salir con el chaleco rojo acompañado de África, que llevaba un chaleco del mismo color. Él estaba concentrado y la perra no le quitaba la vista de encima; contaba con toda su atención, estaba preparada. Óscar se agachó y la besó en la cabeza antes de comenzar.

Qué majo era. Mi padre siempre decía que las personas que tratan bien a los animales eran de fiar y yo también lo pensaba.

Al gesto de una palmada, África empezó a volar sobre los obstáculos y continuó hasta la entrada de un túnel en el que Óscar la esperaba haciéndole señas para que lo cruzase sin miedo. Ella lo hizo sin rechistar: ascendió por una pendiente y bajó por el otro lado con la lengua fuera y a tope de adrenalina. Miré a Álex y me alegró ver que no paraba de aplaudir, lleno de emoción. El circuito terminó con el salto de cuatro vallas consecutivas que ambos superaron perfectamente acompasados, para llegar al final envueltos en gloria. La perra saltaba a los brazos de su dueño mientras él la recompensaba con besos, abrazos y alguna chuche.

—África ha sido la mejor, mamá, lo ha hecho genial. ¿Puedo ir a acariciarla?

—Sí, Álex; cuando Óscar nos lo indique, bajaremos.

En ese mismo momento, Óscar miró a las gradas en nuestra dirección y levantó el pulgar.

—Mamá, nos está saludando.

—Sí, hijo —dije orgullosa de mi nuevo amigo.

«Querrás decir *follamigo*», matizó la loca de la casa.

¿Era Óscar un *follamigo*? ¿Una persona con la que solo quedas para tener sexo y ya? Es cierto que sexo entre nosotros había (y muy bueno, por cierto), pero también había risas, confidencias, caricias, abrazos, experiencias. «Nunca me olvidaré de la tarde en el planetario, y ahora estoy aquí con mi hijo... ¿No me estaré equivocando?».

—¡Vamos, mamá! —La orden de Álex me sacó de mi trance.

Bajamos de nuevo a la explanada y, esta vez, Álex se abalanzó sobre África. Ella estaba tan emocionada que reaccionó lamiéndole la cara.

—Le gusto, mami —dijo él mirándome preso de la emoción.

—Claro que le gustas —le confirmó Óscar volviéndose a agachar—, y te diré que a África no le cae bien todo el mundo, así que quiere decir que tú eres especial, ¿a que sí?

—Síííí —contestó Álex.

Estuvimos allí hasta la hora de la comida, en la que Óscar propuso ir a pedir una *pizza* a un restaurante italiano con terraza para poder compartirla con la nueva amiga perruna de Álex. Eso no entraba en mis planes, pero mi hijo estaba encantado. De hecho, hacía tiempo que no lo veía tan pletórico. Quizá sí íbamos a tener que adoptar un perro...

Durante la comida, me sorprendió ver la conexión entre Óscar y Álex, que preguntaba cosas sobre África sin ningún pudor. Quería saberlo todo sobre ella: qué comía, cuál era su juguete favorito, todo.

—¿Y dónde dejas a tu compañera de piso cuando te vas de viaje? —pregunté.

—Mis padres viven en una casa de campo en la costa. Allí es feliz, aunque siempre espera en la puerta a que regrese a por ella.

—¿Por qué los humanos no tendremos esa fidelidad incondicional? —No me podía creer que hubiera dicho eso en alto, menos mal que Álex estaba con África en el campito que había delante del restaurante.

Óscar me miró pensativo.

—No lo sé.

—¿No lo sabes tú, que todo lo sabes? —lo pinché sonriendo.

—Me has pillado, no lo sé... —dijo esbozando una sonrisa. Noté su mano sobre la mía por debajo de la mesa—. Álex es genial y le ha caído bien a mi guardaespaldas, igual que tú. Tenéis una energía fantástica, y eso significa que estoy a salvo con vosotros —dijo acariciando mis nudillos.

¿Por qué no era capaz de separarme cada vez que Óscar me tocaba? Tampoco lo sabía, pero lo que sí sabía era que me encantaba sentir su tacto, su calor, sus ánimos.

«¿No te estarás enamorando de un crío?», preguntó la loca de la casa.

«Eso es imposible, mi corazón está hecho añicos y el amor no entra en mis planes», aseguré para tranquilizarla, pero qué bien me sentaba la compañía de Óscar.

Cuando regresamos a casa eran las siete de la tarde del domingo. Álex y yo cenamos y lo llevé a la cama. Antes de acostarme, abrí la carpeta del correo. Tenía un correo de Pedro:

Hola, Abril, te adjunto las fotos del piso que definitivamente he alquilado para mi estancia con Álex. Está a solo tres calles de nuestra casa. Confío en que vengas a verlo cuando esté ahí. Tengo ganas de verte.

«Oh, oh...».

Tres en raya

—El domingo le presenté a Óscar a mi hijo —dije soplándole a mi café.

Susana y Maura me miraron, esta vez sin escandalizarse. Ellas también estaban en plena crisis existencial y en las tres predominaba una actitud cautelosa.

—¿Y qué tal fue? —preguntó Susana sin alterar su tono de voz.

—Mejor de lo que me hubiera imaginado. Después llegué a casa y tenía un correo de Pedro diciéndome que se había alquilado un piso cerca del mío y que tenía ganas de verme...

—Puf —dijo Maura—, yo mañana vuelo a Shanghái con Roberto.

—Maura, ¿y Fernando? —pregunté.

—Con Fernando me lo paso muy bien, es todo muy divertido, tú ya lo sabes, pero no hay nada más.

—No me digas que, con Roberto, sí —se extrañó Susana.

—No lo sé... Lo veo cambiado, más maduro.

—Pues sí que estamos jodidas —exclamó Susana—. Elisabeth me ha pedido cuatro semanas de vacaciones este verano. Me ha dicho que viajará a Australia a visitar a unos familiares.

—No podía irse más lejos, ¿eh? —bromeó Maura.

—Creo que está escapando de mí.

—Pues yo creo que se ha enamorado de ti y, como tú no respondes a sus señales, se está protegiendo.

Susana la miró como si no la conociera. ¿Enamorado? Joder.

—¿Y los niños?

—Elisabeth me ha recomendado a su hermana estas cuatro semanas. Los *mellis* ya la conocen y seguro que estarán bien.

—¿Y tú cómo estarás? —pregunté yo.

—No lo sé...

Pues sí que estábamos jodidas, sí.

Estaba visto

El tiempo voló como la espuma y Pedro aterrizó de nuevo en tierras espa-
ñolas.

Álex llevaba tres días durmiendo en mi cama, intentando calmar la
ansiedad que precedía a las visitas de su padre. Le había enseñado todas
las fotos que me había enviado Pedro de su nueva casa y, sobre todo, de su
nueva habitación allí. Estaba ilusionado, menos mal.

Esa misma tarde lo recogería su padre del campamento y se quedaría
con él hasta el domingo, así que tenía por delante un fin de semana libre,
después de semanas trabajando sin descanso, en las que no había podido
asistir a clases de yoga ni tampoco había encontrado huecos para ver a
Óscar.

Me despedí de Álex a la puerta del campamento con la mejor de mis
sonrisas, animándolo a conservar su ilusión por la nueva casa.

Al cabo de un rato, me encontraba trabajando cuando el sonido de mi
móvil me sacó de mis documentos. Era Pedro.

—Hola, Abril, ¿estás en casa?

—Hola, Pedro, sí. ¿Ha pasado algo? —pregunté.

—No, nada, tranquila, es solo que me gustaría que vinieras a ver el
piso antes de que vaya a buscar a Álex. He pensado que podíamos darle
una sorpresa.

—¿Una sorpresa?

—Sí, bueno, algo como decorar su cuarto con cosas que le gusten, ya
sabes que los pisos de alquiler son muy impersonales.

—Pues no sé, Pedro, estoy muy liada. Creo que puedes hacerlo tú solo.

—Abril, por favor, estoy a diez minutos de casa, puedo recogerte.

—No, da igual. Dame la dirección y ya me acerco yo.

—Está bien, ahora mismo te la mando.

«¿Será posible? ¿Es que estos hombres no saben hacer nada solos?».

«A lo mejor tiene ganas de verte y el piso es la excusa», sugirió la loca de la casa.

El wasap de Pedro con la ubicación no tardó en llegar. Según mi *app*, tardaría en llegar dieciocho minutos caminando. Pues sí que estaba al lado.

Agarré unas sábanas de superhéroes y un par de cuentos y muñecos para que las noches de Álex fueran más acogedoras, y salí de casa.

Al llegar a la dirección indicada, me encontré frente a un portal blanco marfil. Recordaba la construcción de ese edificio, apenas una década atrás. Quién me iba a decir que las cosas acabarían así...

Subí hasta la tercera planta. El corazón me iba a mil. Pedro abrió con la mejor de sus sonrisas.

—Hola, Abril, estás muy guapa —me saludó, acercándose para besarme en la mejilla, un gesto que se repetía desde su última visita.

Fuimos visitando una a una todas las habitaciones del piso, que era amplio y tenía mucha luz, mucha más que el nuestro. Me encantaba la luz natural.

—Y... ¿te has alquilado esto todo el mes por menos de quince días cada dos meses?

—Sí, he hablado con la empresa y me abonan la mitad. Es la única forma de que Álex tenga un segundo hogar —dijo sonriendo.

—Me parece bien. Ya que ganas tanta pasta, al menos gástatela en tu hijo —le reproché.

Me di cuenta de que la mesa del salón estaba puesta para dos. Oh.

—Me gustaría invitarte a comer, Abril —dijo Pedro cogiéndome una mano—. Sé que he hecho muchas cosas mal últimamente y me gustaría que hablásemos.

¿Comer? ¿Dónde? ¿Allí? ¿Para dos?

—Pues... no sé si es buena idea, Pedro.

—Por favor. No te matará comer conmigo una vez más.

—Claro —contesté—, pero tengo que irme pronto.

—¡Genial! —Pedro se adentró en la cocina y salió con dos vermús en las manos—. ¿Cómo ha dormido Álex esta noche?

—Las noches antes de tu llegada nunca son buenas —contesté—. Espero que seas consciente del desequilibrio que causas en su vida cada vez que vienes.

Pedro me miraba sonriente sacudiendo la cabeza.

—¿Te parece bien que abra una botella de vino para comer?

—Adelante —acepté yo con un gesto de la mano.

—Abril, te juro que intento hacerlo lo mejor que puedo, no quiero hacerle daño por nada del mundo —dijo mientras servía el vino y nos sentábamos en la mesa.

—Ya, pues se lo haces.

—¿Y qué quieres que haga?

—Pues, por ejemplo, no irte a vivir a Estados Unidos. Él eso no lo entiende, no entiende por qué su padre va y viene, todavía es muy pequeño.

—Lo sé, y espero que, cuando crezca, lo comprenda.

—¿Que lo comprenda? ¿Que entienda que te mudaste al otro lado del charco por otra mujer, dejándolo a él aquí?

—No ha sido así, Abril, y lo sabes. Mi trabajo y mi ascenso han tenido mucho que ver en mi decisión.

—Pues si lo pusieras a él por delante de tus prioridades, como dices, a lo mejor elegirías ganar menos y estar aquí a su lado, porque eso es lo que cuenta, ¿sabes?

—Tienes razón —admitió Pedro cabizbajo—, tú siempre lo has dicho, estar presente. Quizás en unos años pueda volver a pedir el traslado y regresar a España.

—En unos años será tarde, crecerá y se acostumbrará a tenerte lejos.

—No me lo pones nada fácil.

—¿Que yo no te lo pongo fácil? ¿Y tú a mí? Me lo has puesto superfácil. Me casé contigo para toda la vida, Pedro. Me imaginaba envejeciendo a tu lado viendo crecer a nuestro hijo y, con suerte, disfrutando de algún nieto. Quería tener otro hijo contigo justo antes de que me abandonases, ¡por el amor de Dios! ¿Cómo pude estar tan ciega? Yo pensando que todo iba de maravilla cuando tú ya tenías otros planes para nosotros... Pero ahora eso ya no importa.

—La he jodido, ¿verdad?

Asentí.

—Pero lo que más me duele es ver sufrir a Álex así cada seis semanas, cuando te vas y cuando vuelves; eso no te lo perdonaré nunca.

—Y... ¿estarías dispuesta a perdonarme lo demás?

Esa pregunta me dejó helada, así que bebí otra copa de vino.

—No sé a qué te refieres.

—Sí lo sabes.

—Pedro, llevas más de un año fuera de mi vida.

—¿Ya no me quieres? ¿No sientes nada por mí? —dijo acercándose.

—Sí, siento que me has destrozado la vida —le recriminé, y me levanté de la mesa para irme, pero él también se levantó y me paró.

—Abril, espera, por favor, espera.

—Déjame, Pedro —dije sollozando sin poder evitarlo.

—Por favor, ven aquí —pidió mientras me estrechaba entre sus brazos—. Perdóname, por favor, nunca quise haceros daño a ninguno de los dos.

—Déjame, Pedro —lloré.

Pero Pedro seguía apretándome contra su pecho, algo que había hecho tantas veces. En esos brazos me sentía segura. Después de la muerte de mi padre, me habían dado mucha confianza. Así que cerré los ojos y me dejé llevar por la situación. Sentí a Pedro oliéndome el pelo, algo que siempre le había gustado hacer.

—Mmm, cómo echaba esto de menos, Abril...

Tomó mi mano y nos sentamos en el sofá.

—Abril —continuó—, todas las noches me duermo atormentado pensando si tomé la decisión correcta. Estoy feliz en mi nuevo trabajo, pero os echo muchísimo de menos, a los dos. A veces, cuando pienso que os podría pasar algo estando yo tan lejos, me vuelvo loco. Eres tan especial para mí...

Pedro se acercó más de lo previsto y yo no me aparté. Besó suavemente mis labios y yo lo recibí, lo necesitaba. El beso se volvió más profundo y un gruñido salió de su boca. Sus manos bajaron a mi cintura y las mías ascendieron a su cuello. Enredé mis dedos en su pelo y lo besé con ímpetu. En pocos segundos, sus manos estaban en mis rodillas, metiéndose bajo el dobladillo de mi vestido.

—Oh, Abril, cuánto te he echado de menos...

Me había quedado muda, ni siquiera la loca de la casa se atrevía a hacer acto de presencia. Tan solo escuchaba el sonido de nuestras respiraciones aceleradas.

Pedro me sentó a horcajadas sobre sus piernas en el sofá y seguimos besándonos y desnudándonos.

Le abrí la camisa con fuerza. Él me miraba sorprendido por mi iniciativa. Nuestro sexo siempre había sido tranquilo, pero ahora yo ya no era la misma y me había convertido en una mezcla de rabia y adrenalina.

Lo besé mientras sus manos se perdían por mi cuerpo. Hice presión con mis piernas sobre él. Gimió, lo sentí: sorprendido, se dejaba hacer, excitándose cada vez más.

Nos deshicimos de la ropa que nos quedaba. Íbamos a hacer el amor (o, más bien, a tener sexo) y, en un ápice de cordura, recordé que aquel hombre llevaba más de un año acostándose con otra mujer. Me acordé de un condón que tenía en el bolso tras mi último encuentro con Óscar, y me levanté desnuda para ir hacia mi bolso. Dejé a Pedro jadeando sentado en el sofá; no me quitaba la vista de encima. Cuando volví con el preservativo, se lo enseñé. Puso cara extraña, pero lo tomó sin rechistar. Lo apoyó en el brazo del sofá y siguió besándome. En un movimiento, los dos caímos sobre la alfombra, esparciendo todos los cojines por el suelo.

Apenas hubo preliminares; los dos estábamos preparados y Pedro nunca les había dedicado mucho tiempo. Entró en mí como siempre, fácil, rítmico. «No, así no», dijo mi subconsciente. Lo aparté para ponerme encima y alcancé el preservativo con una mano. Se lo volví a enseñar y él asintió.

Salió de mí para ponérselo y seguí con mi movimiento de caderas mientras él me miraba con los ojos muy abiertos.

—Abril, estás tan... salvaje... No voy a aguantar mucho más —susurró.

¿No? Vaya... Con Óscar era tan diferente...

Aceleré mi movimiento, bajando mi mano derecha hasta mi sexo. Cabalgué con toda mi energía hasta hacerlo retorcer de placer. Alcancé el clímax y él lo hizo unos segundos después.

—¡Guau! Abril, ha sido fantástico. ¿Cuándo te has convertido en un volcán?

—Cuando tú te fuiste —susurré.

Pedro me abrazó y miró el reloj del televisor.

—Tengo que pasar por la oficina antes de recoger a Álex —me dijo mientras me abrazaba.

Me separé.

—Está bien, yo también tengo que irme.

—Ha sido sensacional, Abril, un soplo de aire fresco.

«¿Un soplo de aire fresco? No, capullo. Óscar es un soplo de aire fresco», se indignó la loca de la casa, ya de vuelta.

Me levanté y fui al baño mientras Pedro se vestía.

Cuando salí, él ya estaba en la puerta con las llaves del coche en la mano.

Me paró antes de salir para besarme, pero lo aparté.

—Esto no ha sido una buena idea, Pedro. Te fuiste solo porque así lo quisiste, estaba dispuesta a irme contigo a Estados Unidos, a dejar mi vida aquí por ti, a alejarme de mi madre y de mis amigas, a dejar mi trabajo... Ahora me alegro de no haberlo hecho. ¿Por qué me has dicho todas esas cosas? ¿Es que acaso ya no tienes a nadie que te espere cuando vuelvas?

Bajó la cabeza. Estaba claro: seguía con ella, pero las cosas no debían de ir tan bien como al principio. Maura tenía razón, en eso nunca se equivocaba.

—Al menos, déjame llevarte, por favor.

—No, gracias, prefiero caminar. El domingo nos veremos para recoger a Álex. Pasadlo muy bien —me despedí, saliendo veloz y dejándolo con la palabra en la boca.

«Pero ¿qué has hecho, Abril?».

Fin de semana
de reflexión

Llamé a Susana. Maura estaba, de nuevo, sobrevolando medio mundo con su amor venenoso al mando.

—Hola, bonita —contestó Susana con voz temblorosa.

—Hola, Susi. ¿Cómo van las cosas por ahí?

—Pues Elisabeth ha llevado a los *mellis* al parque. Hoy es su último día.

—¿Y cómo te sientes?

—Pues mal, Abril. Llevo tiempo queriendo hablar con ella, pero el caso es que tampoco sé muy bien qué decirle. Estoy hecha un lío.

—Quizás os vengan bien estas semanas de distancia, pueden servirte para aclarar lo que sientes de una vez por todas.

—Abril, siento que la echo de menos, que cuando ella no está en casa, el ambiente no es el mismo, y los *mellis* también lo sienten. Tengo el presentimiento de que, cuando vuelva, dejará este trabajo.

—A no ser que tú reacciones.

—Buf, es tan complicado... ¿Y tú qué tal?

—Pues, más o menos, como tú. Esta mañana me he acostado con Pedro.

—¡Dios!

—Sí, como diría Maura, «estaba visto que tenía que pasar».

—Abril... ¿Y cómo estás?

—Pues tampoco lo sé, Susi, pero, desde luego, feliz, no. Siento que ya no es el Pedro con el que me casé, me regala los oídos, pero no hace nada más. Sigue con su nueva mujer, pero se acuesta conmigo. Alquila aquí una casa, pero me dice que hasta dentro de unos años no pedirá traslado para España. Me está volviendo loca.

—Lo que llevo semanas diciendo, Abril: estamos jodidas, bien jodidas... y no auguro que Maura esté mejor.

Tomando la iniciativa

El sábado le envié un wasap a Óscar. El fin de semana se presentaba turbulento y él sabría cómo calmar el huracán que llevaba dentro.

¿Te apetece ir al cine?

Contigo, al fin del mundo.

Sonreí. Ya estaba empezando a sentir su efecto.

Quedamos en la puerta del cine a las ocho y decidí ir a pie. Me apetecía caminar. Tras el encuentro del día anterior con Pedro, no había vuelto a saber nada de él, ni un wasap, ni un mensaje, ni nada de nada. Cierto era que estaba con Álex, pero ¿y si él también se había arrepentido? Pues mejor, porque yo también; no podía volver a pasar.

Óscar me esperaba en la puerta cargado de palomitas y Coca-Cola.

—¡Guau! ¡Qué recibimiento impropio de un profesional de la salud!

—De vez en cuando hay que soltarse la melena, Abril.

—Tienes razón —dije cogiendo un puñado de palomitas de uno de los boles.

La película era de lo que se conoce como «cine alternativo», francesa en versión original con subtítulos; para mí, genial. Y parecía que a Óscar también le gustaba escuchar cine en su idioma original. El cine francés había entrado en mi vida justo después de la partida de Pedro y, sorprendentemente, me había conquistado.

—¿Te apetece dar un paseo por la playa? —me preguntó Óscar.

—Claro.

Eran casi las diez y aún no había anochecido del todo. Nos subimos a su moto y me dejé llevar por el viento, la brisa de verano y su aroma.

En unos minutos llegamos a la playa deportiva del norte, donde, a esas horas, había muchos surfistas en el agua esperando las olas nocturnas de verano. Óscar y yo unimos nuestras manos y entramos en la arena, descalzos para sentir la temperatura de una noche de verano.

Él me miraba sonriente.

—¿Estás bien? Te noto un poco ausente.

—Sí, es solo que Álex está con su padre y, cuando él viene, tengo la cabeza en mil sitios a la vez.

—¿Qué planes tienes para este verano? —dijo mientras me rodeaba con sus brazos.

—Pues todavía no he planeado nada. Mi madre se va con Jose Mari, su pareja, en agosto a la playa de San Juan y Álex y yo también iremos unos días, aunque a mí no me apetece mucho, la verdad.

—Mmm, ¿quizá podrías aprovechar que Álex está con sus abuelos para escaparte unos días conmigo? —preguntó sin perder la sonrisa.

Lo miré fijamente. Tenía el pelo despeinado por el casco, sus ojos se tornaban más oscuros en la noche y su olor natural se intensificaba al lado del mar.

«Ahora mismo me iría contigo al fin del mundo», pensé.

—Me encantaría, pero no sé...

—¿Sabes? Voy a contarte un secreto. Estoy pensando en tomarme un año sabático. Necesito tiempo libre para pensar qué camino tomar. Me da la sensación de que mi trayectoria en H_2O ha finalizado.

Lo miré sorprendida.

—Me encantaría seguir ayudando a otros, pero de otra manera. No es que el H_2O no me guste, todo lo contrario, pero creo que le falta un toque más espiritual.

Sonreí.

—Tengo un amigo que ahora mismo está en Etiopía colaborando con una ONG. Se encuentra en un pueblo pequeño muy cerca de la selva montana, la que sale en todos los documentales del National Geographic, y he pensado en ir a visitarlo y colaborar con la causa tres meses. Pero antes me encantaría pasar unos días contigo, a solas, tú y yo, llevarte de viaje a un lugar muy especial para mí...

Qué bien me sentaban sus palabras, me hacía sentir tan única, tan joven, con tantos sueños por cumplir en libertad... Lo dejé hablar.

—Hay una ley del universo que dice que lo similar atrae a lo similar, y creo que ninguno de los dos, como defensores natos de las señales que somos, podemos decir que nuestro encuentro fue casual. Teníamos que conocernos justo en ese momento.

La verdad es que Óscar había llegado en el momento justo, un año después de la huida de Pedro, el día de mi cumpleaños. Pasar unos días con él me sentaría de maravilla. Quizá podía hablar con mi madre y decirle que me uniría a ellos en San Juan una semana después.

—Me lo pensaré —susurré.

Óscar me besó y los dos nos giramos hacia el mar, hacia la brisa de una noche de verano. La luna resplandecía en la oscuridad del firmamento.

—La luna, el astro más mentiroso que existe, ¿lo sabías? —le dije yo—. Fíjate. ¿Está creciente o decreciente?

—Mmm, nunca lo he tenido muy claro.

—Mi padre me decía que la luna era una mentirosa y le gustaba mucho trolear. Cuando tiene forma de D, está creciendo, y cuando tiene forma de C, está decreciendo. Es su forma de tomarnos el pelo desde arriba.

—¡Anda! Ahora ya nunca lo olvidaré.

Paseamos por la orilla, nos besamos, abrazamos, respetamos el silencio de los surfistas y escuchamos la noche y nuestra respiración acompasada hasta que el frío hizo acto de presencia. Entonces nos subimos a la moto y fuimos a casa de Óscar. Nada más llegar, sacamos a pasear a África por los alrededores como una pareja más y saludamos a un vecino de Óscar que también paseaba a su amigo perruno. Charlamos un rato con él después de que me presentara como su chica sin soltarme la mano. ¿Su chica?

Con Óscar era todo tan... fácil.

Lo tenía decidido, hablaría con mi madre y, en agosto, me iría una semana con él.

Nos tomamos una última cerveza en su balcón, mirando el mar, hasta que el sueño se apoderó de nosotros. Esa noche hicimos el amor, sí, el amor. Hubo besos, caricias, suspiros, gemidos y conexión, una conexión que nunca había sentido con nadie, ni siquiera con el padre de mi hijo en veinte años.

Una bofetada de realidad

Durante la semana siguiente, charlé en varias ocasiones con Susana. Elisabeth se había ido a Australia sin que ella hubiera podido decirle nada más que un simple «hasta pronto». Seguía confundida y también muerta de miedo por lo que sentía en su interior. ¿Sería capaz de surfear esa ola y apostar por ella misma, sus *mellis* y el amor, independientemente de la forma que tuviera? Por lo pronto, había alquilado un apartamento en Marbella adonde acudiría con sus *mellis* y su familia el mes de agosto.

Por su parte, Maura había vuelto de Shanghái aún más confundida si cabe que cuando se había marchado. Como descubriríamos más tarde, Roberto y ella habían planeado volver a verse y darse una nueva oportunidad a escondidas por diferentes hoteles de la ciudad.

En cuanto a mí, aquel era el último día de Pedro en la ciudad y, curiosamente, a Álex le había sentado muy bien la estancia en su nuevo piso. Hasta le había preguntado a su padre si podía llevar a algún amiguito a merendar una tarde. Tras nuestro último encuentro lo había evitado y no había querido verlo más que para entregarle o recoger a Álex. Él, en cambio, me había enviado un wasap invitándome a comer con él en un restaurante próximo a su trabajo, pero yo había rechazado la proposición.

Lo que no había rechazado era la propuesta de Óscar de escaparme unos días con él en agosto, y había hablado con mi madre para proponerle unirme a ellos en San Juan una semana más tarde. A mi madre le había parecido una idea genial (la verdad, todo lo que fuera verme vivir la ponía contenta) y se alegró enormemente cuando le comenté que en septiembre comenzaría con las clases de Traducción Simultánea; hasta creo que le vi una lagrimilla asomar por el rabillo del ojo.

Quería que Pedro se fuese. Acostarnos había sido un tremendo error y necesitaba olvidarme de él hasta septiembre. En el fondo, no era un mal hombre y sabía que lo que había hecho y las formas como lo había hecho habían sido demoledoras. Necesitaba el perdón (mi perdón) y, de paso, resolver sus dudas. No quería volver conmigo, en ningún momento lo había querido.

Estaba confundida. No sabía si seguía sintiendo algo de amor por él, pero lo que sí sentía era mucha rabia y mucho rechazo.

Óscar, en cambio, era mi salvavidas, mi remanso de paz, mi helado de fresa. Quería irme con él bien lejos y olvidarme de todo. Esa misma tarde lo llamaría y le confirmaría nuestras vacaciones.

Ya eran las cinco y tenía que ir a recoger a Álex a casa de su padre.

Cuando llegué allí y subí de nuevo las escaleras, el corazón volvió a acelerarse. La última vez que había estado allí nos habíamos acostado. Respiré profundamente y llamé al timbre. Pedro abrió la puerta con una sonrisa.

—Hola, Abril.

—Hola —respondí—, ¿está listo Álex? —pregunté sin cruzar la puerta.

—Pasa, por favor —pidió él.

Eché un vistazo al salón y no vi al crío.

—Álex todavía no ha llegado.

—¿Qué quieres decir?

—Pues que me ha pedido ir a merendar a casa de Arturo y le he dado permiso. Su madre lo traerá en media hora.

—Podías haberme avisado.

—La verdad es que tenía ganas de verte, quería comentarte algo —dijo acercándose.

Di un paso atrás y me senté en el sofá.

—Tú dirás.

—Verás, he estado pensando que, quizá, no digo este verano, pero a lo mejor el siguiente, a Álex le vendría bien venirse unos días a Miami conmigo.

—¡¿Cómo?! —exclamé.

—Tranquila, Abril, solo digo que, cuando él esté preparado, le vendrá bien para practicar inglés.

—¿Y conocer a tu nueva mujer? —pregunté de repente.

Bajó la cabeza.

—Abril —dijo acercándose y agarrándome las manos—, estoy lleno de dudas. Lo del otro día fue... increíble, estuvo genial y no sé qué hacer. Si me dieras un poco de tiempo...

—¿Un poco de tiempo? Esto es lo que me faltaba por oír. ¿Me estás pidiendo tiempo para dejarla a ella? —Se mantuvo en silencio—. ¡¿Cómo puedes tener tanta cara y cómo he podido estar casada contigo veinte años, joder?! —Me levanté con lágrimas en los ojos, salí por la puerta y bajé las escaleras de dos en dos. Tenía que salir de allí, pero ¿qué se había creído? «Será cabrón».

—¡Abril! ¡Espera, por favor!

Escuché su voz por el hueco de las escaleras, pero mis pies no podían parar de moverse.

—¡Déjame en paz! —grité antes de salir por el portal.

El calor de la tarde me abofeteó nada más salir. Apuré el paso por la acera hasta llegar al semáforo. Mierda, estaba en rojo y había un montón de tráfico. Al fin en verde...

Crucé, pero una fuerza superior a la mía me agarró del brazo, haciéndome girar hacia atrás.

—Abril, por favor, ha sido un malentendido, déjame volver... —suplicó mientras me abrazaba en medio del paso de peatones.

«Déjame volver...». Lo había dicho, había pronunciado las palabras mágicas, las que había estado esperando desde que me había abandonado, aquellas con las que tantas veces había soñado y que tanto había visualizado en mi mente...

Todo ocurrió muy rápido. Sentí que me mareaba. Cerré los ojos y Pedro me abrazó aún más fuerte.

—Abril, déjame cuidar de ti. —Fue lo último que escuché antes de sentir sus labios sobre los míos. El beso fue casi inconsciente. No podía más, la vida me estaba poniendo a prueba y me había quedado bloqueada. Pensé en Álex, en la madre de Arturo, que estaría al caer, en mis vacaciones con Óscar, en Óscar.

Abrí los ojos mientras Pedro me sostenía y miré a mi alrededor. Una fila entera de coches estaban parados delante del semáforo contemplando nuestra escena y fue entonces cuando la vi: esa moto, que tanta paz me había dado y que esperaba inquieta el color verde para reanudar su marcha; ese chico con los pies apoyados en el suelo para conservar el equilibrio; ese casco con el cristal ahumado tras el que se escondía una mirada llena de sorpresa y de decepción... Los ojos de Óscar eran los que miraban a través del parabrisas oscuro.

Pedro nos desplazó a los dos a la otra acera. El semáforo se puso en verde y los coches reiniciaron la marcha. Él no lo hizo, él esperó bloqueado y pude sentir su dolor en ese instante, nuestra conexión... Quise gritar, desprenderme de las manos de Pedro, correr hacia él, quitarle el casco, besarlo, tranquilizarlo, pero no pude. La moto rugió como nunca la había escuchado antes y, de un solo acelerón, lo perdí de vista a él, a mis vacaciones con él, a mi paz, a mi mar y a mi chico con sabor a helado de fresa.

PARTE II
Abril conquista el mar y los helados de fresa

En la playa de san Juan

—¡Mami! ¿Vienes a bañarte conmigo?

—Deja descansar a mamá, ya voy yo contigo —respondió Jose Mari.

—¿No te importa, cariño? —pregunté a Álex.

—¡No! Pero por la tarde en la piscina te bañas tú conmigo, ¿vale?

—Vale —contesté con un besito sobre su pecho.

Observé desde la arena cómo mi hijo se divertía entre las olas. A pesar de todo el aprecio que le tenía a Jose Mari, cómo me hubiera gustado que fuera mi padre el que estuviera allí con nosotros.

Adoraba a Jose Mari por haberle devuelto las ganas de vivir a mamá y por cuidar tan bien de Álex, pero era curioso cómo, a medida que avanzaban los años sin mi padre, lo echaba todavía más de menos. ¿Quién había dicho que los duelos mejoraban con el tiempo? Esa era la típica pregunta que me hubiese encantado hacerle a Óscar, pero no podía porque finalmente se había ido de vacaciones sin mí. Claro que la culpa era mía, pues, después de la patética escena con Pedro en medio de la calzada, me había quedado paralizada y no había sabido reaccionar. De hecho, había tardado unos cuantos días en decidir si enviarle o no un wasap, y al final no lo había hecho. ¿Qué decirle? ¿«No es lo que parece, lo que viste no se corresponde con la realidad»? Pero lo cierto es que sí había sucedido lo que había visto...

Tras ese instante en el que el mundo se había parado ante mis ojos y los de Óscar, me había deshecho de los brazos de Pedro y, llena de rabia por múltiples motivos, le había clavado una mirada asesina exigiéndole que no volviera a acercarse a mí. Lo siguiente había sido salir huyendo hacia mi casa.

¡¿Cómo podía tener tanto morro?! Pedro, mi marido, con el que había compartido veinte años de mi vida me había pedido tiempo, tiempo para aclarar sus dudas y saber si era buena idea abandonar la relación que tenía en Estados Unidos para retomar la nuestra. ¡Sería cabrón!

Un par de horas después, había subido con Álex en el ascensor, pero ni había salido para despedirse de mí; la amenaza había surtido efecto en su actitud.

De todos modos, la cosa no quedó ahí: a los dos días Pedro me había enviado un correo pidiéndome de nuevo disculpas por su comportamiento, pero confirmándome que no se arrepentía de lo ocurrido.

A mí, en cambio, los remordimientos todavía me perseguían, y no por haberme acostado con mi exmarido en un momento de debilidad, sino por haber herido y decepcionado a un ser tan maravilloso y especial como Óscar, alguien que había aparecido para hacer más llevadero uno de los momentos más dolorosos y confusos de mi vida. «Uno entre un millón», así lo había definido Maura y en esta ocasión tenía toda la razón.

Una semana después de la violenta escena protagonizada con Pedro en la calle, y ante mi silencio, Óscar me había escrito para despedirse oficialmente:

Hola, Abril. Finalmente me he liado la manta a la cabeza y me voy un tiempo a África. Espero y deseo que seas feliz, porque, a pesar de que mi corazón saltó en mil pedazos cuando te vi la otra tarde, ya sabes que soy de los que piensan que en esta vida todo ocurre por algún motivo… Estoy agradecido por el tiempo que hemos compartido juntos; hacía mucho que no me encontraba a alguien con una energía tan especial como la tuya… Estoy convencido de que, si la dejas brillar, podrás conseguir lo que te propongas. Quizás en otra vida tengamos más tiempo para conectar como me habría gustado…Te deseo lo mejor. Un abrazo, pequeña.

Este había sido su increíble, fantástico y demoledor mensaje de despedida, que, por cierto, me dejaba aún más a la altura del betún. ¿Quién era el maduro de los dos? Estaba muy claro que yo, no.

Esta había sido mi respuesta:

Hola, Óscar. Me alegra mucho saber de ti, sobre todo porque sé que vas a hacer algo que realmente deseas y que fortalecerá todavía más tu espíritu. Siento muchísimo todo lo que ha pasado, pero quizá sea mejor así que seguir adelante con algo para lo que todavía no estoy preparada. Espero que algún día puedas perdonarme y, como dices, en otra vida podamos encontrarnos totalmente libres (y con una fecha de nacimiento más temprana) 🌚 Te deseo lo mejor. Un abrazo.

Era consciente de que —con mi silencio, primero, y estas palabras, después— me había boicoteado a mí misma dejándolo pensar que había vuelto a retomar la relación con mi exmarido y padre de mi hijo. ¿Por qué lo había hecho? Para olvidarme de ese espejismo de paz, para renunciar a una relación que iba en contra de los valores para los que había sido programada socialmente, para evitar salir con un maravilloso chico doce años más joven que yo pero mucho más maduro a nivel emocional, para sabotearme una vez más e impedirme ser feliz...

Sol sin mar

Los días en la playa con mi madre y Jose Mari transcurrieron tranquilos. A Álex le sentaba bien el verano y la playa, y había pegado un estirón tremendo. Mi pequeño crecía a una velocidad de vértigo.

—Hija, ven conmigo a tomar un aperitivo al chiringuito —reclamó mi madre.

—No me apetece mucho, mamá.

—Pero me apetece a mí y creo que no te va a pasar nada por acompañarme.

Si es que cuando se ponía pesada era única. Dejé a Álex con Jose Mari jugando a las palas en la orilla y me acerqué con mi madre al chiringuito que había unos metros más arriba en la misma playa.

—Dos cañas —pidió mi madre.

—Mamá, no me apetece beber alcohol ahora.

—Hija, ¿ni siquiera en verano te vas a permitir relajarte un poquito?

—No empecemos, mamá.

—¿Todavía no me vas a contar lo que ha pasado? Antes de venir a San Juan estabas ilusionada y ahora vuelves a estar sin vitalidad. ¿Qué ocurrió para que no te fueras unos días de vacaciones antes de unirte a nosotros?

«Tan pesada y tan sabia», señaló la loca.

—No pasó nada, mamá, solo que me apetecía estar con Álex todo el tiempo.

—Ya..., eso puedes contárselo a Jose Mari, pero yo soy tu madre y sabes que no cuela.

Tenía clarísimo que no iba a parar en todas las vacaciones si no se lo contaba.

—¿Sabes cuando imaginas en tu mente un millón de veces una situación y luego, cuando finalmente ocurre, no tiene nada que ver con lo que habías imaginado?

—Entiendo —susurró mi madre animándome a seguir.

—Pues eso es lo que me pasa. Llevo más de un año soñando con volver a reconstruir mi familia, poder darle otra vez a Álex un hogar, la estabilidad que se merece y el amor de su padre, pero cuando finalmente se me presenta la ocasión, no siento que me llene de satisfacción como había imaginado en mi mente. Es más, parece que me ocurre todo lo contrario, no reconozco al hombre con el que he pasado la mitad de mi vida.

—Mmmm, ya veo. Si de algo sé es de visiones, y por tus palabras deduzco que Pedro ha intentado volver.

—Bueno, no exactamente, ha intentado llevarme de nuevo a su terreno. ¡¿Será posible?! —dije enfurruñada mientras le daba un profundo sorbo a mi cerveza.

—Abril, cuando un jarrón se rompe, puedes comprar el mejor pegamento del mundo y maquillar sus piezas, pero esto solo lo hará parecer entero desde el exterior, porque, si miras el jarrón por dentro, verás claramente sus grietas. Con las cosas del corazón ocurre lo mismo: nunca es como antes y, si lo piensas bien, casi es mejor, porque está claro que, cuando una pareja se rompe, aunque lo haga una parte, la otra no está exenta de responsabilidad. Si habíais llegado al punto de la separación, mejor no volver a recuperar lo de antes, ¿no crees? Para obtener resultados diferentes hay que emprender caminos diferentes, tanto si decides seguir adelante con una reconciliación como si prefieres salir de ese camino.

La miré fijamente mientras con una mano llamaba al camarero para pedirle otra ronda. Mi madre y Óscar se caerían muy bien, tenían un montón de similitudes. Ambos decían que yo era especial aunque yo no me sentía así; ¡los especiales eran ellos! Mi madre siempre había sido la envidia de todas mis amistades, tan comprensiva, tan radiante, tan natural y tan sonriente a pesar de los golpes de la vida; y él... tan encantador, tan sereno, tan adictivo...

—Creo que necesitas un respiro, Abril —continuó mamá—. Tómate unos días para ti. Álex estará bien, vete con amigos, amigas o tú sola, pero hay momentos en la vida que, para poder pensar y tomar decisiones, una tiene que mirar hacia dentro, conectar —dijo posando su mano en mi corazón—. Ahí están todas tus respuestas.

Miré a mi madre a los ojos dejándome contagiar por su sonrisa y positividad. Ahora lo veía claro, haberme criado con dos seres tan especiales, tan espirituales y soñadores como ella y papá, sin duda, había marcado mi infancia y personalidad. Óscar había sabido ver en mí esa esencia de la que tanto hablaba mi madre que, por motivos del destino, había enterrado muchos metros por debajo de mi corazón. Y, de hecho, en alguna ocasión, él me había dicho palabras muy similares a las que acababa de escuchar.

—¡Y no olvides que la única forma de sacar un clavo es con otro clavo! —dijo mi madre para zanjar el tema, guiñándome un ojo medio chispita por las dos cañas que se acababa de tomar casi del tirón.

El consejo de sabias
se reúne

«¿Dónde estará Óscar ahora?». «¿Qué estará haciendo?». «¿Pensará en mí o me odiará para siempre?». Estas eran algunas de las preguntas que me hacía una tarde mientras daba un largo paseo por la playa de San Juan, sola, dejando que la espuma del mar rozara mis pies. Lo hacía varios días al atardecer y, al llegar al chiringuito que había donde terminaba la arena, me compraba un helado de fresa que me sabía a gloria y me recordaba a Óscar. Me sentía culpable. Por nada del mundo había querido hacerle daño (a mí me lo habían hecho y sabía lo que era), pero no había tenido valor ni agallas para salir corriendo detrás de él en la calle y explicarle la situación, mi desesperación o mis ganas de irme de vacaciones con él y pasar unos días alejada de todo y de todos. «Eres patética», me decía la loca.

No había sabido nada de Óscar desde aquel mensaje (sin duda, era una despedida y hasta eso lo había hecho bien) y no podía negar que me moría de ganas de saber de él, pero estaba claro que no era recíproco y sabía que no tenía derecho a volver a irrumpir en su vida con lo mal que me había portado.

Miré el reloj; a las ocho había quedado con las chicas para hacer una videollamada por WhatsApp y la haría desde las rocas del otro extremo de la playa, al aire libre.

El rostro de Susana dando órdenes a sus pequeños apareció en la pantalla a la hora prevista y Maura se unió a los dos minutos desde sabía Dios qué lugar del mundo.

—¡Hola, chicas! —dije saludando con la mano mientras me sentaba en una roca a terminar mi helado.

—¡Hola! —exclamaron ellas al unísono.

—¿Cómo lleváis el verano? —pregunté.

—Pues una mierda, trabajando a tiempo completo —se quejó Maura—. Los vuelos van a tope, no se puede ni respirar en los aeropuertos y, como soy soltera y no tengo hijos en edad escolar, no tengo derecho a vacaciones en esta época.

—Bueno, menos mal que nos queda alguna ventaja —exclamó Susana—. Yo estoy desbordada con los *mellis*, mi familia los consiente demasiado y están incontrolables y muy rebeldes, creo que echan de menos a...

—Elisabeth —dije.

—Sí —dijo pensativa.

—¿Has sabido algo de ella? —pregunté.

—Solo me ha pedido fotos de los niños por mensaje.

—¿Cuándo vas a ir a Australia a buscarla? —preguntó Maura—. Sería un destino interesante para ir las tres. —Como Susi obvió su comentario, se dirigió entonces a mí—: ¿Y qué hay de ti, Abril? ¿Sigues flagelándote y autocompadeciéndote?

—Qué borde eres —dije dándole un mordisco a mi helado de fresa.

—Todavía no entiendo por qué no llamas a Óscar y se lo explicas todo.

—Por el mismo motivo que tú estás pasando de Fernando y aferrándote al pasado —contesté.

—Pues sí que nos echamos de menos, ¿eh? —exclamó Susana—. Quiero haceros una proposición indecente. Dadas las circunstancias actuales que nos envuelven a las tres, ¿por qué no unir nuestras energías de mal agüero y cogernos una buena borrachera de verano? Yo necesito respirar y creo que vosotras también. Quizás entre las tres se nos ocurra algo para mejorar esta hecatombe.

—No suena nada mal —dije.

—Supongo que podría juntar cuatro o cinco días —respondió Maura.

—Chicas, venga, ¿cuánto tiempo hace que no nos vamos de vacaciones juntas? ¿Acaso no nos lo merecemos? —insistió Susi.

Caminito del sur

Estepona había sido el lugar elegido para nuestras vacaciones de chicas. Álex estaba tan feliz en la playa que apenas había hecho pucheros por mi marcha (cría cuervos) y mi madre se había puesto loca de contenta al saber lo de nuestro viaje de amigas. La verdad es que las echaba de menos y tenía muchas ganas de verlas...

Como éramos tres, Maura había reservado un apartotel en un complejo situado a cinco kilómetros del centro de la ciudad, así estaríamos juntas y más tranquilas. Y, cuando quisiéramos marcha, la tendríamos al lado.

Al llegar a la estación del AVE de Málaga, me encontré a Susana, que había llegado hacía apenas media hora. Nos dimos un fuerte abrazo. La vi cambiada, ojerosa y más delgada.

—¿Nos tomamos algo fresquito mientras esperamos a Maura? —me propuso.

—Sí, claro. Vamos.

Nos sentamos en una terraza próxima a la estación. Maura aterrizaba en unos veinte minutos y nos vendría a buscar en un coche de alquiler para llevarnos a nuestro destino vacacional.

Susana se pidió un té helado y apartó la pasta que venía con él.

—¿Estás bien? Te veo más... ¿delgada?

—Puede ser. Tantos años queriendo adelgazar y no había manera, y ahora que ni siquiera me lo planteo se me cierra el estómago y no me entran ni los cruasanes, que ya es decir.

—¿Y qué tal los *mellis*? —pregunté.

—Están preciosos pero agotadores. No tengo ni de lejos la mano ni la autoridad que tenía Elisabeth con ellos.

Sonreí pasándole una mano por el hombro.

—Y Álex, ¿cómo sigue? —preguntó ella.

—Está pletórico y muy feliz. Le encanta estar con mi madre y Jose Mari en la playa, a mí me tiene prácticamente olvidada —dije sonriendo.

—¡Ay, los hijos! ¡Cuánto nos preocupamos por ellos, aunque ahora estemos *malamadreando*, ¿eh?!

Las dos reímos.

El sonido de un claxon hizo caer el té que Susana bebía en ese momento. Era Maura, que llegaba con el coche de alquiler.

—¡La madre que la parió! ¡Me vas a matar de un infarto, loca! —gritó Susana.

—¡Aquí están mis muermos favoritos! —dijo ella bajando del coche y acercándose a abrazarnos—. ¡Venga, vamos! Que tengo ganas de darme un bañito en el Mediterráneo —exclamó.

La aplicación de mapas nos marcaba el camino hasta el complejo donde empezarían cinco días de risas, diversión, lloros, cabreos y, en definitiva, amistad.

El apartamento estaba situado en el bajo de una de las construcciones de dos plantas que formaban parte del hotel. Teníamos porche, jardín propio y acceso directo a la piscina, por no hablar de las maravillosas vistas al mar.

Ninguna de las tres queríamos salir esa noche, así que decidimos que haríamos un picnic en el porche, al fin y al cabo lo que queríamos era estar juntas, y nos acercamos a un supermercado cercano a comprar cervezas, vino, embutido, aceitunas y patatillas. Maura también compró lo necesario como para hacer mojitos para todo nuestro bloque de apartamentos (esperaba que no entrase en sus planes meternos a ningún desconocido en casa, aunque hablando de Maura nunca se sabía).

—Podría llamar a Elisabeth ahora —dijo Susana después de dos copas—. ¿Qué hora es en Australia? Seguro que allí están a pleno día.

Sonreí.

—Los *mellis* la echan mucho de menos y me preguntan todos los días cuándo va a volver... La próxima semana vamos a hacer una videoconferencia para que se vean al menos a través de internet.

—¿Te das cuenta de que se ha tenido que ir a la otra punta del mundo para que pienses en ella? —preguntó Maura.

—Maura, no seas mala —la reñí.

—No, déjala —me cortó Susana—. Tiene razón. Elisabeth es muy lista y sé que lo ha hecho por algo. Me consta que adora a mis hijos y no se separaría de ellos tanto tiempo si no fuera por una razón de peso.

—A lo mejor ahora ella quiere tener sus propios hijos... —prosiguió Maura.

—Aunque así fuese, sé que no dejaría de ver a los *mellis* —afirmó Susana dando un buen sorbo a su mojito.

—No me has dejado terminar: a lo mejor quiere tener sus propios hijos *contigo*.

—¡Pero qué bruta eres, Maura! —exclamé.

—¡Pero es la verdad! Elisabeth se ha enamorado de ti y se ha ido para ver si reaccionas, si la echas de menos, si te atreves a apostar por ti y por ella...

Susana no reaccionó ante las provocaciones de Maura, y se mostró pensativa.

—Susi, a la vista está que la echas de menos... —comenté para animarla a seguir charlando.

—Sí —respondió—, pero todavía no sé si lo que siento es lo mismo que siente ella... ¡y tampoco sé qué siente ella en realidad! La verdad es que, si hay alguien que me ha ayudado desde el principio y no solo porque le pagase, esa ha sido ella, así que es la última persona en el mundo a la que querría hacer daño.

Nos quedamos en silencio sentadas en nuestra terraza de alquiler mirando hacia el mar con nuestro mojito en la mano. Las tres lanzamos preguntas al océano esa noche que se quedaron sin respuesta inmediata, pero ya era todo un paso adelante.

—¿Has sabido algo de Óscar? —me preguntó Susana.

Negué con la cabeza mientras sorbía por la pajita de mi mojito.

—¿Y no vas a escribirle? —preguntó de nuevo.

—¿Y qué podría decirle después de cómo me porté con él?

—Pues que lo que vio no es lo que parece, que no has vuelto con tu exmarido, que te mueres de ganas por irte con él de vacaciones, que has pasado página. ¿O no? —preguntó Maura.

—Puf, Maura, cuando quieres eres muy intensa...

—Eso es porque las verdades duelen, cielo.

—Pues se me ocurren unas cuantas verdades que podría decirte ahora mismo —exclamé envalentonada por el alcohol.

—¡Que aproveche! —gritó alguien desde el paseo marítimo. Era un grupo de chicos que salían de marcha y se habían fijado en nuestra minifiesta, por llamarla de alguna manera.

—¡Gracias! —contestó Maura.

—¿Nos invitáis a una? —preguntaron de nuevo.

—Lo siento, hoy es una fiesta privada.

—Ohhhhhhh —se escuchó desde el paseo.

—¡Buena suerte! —respondió Maura sonriendo. Susana y yo agradecimos que no nos metiera a desconocidos en el apartamento.

Esos días serían para nosotras, o eso pensaba yo...

Al día siguiente, me despertó el sonido del móvil de Maura, con quien compartía habitación. Lo habíamos echado a suertes y a Susana le había tocado la individual.

Abrí un ojo con mucho trabajo. «¡Dios! Tengo que dejar esta bebida cubana que está acabando conmigo», protesté. Miré hacia la cama de Maura y allí estaba ella tecleando con sus dedos a toda velocidad. Era obvio que estaba wasapeando con alguien importante, pero ¿con quién? Su cara era de enfado y su respiración agitada para ser las nueve de la mañana.

—Buenos días —dije.

—Buenos días —respondió ella sin mirarme.

—Estamos de buen humor, ¿eh? —comenté con sorna.

Resopló.

—¿Ha pasado algo?

Escuché el ruido de la cisterna. Susi también estaba en pie.

—El problema es lo que no pasa —dijo Maura.

—Me estás hablando de Roberto, ya veo.

Asintió con la cabeza. Era bastante reacia a ponernos al día de su relación porque ninguna de las dos la veíamos con buenos ojos.

—Maura..., esto ya lo pasaste una vez y fue terrible, ¿recuerdas? —le susurré dulcemente.

—Mi voz interior me lo recuerda cada día —contestó ella sin apartar la mirada de la pantalla.

—Entonces, ¿qué estás haciendo metiéndote tú solita en la boca del lobo?

—Tú no lo entiendes —contestó cortante.

—Pues explícamelo.

—Creí que...

—Ya no estabas enamorada de él —terminó Susana desde la puerta.

—Exacto —respondió—. Lo pasé fatal en su día y creí que, después de tanto caos, me había hecho inmune a... él.

—Pero no es así por lo que veo —dije yo.

Negó con la cabeza.

—Roberto es el hombre más atractivo y con el que he tenido mayor conexión sexual en toda mi vida, aunque Fernando no se queda atrás. Cuando volví a verlo, me atrajo de nuevo, pero ya sabía que era un cabronazo. Aun así me acosté con él para...

—Ponerte a prueba —dijo de nuevo Susana.

—¡Bingo, abogada! El caso es que... he perdido... Sigo enganchada —dijo dejándose caer hacia atrás en la cama y tapándose la cara con la sábana.

—No te avergüences, Maura. Estar enganchada también duele, sobre todo si lo haces de la persona inadecuada. Pero algo has tenido que aprender de la otra vez —la animé.

—Sí, que estoy enganchada al mayor hijo de puta de la historia. No contesta mis wasaps y solo nos vemos cuando él hace «escapadas» —dijo ella remarcando las comillas con sus dedos —. Y para colmo me regala los oídos diciéndome que nunca había follado con nadie así en su vida. Pero para ser madre de sus hijos prefiere a otra. ¡Hay que joderse!

Susana y yo permanecimos en silencio.

—Me voy a la ducha, perdonadme, no quiero amargaros nuestras minivacaciones.

Maura se levantó y cerró la puerta del baño. A los pocos segundos le llegaron varios wasaps, era él.

—El universo está vivo y es inteligente —dijo Susana mientras negaba con la cabeza—, nos ha enviado una oleada de mierda a las tres a la vez para que la soportemos juntas.

—Quizá no nos la haya enviado y la hemos provocado nosotras —susurré yo pensativa. Susana me escuchaba atentamente—. Óscar me dijo una vez que lo similar atrae a lo similar y, de la misma forma que las menstruaciones se sincronizan en mujeres que viven juntas..., ¡con las emociones ocurre lo mismo! —exclamé como si hubiera tenido una revelación—. Quizá si le va bien a una de nosotras, le empiece a ir bien a las demás.

—Creo que es mejor que desayunemos, con el estómago lleno se piensa mejor —zanjó Susana, que me estaba mirando como si me hubieran salido dos cabezas.

Después de comer algo, nos tiramos en las tumbonas que había sobre la arena justo enfrente de nuestro apartamento, hacía un sol espectacular. Un rato antes había llamado a mi madre y todo estaba bien (menos mal). Y de mi exmarido apenas había tenido noticias, solo me pedía que le enviara fotos de Álex por WhatsApp. ¿Se le habrían pasado las dudas? ¿Habría cambiado de opinión con respecto a recuperar su vida conmigo? Nadie lo sabía. En sus correos era parco en palabras y, la verdad, me importaba un bledo.

Lo único que me importaba era que el último momento con él había hecho saltar por los aires la relación que tenía con Óscar y, de paso, nuestro maravilloso plan de vacaciones juntos... Entonces recordé que mi padre, cuando era pequeña, me contaba que el universo era un gran ser vivo en el que todos estábamos integrados y que tenía el poder de darnos lo que le pidiésemos. No era tan distinto de lo que explicaba Óscar... ¿Y si ambos tenían razón y yo había estado tanto tiempo deseando que Pedro volviera a casa que finalmente lo había conseguido?

El problema era que ya no lo quería, y que el protagonista de mis preocupaciones y de mi conciencia actuales era Óscar. Hacerle daño a una persona que se había portado tan bien conmigo... Su corazón había saltado en mil pedazos, me había puesto en su mensaje.

Nunca me había planteado nada serio con él (¿o sí?), pero no se merecía lo que había pasado. Mi conciencia y el látigo de la loca caían como una losa sobre mí.

«A ti lo que te pasa es que te gusta el chaval y no lo reconoces», decía ella.

Qué pesada podía llegar a ser...

Tres muermos
en el Mediterráneo

Maura hacía el muerto sobre el Mediterráneo, Susana paseaba por la orilla pensativa y a mí me atormentaba la culpabilidad desde la hamaca. Nunca habíamos permanecido tanto tiempo en silencio estando las tres juntas.

—¿Desde cuándo nos hemos vuelto tan muermos? —preguntó Susi, de repente, mientras sorbía un granizado.

La verdad es que no perdía razón, Maura estaba estresada y ausente, nerviosa, irascible, era una yonqui del móvil. Yo era un mar de dudas y de ruido mental, y, por su parte, Susana enfrentaba su propia batalla interior.

—Yo creo que siempre hemos sido muermos —dije pegando un sorbo a mi Coca-Cola.

—Habla por ti, guapa —respondió Maura saliendo del agua—. ¿Cuántos quilos has adelgazado? —preguntó de repente a Susana.

—Cinco.

—Ahí lo tienes, cinco kilos. ¿Cuánto hace que Elisabeth se fue?

—Cinco semanas —respondió ella.

—El desamor, la mejor de las dietas —afirmó dando un trago a su bebida.

—¿Y no será ansiedad? —preguntó Susi.

—También —contestó Maura—. Es una consecuencia del amor cuando lo pierdes.

Tan sabia ella cuando quería, claro, pero tenía razón. A pesar del disgusto, Susana había adelgazado y estaba muy guapa. Además, se encontraba inmersa en pleno viaje interior, de reconexión consigo misma, sin importar el ruido exterior, ni el qué dirán, ni sus niños, ni su familia *opusina*, solo ella... y ¿qué quería ella?

El sonido del móvil de Maura nos alejó de nuestra conversación.

Quizás estábamos hechas unos muermos, pero no de aburridas, sino porque un cambio en nuestra vida nos acechaba: las tres teníamos que tomar decisiones importantes que, sin duda, traerían consecuencias para nosotras y los que nos rodeaban.

Susana tenía que decidir si escuchaba a su corazón o seguía haciendo el paripé de mujer, madre, abogada fuerte, soltera que puede con todo y mucho más. Maura tenía que decidir si seguía cayendo al vacío o cortaba de raíz esa relación tóxica que tanto la envenenaba, y yo... yo tenía que decidir si rompía con el pensamiento de querer que Pedro volviese a casa o seguía adelante con mi vida, retomaba mis estudios, apostaba por mí misma y —¿por qué no?— aceptaba la posibilidad de una nueva relación cuando estuviese preparada para ella.

Susana y yo mirábamos a Maura, que, desde la orilla, hablaba por su móvil gestualizando de forma alterada. Al fin colgó, caminó hacia nosotras, se sentó en su hamaca y resopló.

—Lo siento, chicas, pero tengo que irme. —Las dos la miramos sin interrumpirla ni juzgarla—. Tengo que zanjar este asunto de una vez por todas. Mañana me veré con Roberto en la ciudad, su mujer está en la playa con los niños... Joder, ¡qué cabrón!

Susana y yo nos miramos y no dijimos nada. En cualquier otro momento la hubiéramos interrogado, atosigado, convencido para que no se fuera, pero las tres estábamos en un momento de transición personal en el que no teníamos ningún derecho a opinar sobre la vida de las demás. Si ella creía que tenía que irse, así sería; a Susana y a mí aún nos quedaban dos días más en el paraíso.

See you soon

«*See you soon*», esas fueron las palabras con las que se despidió Maura de nosotras a la mañana siguiente. Susana y yo la abrazamos comprensivas y la despedimos con una sonrisa. «Suerte, amiga...».

Las siguientes cuarenta y ocho horas fueron tranquilas, relajadas, pensativas, sin los sobresaltos de Maura y su teléfono. Susi y yo nos dimos nuestro espacio, nuestros momentos de silencio y también de risas y conversaciones.

—Mañana es nuestro último día aquí —le comenté a Susana en la piscina—. Tengo muchas ganas de ver a Álex, pero me ha sentado genial venir.

—A mí también, y creo que las tres lo necesitábamos, aunque Maura se haya ido antes.

—Nuestras energías se compenetran muy bien desde hace años, cuando estamos juntas somos poderosas y pensamos mejor —reflexioné en alto.

—No te escuchaba hablar así desde hacía mucho tiempo —afirmó Susi.

Sonreí porque, sí, habíamos sido tres muermos en el Mediterráneo, pero habíamos conseguido conectar con nuestra esencia; al menos Susana y yo, aunque Maura también estaba muy cerca de conseguirlo.

—¿Crees que se puede espiar las redes sociales de alguien sin dejar rastro? —pregunté.

—Mmm, ¿por qué lo dices?

—Llevo días queriendo echar un vistazo al Instagram de Óscar.

—Ya entiendo. ¿Y por qué no lo haces?

—Pues al principio me lo prohibí porque no me parecía justo. Yo provoqué esta situación y así lo quería, pero con el paso de los días no puedo dejar de pensar en qué tal le irá el viaje, dónde estará, qué países estará visitando, si estará bien...

—Y seguro que también te gustaría saber si piensa en ti. —La miré fijamente a los ojos sin decir nada—. ¡Ay, cielo! Estamos igual. Yo miro a diario el Instagram de Elisabeth por si..., no sé..., por si pone algo que aluda a mí. ¡Echo tanto de menos nuestros maratones de series o cocinar a cualquier hora de la noche! Pero nada, está poco activa y solo publica fotos de playas o safaris. Ni una señal... —Estuvo un rato en silencio y, de repente, exclamó—: ¡Venga! ¡Dime el Instagram de Óscar! Vamos a cotillear desde mi teléfono.

—¿Estás segura? —pregunté animada.

—¡Claro!

Se lo dije mientras sentía que la voz me temblaba, me sentía como una espía que iba a entrar directamente en la mente de mi víctima. La cara de Susana no auguraba buenas noticias...

—Su última publicación es del 22 de junio. ¿Qué día te vio en la calle?

—El 22 de junio —respondí helada.

Un jarro de agua fría

¡Dios mío! ¿Tanto daño le había hecho? Me sentía culpable, rastrera, infiel, inmadura e irresponsable. La loca de la casa apareció enseguida para machacarme durante unos cuantos días. Me constaba que Óscar era activo en las redes sociales, solía publicar imágenes de los lugares que visitaba acompañados de alguna frase, pero de repente nada... Había desaparecido.

A lo mejor en el lugar donde estaba no había internet ni cobertura... «¿En plena era tecnológica y desde el 22 de junio?», me increpaba mi torturadora particular. No podía ser. Aunque hablábamos de África...

Desbloqueé mi teléfono y accedí a WhatsApp, nuestro último mensaje de despedida había sido justamente ocho días después. No estaba en línea y parecía no estarlo desde hacía tiempo. Ni rastro... Probablemente era lo que él quería. Óscar necesitaba desconectar, él mismo me lo había dicho, quería reflexionar acerca de muchas cuestiones en su vida. Deseaba ir a África con una ONG para ayudar a los demás, aunque lo que también buscaba era encontrarse a sí mismo. «¿Y quién no?», me retó la loca.

Entonces recordé la historia que me había contado sobre su experiencia en un monasterio de Bérgamo. No sabía qué lo había llevado a tomar esa decisión, pero sentía la corazonada de que su padre, esa persona que le había hecho sacar lo peor de él, estaba detrás de ello. Durante muchos días había repasado la imagen que Óscar había visto desde su moto mientras Pedro y yo estábamos en medio de la calle supuestamente abrazándonos y besándonos. A simple vista no dejaba lugar a dudas: una pareja besándose en medio de la carretera. Sin embargo, no era así realmente, porque Pedro y yo no éramos pareja ni éramos... nada. Él estaba al otro lado del charco en su nueva casa, con su nuevo trabajo, con su nueva mujer y con sus nuevas dudas, y yo... yo estaba de vacaciones con amigas con las que no era capaz de comunicarme del todo porque cada una estaba viviendo su propia crisis existencial.

La última tarde en nuestro paraíso de reflexión, ocurrió algo maravilloso: Susana le envió un vídeo de nuestra playa a Elisabeth para que viera el lugar tan bonito donde estábamos. Esta vez, no aparecían los mellizos por el medio; solo ella, Susana, la playa y su deseo de compartirla con ella, de comunicarse, de lanzar una tregua.

«Mamá, ¿qué me has traído?», me dijo Álex nada más regresé a San Juan. ¿Desde cuándo se había vuelto tan materialista? «Desde que su padre lo llena de regalos cada vez que viene», contestó mi infatigable compañera. No callaba una.

—Pero, bueno, ¿qué bienvenida es esta? —dije abrazándolo.

—Sé que me has traído algo, anda dime.

—¿Por qué tendría que traerte algo? ¿Es que acaso no es suficiente con que vuelva?

—Papi, cuando viene de viaje, siempre me trae un regalo y tú ahora vienes de viaje.

¡Zasca! Pues la loca no estaba desacertada. ¡Maldito Pedro! Así compraba la bienvenida de nuestro hijo. Miré a mi madre con cara de cordero degollado.

—Anda, anda —intervino ella—, deja que mamá se ponga cómoda y bajamos todos a comer un helado.

Jose Mari nos invitó a cenar una paella en un restaurante que él conocía muy bien. Su propietario era un vasco que se había casado con una valenciana, por lo que les unían las diferentes gastronomías y el resultado era todo un éxito.

—Mmm, qué rica está la paella, mami —decía mi pequeño.

Cuánto había mejorado ese verano. No solo había pegado un buen estirón, sino que dormía como una piedra y estaba guapísimo (bueno, esto último no era nuevo, claro).

—Pues sí que está rica, sí —contesté sonriendo.

—¿Pedimos sangría? —preguntó mi madre a modo de orden.

Jose Mari asintió con la cabeza.

Mi madre en verano también rejuvenecía y su energía se volvía todavía más fuerte. Comenzó a tararear uno de los clásicos del dúo musical que tocaban en el restaurante y Álex la miraba divertido intentando imitarla. No se me escapó la mirada de Jose Mari, la adoraba como a una diosa. Ambos se habían encontrado en un momento complicado, decidieron unir sus vidas para mejorarlas y lo cierto era que lo habían conseguido.

«Papá, no pudiste enviarle una estrella mejor», dije para mis adentros.

Últimamente no solo me acordaba de mi padre muy a menudo, sino que también hablaba mucho con él. Igual me estaba volviendo majareta, pero sentía que habíamos vuelto a conectar. Me gustaba compartir mis ideas con él, mis preocupaciones y sobre todo mis decisiones, como que en apenas dos semanas comenzaría el máster en Traducción Simultánea. ¡Me hacía tanta ilusión!

Presión

—Hola, Maura. ¿Cómo estás?

—Pues acabo de llegar de Caracas, me voy a acostar un rato, que estoy hecha polvo.

—¿Todo bien? —pregunté.

—Sí —respondió ella.

Aquella respuesta era difícil de creer... Y es que, cuando Maura se había ido de la playa para encontrarse con Roberto, lo había hecho totalmente convencida de cerrar el tema, pero en realidad había ocurrido algo bien distinto. Al fin y al cabo, cuando alguien domina tu mente y tus pensamientos, sabe cómo hacerte cambiar de opinión. Y Roberto seguía haciendo con Maura lo que le daba la gana (y el muy capullo lo sabía muy bien).

—¿Has visto a Fernando últimamente? —le pregunté.

—Pues hace tiempo que no, ¿por qué lo preguntas?

—Por nada, era solo por si sabía algo de Óscar.

—Si quieres puedo preguntarle, seguimos en contacto, pero hemos dejado de acostarnos.

—Da igual, quedaría un poco cantoso si lo hicieras.

—Oye, y mañana de vuelta al cole, ¿no?

—Sí, estoy muy ilusionada con este máster —contesté.

—¡Bien por ti, Abril! Cuando termines te sentirás genial.

Asentí, aunque era consciente de que iban a ser unos meses duros, pues tenía clase tres tardes a la semana de cuatro a ocho de la tarde y el resto del tiempo tenía que repartirlo entre mi hijo y las traducciones. Por suerte, y como siempre, tenía a mamá y Jose Mari de mi lado y me ayudarían por las tardes con Álex.

Septiembre

El otoño se aproximaba y con él la siguiente visita de Pedro, que tendría lugar a mediados de septiembre (en esta ocasión habría estado algo más de seis semanas sin ver a su hijo). Menos mal que estaba muy concentrada con mis clases de Traducción y que ello me impedía pensar en su llegada. De hecho, era curioso cómo, cuando me concentraba en las materias y casos prácticos del máster, el tiempo volaba y las horas pasaban a la velocidad de la luz; sentía cómo perdía la noción del tiempo, y eso solo podía significar algo y era que quizás había conseguido conectar de nuevo con lo que se me daba bien de forma natural, mi elemento, como alguna vez me había explicado Óscar.

De él no sabía absolutamente nada. Todos los días entraba envalentonada en su Instagram a la espera de noticias, pero por ahora no había ninguna novedad. Solo esperaba que le estuviera yendo realmente bien.

Unos días antes había pasado por delante de lo que había sido su piso y, en un acto reflejo, había llamado al interfono solo para saber si alguien contestaba, pero nadie lo hizo. ¿Con quién estaría la adorable África? Seguramente en casa de sus padres, echándolo de menos...

Cuántas ganas tenía de saber de él... Seguro que se habría sentido orgulloso por mi decisión de hacer el máster, aunque probablemente ahora le importaría un bledo todo lo que tuviera que ver conmigo. «Tendrás suerte si te vuelve a mirar a la cara después de lo que le hiciste», me recordaba de nuevo mi pesada vocecilla.

Me sentía realmente culpable. Necesitaba quitarme esa sensación, pero ¿cómo? ¿Por qué había llamado a su piso? ¿Qué era lo que quería exactamente?

A pesar de tener mucho trabajo, intentaba no perderme ninguna clase de yoga. Era una especie de pacto que teníamos entre las tres, pues nos servía para vernos, ponernos al día y, de paso, también en forma.

—Elisabeth no va a volver, al menos por ahora —nos dijo cabizbaja Susana, que seguía adelgazando y baja de energía—. Me lo ha dicho por WhatsApp y me lo ha confirmado su hermana, que se ha ofrecido para cuidar de los *mellis* durante este curso.

—¿Pero es definitivo? —pregunté.

Susana se encogió de hombros.

—Quién sabe, dice que está muy a gusto por allá y que ha encontrado un trabajo de *au pair* para los próximos tres meses.

—Lo siento mucho, Susi —dije apoyando mi mano sobre su hombro.

—¡Es el karma! —exclamó Maura—. Te sigue recordando que, mientras no muevas el culazo ese que se te está quedando, no va a ponértelo fácil. Creo que el mes que viene comenzaremos a volar a Australia. ¿Quieres que mire de conseguirte un billete económico?

—Pero ¿cómo voy a presentarme allí? Me ha dejado muy claro que por ahora no quiere volver, tengo que respetar sus decisiones.

—Susi, sal de tu mente cuadriculada de abogada y, por una vez en tu vida, improvisa.

Susana puso cara de terror.

—Improvisar da mucho miedo, pero a veces es la mejor opción: no conocer el resultado, arriesgarse, tomar un camino distinto... —continuó Maura.

—Y que seas tú la que me lo digas... —bufó Susana.

—Tienes razón, estoy haciendo frente a uno de los mayores retos de mi vida. Retomar una relación tóxica con un cabronazo que me tiene completamente enganchada no es tarea fácil.

—Creo que todas necesitamos ir a terapia, pero no a una tradicional, sino a una que nos ayude de verdad a potenciar nuestro desarrollo personal. ¡Un terapeuta de autoestima! —exclamé decidida.

Ellas me miraron sin dar crédito.

—A ver, las tres estamos jodidas y paralizadas —continué—. Susana está bloqueada, tú atrapada y yo no he salido de la espiral de sumisión en la que me envolví hace ya veinte años. ¡Necesitamos ayuda!

—¿Ayuda? —preguntaron las dos a la vez.

—Sí, ayuda para saber lo que queremos, por qué queremos luchar, por qué y para qué vamos a volcar toda nuestra energía, por nosotras.

Las tres nos quedamos pensativas intentando asimilar lo que mi mente acababa de decir en voz alta cuando el monitor nos avisó del comienzo de la clase.

Y volver, volver

—¿Puedo llevarme a Spiderman a la casa de papá? —preguntó Álex.

—Sí, claro que puedes, cariño.

Hoy llegaba Pedro tras casi dos meses sin vernos y parecía que el pequeño estaba ilusionado. Durante esas semanas nos habíamos escrito correos y enviado fotos del niño exclusivamente y no había vuelto a insistir en nada más. «Mejor así, ¡que lo zurzan!», decía la loca levantando su dedo corazón.

Durante las vacaciones, algo había sacado en claro: me había sentido muy culpable por dejar a Óscar pensar lo que había pensado y nada culpable por haber rechazado a Pedro y no volver a pensar en nuestra reconciliación. Ya era un paso.

A las nueve de la mañana sonó el timbre, era Pedro que venía a recoger al pequeño. Aún faltaban unos días para el comienzo del curso escolar y los pasarían juntos.

El corazón me iba a mil por hora.

Abrí la puerta y vi a un Pedro moreno, con el pelo más largo de lo habitual y con más canas que la última vez. Qué atractivo estaba el muy capullo. Me miró fijamente a los ojos, sonriendo.

—Hola, Abril —dijo besándome en la mejilla.

Me quedé inmóvil.

—¡Papiiiiiiiiiiii! —Álex salió corriendo de su habitación hacia los brazos de su padre, que se agachó y lo recibió con un abrazo.

—¡Hay que ver cómo has crecido!

—Es lo que tiene el verano —dije yo—, siempre pega un estirón y come mucho mejor— afirmé mientras le acariciaba el pelo a Álex, aún en brazos de su padre.

—Fui a pescar con Jose Mari en San Juan y, ¿sabes qué?, vimos un montón de medusas, pero no me picó ninguna.

—¡Guau! Creo que tenemos muchas cosas que contarnos —le dijo Pedro—. ¿Estás listo?

—Sí, espera, voy a la habitación por si quiero llevarme algo más.

Pedro y yo nos quedamos mirando cómo desaparecía por el pasillo.

—Ha pasado un verano muy bueno, bastante mejor que el anterior; está haciendo grandes progresos, no lo estropees —le increpé.

—Abril, no lo haré. Me muero de ganas por pasar tiempo con él. Además, esta semana no trabajaré, así que seré todo suyo. ¿Qué hay de ti?

—Todo muy bien, gracias.

—Me ha dicho Álex que estás... ¿estudiando?

—Sí, comencé hace unos días el máster de Traducción Simultánea en la Universidad.

—¡Guau! Volviendo al pasado.

Ese comentario me molestó.

—Más bien recuperando el pasado que nunca debí dejar —respondí.

—¡Ya estoy listo! —exclamó nuestro hijo, regresando de su cuarto.

Pedro cogió la maleta de Álex y su manita y se acercó a despedirse de nuevo.

—Me alegro por ti —susurró en mi oído.

¡Qué rabia me daba cada vez que lo veía! ¡Cómo me alteraba! Siempre con esa sonrisa puesta... Y, por si me quedaba alguna duda sobre lo que había pasado entre nosotros, me había dejado muy claro que ese momento de debilidad no había significado nada para él. Ni un solo comentario, ni una alusión a sus dudas, ni una súplica por volver.

«Si es que te montas unas películas...», fustigó la loca.

Lo que sentía por Pedro se estaba convirtiendo en... ¿asco? No podía dejar de pensar que él seguía con su nueva vida y proyectos en Estados Unidos y que a mí me había jodido la mía.

«Lo has hecho tú solita, Abril, no eches balones fuera. Caíste en la tentación». Mi torturadora seguía con su castigo y tenía razón, pero había hecho bien en intentarlo, en acostarme de nuevo con el que había sido mi compañero durante veinte años, me había ido bien para saber lo que sentía y para dejar de idealizarlo.

Ahora tenía que centrarme en mis objetivos. Esa semana sin Álex aprovecharía para organizar mi plan de estudios y también adelantar traducciones.

Recordando a papá

«Lo importante es no perder la ilusión, Abril. Por muy feas que se pongan las cosas, siempre hay que mantenerla. Piensa que, cuando un conflicto se resuelve, se crea otro nuevo que vuelve a requerir de nuestra atención».

Había soñado con papá. Eran las tres de la mañana y estaba sudando.

¿Desde cuándo las pastillas para dormir revolvían el disco duro de mi mente? Quizás en mi proceso de transición me encontraba más sensible y receptiva para escuchar lo que el universo tenía que decirme. Durante los años con Pedro el poder de la magia en la que siempre había creído se había esfumado. Con él, todo tenía que ser predecible y estar planificado al detalle; no quedaba espacio para la improvisación (hasta que se había largado a Estados Unidos, claro). Fuera como fuese, la energía aventurera y espiritual de papá se había almacenado en algún lugar de mi corazón y ahora parecía que pedía paso para salir de nuevo.

El sonido del interfono me sacó de mis pensamientos.

¿Quién me llamaba a esas horas de la madrugada? ¡¡Oh, no!! ¡Álex! Seguro que había pasado algo... Fui corriendo a abrir y por la cámara del interfono vi a... ¡¿Maura?!

—Ábreme, por favor...

—Sí, claro. Sube.

Salió del ascensor con muy mal aspecto, tenía el rímel corrido, los ojos hinchados y la cara desencajada. Me acerqué a ella y se abrazó a mí llorando como una niña pequeña desprotegida. La rodeé con mis brazos sin preguntar y entramos en casa. La guie hasta el sofá y allí la senté y le puse una manta sobre el regazo (las noches en septiembre comenzaban a ser frescas). Me senté a su lado y esperé a que se calmase mientras la abrazaba de nuevo.

—Maura, tranquila. No puede ser tan malo.

Ella sorbía por la nariz y miraba hacia el suelo.

—¡Joder! ¡Soy imbécil, gilipollas, idiota!

—Tú no eres nada de eso —la frené—, te lo digo yo que te conozco desde hace muchos años. Déjame adivinar. Tiene que ver con Roberto, ¿no?

Asintió sorbiendo por la nariz.

—Volamos a Santo Domingo y nos quedamos allí dos días.

—Ajá.

—Pero esta vez el muy cabrón se trajo a su mujer con él, ¡sin avisarme! De repente la vi allí en el avión. Imagínate.

Me mantuve en silencio para que continuara.

—Me envió un wasap, que eliminó al poco rato, para explicarme que no se lo tuviera en cuenta, que ella había insistido en acompañarlo y que, al fin y al cabo, era su mujer y madre de sus hijos. No podía negarse. ¡Será cabrón! Por supuesto no le contesté, pero la cosa no acaba aquí.

—Tranquila.

—¿Te puedes creer que en el hotel me alojaron en la habitación contigua a ellos? ¿Te imaginas el horror?

—Puedo hacerme una idea —empaticé.

—¡Joder! ¡No podía pedirle a ningún compañero que me cambiase de habitación para que no hubiera sospechas. ¡Estoy hasta las narices de ser una sombra!

—No debes serlo, Maura. Tú eres luz —añadí sonriendo.

—¡Estuvieron follando, Abril! ¿Te imaginas? Follando todo el fin de semana y ¡en la habitación de al lado! ¡Pude escuchar los gemidos de ella, y las embestidas de ese cabrón contra mi pared! ¡Y eso que llevaba tapones! ¡Me cago en la puta!

Esa noche todos los santos bajaron a mi salón, pero de vez en cuando, sentaba bien desahogarse sin tapujos.

—Maura, lo siento mucho —dije apretando una de sus manos.

Rompió a llorar de nuevo y me di cuenta de que septiembre empezaba fuerte. Se sonó la nariz y continuó:

—El muy cabrón, en el viaje de vuelta, me estuvo wasapeando desde la cabina todo el tiempo. Que tenía que perdonarlo, que me había echado de menos, que solo había ejercido de marido. ¡Ejercido de marido! ¡De macho alfa copulador! ¡Mira…, a punto estuve de salir en las noticias!

Esa noche (o lo que quedaba de ella, más bien), Maura se quedó en casa y, tras un par de tilas y una pastillita de plantas mágicas, durmió a mi lado en posición fetal como una niña indefensa. Lo que le había ocurrido era fuerte, igual que la vez anterior. Solo esperaba que esa fuera la definitiva. Estaba claro que necesitábamos una terapia de autoestima para querernos, valorarnos y no dejarnos manipular por personas diabólicas.

—Buenos días —dije desde la cocina cuando escuché que se levantaba.

—Mmm —respondió.

—Anda, ven, tómate un té.

Maura se sentó haciéndose un ovillo en la mesa de la cocina.

—¿Qué tal has dormido? —pregunté mientras le ponía una taza de té delante.

—He dormido gracias a ti y a tus drogas.

—Me alegro. Cuando duermes, todo se ve mejor. Te lo digo yo, que llevo más de un año sin dormir.

Sonreí a Maura.

—Qué egoísta he sido, Abril. Perdóname. ¿Qué tal tu encuentro con el capullo de tu exmarido?

Me encogí de hombros.

—Pues creo que mejor de lo que me esperaba, la verdad. Estoy empezando a sentir asco por él.

—¡Bien por ti! Estás en la última etapa de tu duelo, después llegará la indiferencia.

—He estado más de un año imaginando en mi cabeza todas las formas posibles de reconciliación; imagínate la película: él llegaba arrastrado, suplicando, llorando y comenzaba una reconquista con detalles, citas, cenas románticas, flores, declaraciones y mucho arrepentimiento que, por supuesto, acababa en ser una familia más feliz todavía de lo que habíamos sido nunca. ¿Qué maravilla, verdad?

Maura torció el morro.

—Pues este era el pastelito que deambulaba por mi mente. Nada que ver con la realidad, claro. Pero debo decir que algo ha cambiado: desde las vacaciones ya no sueño con la reconciliación, sino que me visualizo a mí misma feliz, haciendo lo que me gusta y siempre de la mano de Álex.

Maura sonrió esta vez.

—Estoy orgullosa de ti, te lo digo en serio —reconoció—. Has estado un año en la penumbra y no había forma de hacerte despertar, y al final lo has hecho tú sola.

—Y la vida.

—La puta vida —asintió.

—Y vuestra ayuda, claro.

—Y la de Óscar.

Maura se levantó y nos dimos un abrazo en el silencio matutino de mi cocina.

—Se me ocurre una idea —exclamé—. ¿Cuánto tiempo hace que no pintas?

Ella me miró sorprendida.

—Venga, dime —la animé.

—Solo lo hacía para desconectar...

—¡Exacto! Y de eso se trata, cada uno tenemos una vía de escape para desconectar y normalmente suele ser nuestro talento, aquello que se nos da bien de forma natural y además nos gusta. Yo de pequeña me quedaba ensimismada viendo programas de la tele en los que las personas hablaban idiomas mágicos que no entendía, mientras una misteriosa voz lo traducía todo. ¿Por qué ella podía entenderlos y yo no?

—Siempre se te han dado genial los idiomas —opinó Maura sorbiendo el té—. Me acuerdo las chapas que nos dabas obligándonos a ver a todas las películas en versión original. ¡Menos mal que nos dejabas poner los subtítulos!

Reímos, parecía que el ambiente se animaba.

—Tienes que volver a pintar, eso te hará desconectar, pero sobre todo conectar contigo. A mí me está pasando con el máster.

—Siempre como un libro abierto, ¿eh? Quizá tengas razón y me ayude a pasar este duelo. —Maura sacudía la cabeza—. ¡Eres una jodida psicóloga!

¿Estás segura de que te gustan los idiomas? Creo que podrías ganarte muy bien la vida analizando a los demás, en serio. Tienes el don de remover mis pensamientos.

Sonreí mientras daba el último sorbo a mi taza de té.

—¿Qué te parece empezar por esta casa? —pregunté—. El salón me produce escalofríos cada vez que estoy en él, y paso mucho tiempo aquí.

—Sí, la verdad es que es soso de carajo, muy Pedro.

—Exacto, y estoy cansada de verlo así. ¿Qué te parece si comienzas haciendo un mural en esa pared? —dije señalando el muro que estaba detrás de los sofás.

—Creo que haría algo macabro para joder al dueño de esta casa —respondió guiñándome un ojo—. Pero, teniendo en cuenta que tú y Álex vivís aquí, me mediré.

—Todo tuyo.

—¿Sabes? Solo hay tres personas que han visto alguna vez mis pinturas: Susi, tú y Fernando.

—¡¿Fernando?! —exclamé sorprendida—. Creía que ya no pintabas, mentirosa... —dije riendo mientras le pellizcaba el muslo.

—Bah, algún garabato de vez en cuando —reconoció avergonzada.

—Es un buen chico y... creo que está loco por tus huesos.

—Lo mismo te digo, amiga —respondió ella—. ¿Cuánto vas a tardar en llamar a Óscar?

—Bueno, eso es otra historia. Siento que lo traicioné y de paso también a mí.

—Pues por eso, cariño, habla con él aunque solo sea para liberar tu conciencia.

Espíritu libre

La semana que Álex pasó con su padre transcurrió tranquila. Cada noche hablaba con él, que me contaba las aventuras de cada día, y se le veía bien, estaba madurando y adaptándose a su nueva vida. Me sentía orgullosa de él.

Cuando Pedro se fue, Álex se puso triste de nuevo, pero sus ataques cada vez eran más suaves. «Bien, mi amor, lo estamos consiguiendo», le repetía cada noche cuando se metía en mi cama.

Al cabo de unos días, Álex y yo ya habíamos retomado el ritmo de nuevo y en nada tendría a Maura acampando en mi salón, así que decidí darle un juego de llaves para que viniese a pintar cuando lo necesitase, pues entre las clases presenciales y las prácticas del máster cada vez pasaba menos tiempo en casa (algo que, por cierto, me sentaba de maravilla).

Durante una temporada el salón se convirtió en una barricada, con papeles de periódico por el suelo, botes de pintura y brochas en una esquina, y dos monos de trabajo, uno verde y otro rosa (¿dónde encontraría Maura estos accesorios tan *cuquis*?), colgados de cualquier lado.

Álex y yo no podríamos ver su obra hasta que estuviese terminada (ese era el trato que había aceptado de buena gana), por lo que, mientras tanto, decidí trasladar mi despacho de trabajo a la habitación de invitados; el antiguo despacho de Pedro, en el que tantas horas había pasado él, quizá chateando con su nueva mujer mientras yo dormía en la habitación de al lado. No me daba buenas vibraciones este cuarto... De hecho, si lo pensaba bien, la casa entera me producía angustia.

Hay quien dice que los malos pensamientos van dentro de uno; sin embargo, yo sentía que cambiar de aires y de hogar me daría impulso para empezar una nueva vida, para construir de cero sin que cada rincón me removiera las entrañas. Pero ¿adónde ir? Podría alquilarme algo de dos habitaciones para Álex y para mí, sí. Aunque, en realidad, lo que me apetecía era vivir cerca del mar, dormirme con su sonido de fondo, como cuando era pequeña y pasaba los veranos con mis padres en la casa de la playa. Quizás así podría dejar las pastillas para dormir.

La zona marítima se había vuelto prohibitiva, pero quizá podría encontrar una casita pequeña con huerta para Álex y para mí. Intentaría visualizar esa imagen en mis meditaciones matutinas a ver si surgía efecto... Ya había descubierto que, como decía papá, «el universo tiene el poder de darnos lo que pidamos».

—Los *mellis* echan de menos a Elisabeth —afirmó Susi mientras nos tomábamos la infusión de turno antes de yoga.

—¿Te lo han dicho? —pregunté.

—Peor, le han dicho a su hermana Sandra, que la verdad es un cielo de chica, que no la quieren, que quieren que vuelva Elisabeth. Imagínate, me puse como un tomate disculpándolos. Están muy intensos, sufriendo un síndrome de abandono en toda regla.

—Creo que no son los únicos que sufren ese síndrome —susurró Maura mientras soplaba sobre su taza.

—Bueno, a Álex le pasó algo parecido cuando su padre se fue —comenté—. Piensa que Elisabeth ya estaba en sus vidas cuando nacieron.

—Lo sé, tienen toda la razón, y Sandra es estupenda pero...

—No es ella... ni nunca lo será —afirmó Maura.

Susi asintió.

—¿Y si te acompaño a Australia? —exclamó Maura.

Las dos la miramos.

—Ya te dije que vamos a comenzar a hacer esos vuelos y... el apestado no los hace, así que probablemente pueda acompañarte.

—No sé... —Susi sacudió la cabeza—. Apenas he sabido de Elisabeth desde hace un mes, solo me wasapea para que le envíe alguna foto de los niños, y yo... obedezco como un perro faldero. Creo que está intentando...

—Olvidarte... —concluyó Maura—. ¡Pues claro que lo está intentando! Y como no espabiles, lo conseguirá.

—Puf, no sé cómo hacer esto, necesito un protocolo, a mí me sacas de un juzgado y me siento perdida e insegura.

—Tus hijos te piden que vuelva y tu corazón, también. ¿Qué hay de tu cuerpo? ¿Te imaginas acostándote con ella?

—¡Maura! —exclamé.

—¡¿Qué?! Alguien tiene que hablar claro aquí.

Susi nos miraba pensativa.

—La verdad es que tengo su beso muy presente; se ha repetido en mi mente en muchas ocasiones, quizá más de las que me gustaría. Pero, como sabéis, nunca he estado con ninguna mujer y no sé... cómo sería... pero sí sé que me gustaría repetir ese beso...

—¡Ajá! Pues ya sabes algo muy importante. Avísame cuando quieras que te acompañe a Australia, pero no tardes, las australianas son muy exuberantes y Elisabeth no está nada mal, no creo que tarden en echarle el gancho.

—Con esos comentarios no ayudas, Maura —le dije.

—O sí —dijo mientras se levantaba para dirigirse al aula de yoga.

A pesar de su falta de filtro, me sentía muy orgullosa de ella. La pintura le estaba ayudando a superar lo de Roberto: lo había bloqueado en todas sus redes sociales y lo evitaba en el aeropuerto. Además habíamos comenzado las tres una terapia de autoestima y acudíamos semanalmente a una sesión en grupo que Óscar me había recomendado en su día, algo que nos venía a las mil maravillas a todas.

Susana, por su parte, se nos había enamorado de Elisabeth (el amor no deja de sorprenderte en todas y cada una de sus formas) y me alegraba mucho por ella. En realidad, antes de la llegada de Eli (así la llamaba ella) a su vida, no la habíamos visto nunca tan feliz, aunque su mente racional y analítica no supiera cómo luchar contra sus demonios internos y contra los estereotipos *opusinos* que su familia, el entorno y la sociedad le habían implantado. Elisabeth la había acompañado en cada una de sus ecografías, la había ayudado a decorar la habitación de los *mellis*, había estado a su lado en el parto y postparto amortiguando los cambios de humor propios de esa etapa, y quería a los críos como si fueran suyos. ¡Estaba claro que lo único que les faltaba era practicar sexo! ¿Acaso era fácil encontrar a alguien así? Me temía que no, pero era ella la que tenía que darse cuenta.

Yo seguía preguntándome dónde estaría Óscar. Sus redes sociales seguían mudas y no había forma de saber de él. Un domingo, a petición de Álex, hasta me había acercado al club canino donde llevaba a África. Mi pequeño quería volver a verla. Bajamos del coche y asistimos al espectáculo, pero no había ni rastro de la cariñosa perra. Quizá los padres de Óscar no estaban por la labor de llevarla a entrenar o quizás África se había ido a vivir con su dueño a algún lugar lejano del planeta. Era consciente de su adoración por ella, así que, si se había ido sin ella, volvería para llevársela, eso seguro.

Lo que estaba claro es que algo en mi interior me suplicaba volver a verlo. Quizá Maura tenía razón y era solo para liberar mi conciencia y pedirle disculpas, o quizás era algo más... No lo sabía, pero el destino no me lo estaba poniendo nada fácil. Y ya habían pasado tres meses desde la última vez que lo había visto subido a su moto, alejándose...

Mamá, quiero volver al mar

Ese fin de semana mi madre cocinaría el primer cocido de la temporada otoñal, pero con su toque personal: caldo de primero y cocido vegetal de segundo. Algo de carne había también para Jose Mari, que el pobre hasta aceptaba los giros que mi madre daba a los platos tradicionales del norte.

—Está riquísimo, *abu* —afirmaba mi pequeño, que devoraba los platos de su abuela—. ¿De postre hay natillas?

—Unas muy especiales para ti, toma —respondió ella guiñándole un ojo.

—¡Yupiiiii! —exclamó con una gran sonrisa—. Mami, ¿puedo ir al salón a descansar la comida? —preguntó en cuanto hubo terminado el postre.

—¿A descansar la comida o a ver los dibujos?

—Las dos cosas —dijo él, picarón.

—Anda, ve...

Jose Mari se levantó a felicitar a mi madre por el suculento menú.

—Si me disculpáis, chicas, después de este manjar necesito dormir una siesta.

Mamá lo miraba sonriente y orgullosa. Él la besó en la mejilla mientras ella le acariciaba la cara con el dorso de la mano.

—Café, ¿verdad? —me preguntó.

—Muy cargado, por favor —respondí—. Mamá, me gustaría volver a la playa.

—¿Y qué te lo impide?

—Me refiero a vivir, quiero dejar el piso de Pedro.

—Me parece una buena idea si te sientes preparada.

Rodeé la taza de café que ella me puso delante con mis manos, necesitaba sentir calor.

—Creo que ya he aceptado la marcha definitiva de Pedro y ahora quiero elegir dónde empezar esta nueva etapa con nuevos recuerdos y nuevo hogar.

Mi madre me abrazó por detrás y dijo:

—Estoy muy orgullosa de ti, cielo. Sabía que era cuestión de tiempo. Siempre fuiste una niña muy fuerte y desde luego el mar te sienta de maravilla.

—Gracias, mamá. El caso es que la zona está prohibitiva, he estado mirando y los alquileres están carísimos... No me apetece vivir en un piso, quiero recuperar el contacto con la naturaleza, con la tierra, volver a tener plantas...

A mi madre comenzaron a asomarle las lágrimas a los ojos.

—Mamá... —dije poniendo mis manos sobre las suyas.

—No debí vender la casa de la playa, ahora podríais ir Álex y tú para allí...

—No, mamá. Hiciste lo que tenías que hacer, al igual que yo también ahora he tomado la decisión de irme de donde estamos. Además quiero empezar de cero. A lo mejor puedes ayudarme a buscar casa por la zona.

—Claro —dijo ella—. Jose Mari va todos los jueves a jugar a la petanca por allí. Puedo decirle que se fije por si ve algún cartel.

—Mamá, por cierto..., llevo un tiempo soñando con papá. —Ella me escuchaba con atención—. Todos los sueños son fantásticos, dulces, mágicos... Cuando me despierto me pongo algo triste, pero siento que... está conmigo justo ahora que lo necesito más que nunca.

—Es que su energía sigue dentro de ti, cielo. Los sueños son parte de otra realidad que también vivimos y sentimos. —Se levantó para abrazarme de nuevo y después añadió risueña—: Me parece una idea estupenda, ¡volver a la playa! ¡Respirar el aroma del mar y contagiarse de su energía! A Álex le encantará, es una decisión fantástica.

November rain

El mes de noviembre hacía su entrada y con él llegaba también una nueva visita de Pedro. Desde su último viaje, nuestros correos habían sido cordiales y algo escuetos por mi parte, ya no sentía la necesidad de contarle todos y cada uno de los pasos que daba con Álex. Los pensamientos de una reconciliación eran lejanos, ya no asaltaban mi mente cada noche ni me despertaban con angustia. Si algo había sacado en claro era que no volvería con Pedro por mucho que cambiasen las circunstancias. La terapia de autoestima estaba haciendo su efecto y la motivación del máster, también, ¡qué bueno era tener la mente ocupada en algo que me gustaba! Además, intentaba meditar cada mañana con la *app* que en su día me había recomendado Óscar, era mi pequeño momento de conexión conmigo misma y con... él.

Por otro lado, el hecho de ver a Álex cada día más calmado, maduro y feliz me llenaba de orgullo como madre. Aunque jamás le perdonaría a Pedro haberlo hecho pasar por algo así. ¿Qué tipo de persona abandona a su hijo de la noche a la mañana para regresar solo diez días cada seis semanas? Pues una que desde luego a mí ya no me interesaba.

—¿Qué tal ayer con papá? —pregunté a Álex cuando lo fui a buscar.

—¡Muy bien! ¿Sabes qué, mamá? ¡Comimos unos fideos que solo hay que calentar en el microondas y están riquísimos!

—Ajá... —Tenía que hablar con Pedro de la dieta de Álex cuando estaba con él, no podía cenar todos los días comida precocinada.

—Y después hablamos con Elsa.

—¿Con Elsa...? —Mis alarmas internas se activaron.

—Sí, la novia de papá.

Esa frase, y además dicha por él, me atravesó como una bala. ¿Mi hijo había dicho eso tan tranquilo?

—Ah... —dije tragando saliva. Álex se quedó callado. Mierda, ahora era yo la que quería saber—. ¿Y qué... tal, cariño?

—Bien. —Eso fue todo lo que me dijo y la verdad no quise preguntar más.

De modo que su padre le había explicado al fin a su hijo que tenía novia en Miami, que se llamaba Elsa y además se la había presentado vía telefónica. Lo que seguro no le había explicado era que ella había sido uno de los motivos por los que se había ido a vivir a otro país, junto con la aceptación de su nuevo trabajo.

Esa misma noche, cuando Álex ya dormía, llamé a Pedro:

—Hola, Abril. ¿Cómo estás? ¿Ha pasado algo?

—No, nada, es solo que quería hablar contigo acerca de la dieta de Álex.

—Ah, ya sé lo que me vas a decir. Te prometo que este fin de semana cocinaré.

—De acuerdo, es importante que aprenda a comer bien.

—Lo sé...

—¿Lo recoges el viernes al salir de futbito?

—Sí.

—Creo que será mejor que pases antes por casa para recoger su bolsa, así no irá tan cargado al colegio.

—¿Sobre las cinco te va bien?

—Sí, estaré en casa hasta las seis.

—Perfecto.

—Adiós, Pedro.

—Hasta el viernes, Abril.

Cada vez que hablaba con él me ponía nerviosa, pero desde que nuestro hijo era conocedor de su nueva vida, lo estaba todavía más. Era cierto que algún día habría que decirle la verdad, su padre y yo llevábamos un año y medio separados y los dos teníamos derecho a rehacer nuestras vidas, aunque él ya la había rehecho antes de dejarnos, claro (¡Dios! ¡Qué rabia me producía todavía pensar en ello!).

A las cinco menos cinco del viernes sonó el interfono, era Pedro. Me acerqué a la puerta con la bolsa de Álex preparada para que fuera un encuentro rápido. Al ver a Pedro por la mirilla salir del ascensor, abrí la puerta.

—Hola —dijo.

—Hola, aquí tienes la bolsa.

—Gracias —respondió sin moverse del sitio.

—Ya me ha contado Álex que ha conocido a tu novia —dije con más sarcasmo del que quería.

Él sonrió y asintió.

—Sí, habló con ella el otro día y fue todo bien —comentó incómodo.

—Supongo que es lo normal —dije.

—Abril..., tengo que pedirte disculpas por lo que pasó antes del verano...

—Déjalo, no sigas —lo paré.

—La verdad es que volví a comportarme como un estúpido inmaduro transmitiéndote mis dudas e inseguridades —dijo mientras se pasaba la mano por el pelo.

—Ahora me doy cuenta de que lo has hecho durante veinte años —respondí.

—Lo siento, Abril, todo, desde el principio hasta el final. Aunque no me creas, eres una de las personas más importantes de mi vida y estoy sumamente arrepentido de cómo han ocurrido las cosas... Siento no haber sabido hacerlo mejor.

Por primera vez pude ver en su cara un sincero sentimiento de culpabilidad, se sentía realmente atormentado y, en lugar de alegrarme como ocurría en mis sueños, me sorprendí sintiendo lástima por él; al fin y al cabo, era él el que había salido perdiendo: ¿de qué le valía tener un buen trabajo si veía a su hijo cada seis u ocho semanas?

—He aprendido mucho de todo esto, Pedro, y la verdad es que he salido fortalecida.

—Te veo cambiada, pareces... otra.

—Eso es. Hacía tiempo que no tenía tan claras mis prioridades, así que todo esto me ha ayudado a reconectar con mis deseos.

—¿Qué tal el máster? —preguntó.

—Genial, una pena no haberlo hecho antes, pero nunca es tarde...

—Me alegro mucho por ti.

—Nunca vas a volver a España, ¿verdad? —le pregunté.

Pedro sonrió cabizbajo.

—Me gustaría mucho volver y desde luego también está entre mis prioridades, pero no sabría decir cuándo...

—Pues eso también tienes que explicárselo a Álex.

—Le he dicho que quizás el próximo verano pueda venir conmigo unas semanas a conocer mi casa de Miami; si a ti te parece bien, claro.

Lo miré en silencio. Sabía que era algo que tendría que ocurrir tarde o temprano, la vida de Pedro cada vez se afianzaba más al otro lado del charco y a mí no me quedaba más remedio que aceptarlo, aunque no me gustase.

—Todo dependerá de si él está preparado para ir.

—Claro, él es lo primero —respondió.

—Que paséis buen fin de semana. Y, cualquier cosa, no dudes en llamarme.

—No te preocupes, lo pasaremos bien. Disfruta de un fin de semana para ti.

Y así, después de una conversación adulta y sanadora (eso me dijo la terapeuta de autoestima), cerré la puerta de nuestra casa, de *su* casa.

¿Dónde está Wally?

—Hola, Abril —dijo Maura al teléfono.

—Hola, neni, dime que acabarás el mural pronto. Álex y yo estamos realmente intrigados.

—Sí, lo haré. Creo que en un par de semanas podremos quitar la sábana.

—Bien.

—Eh... No sé cómo decirte esto.

—¡Dios mío, Maura! ¿No habrás vuelto con Roberto, no?

—¡No! —Hubo un silencio en la línea—. Abril..., he visto a Óscar.

—¿A... Óscar? ¿Dónde?

—En el aeropuerto.

—Pero... ¿cómo?

—La verdad es que estaba sentada esperando a que abriesen la puerta de embarque y lo vi. Justo en ese momento levantó la mirada y nos saludamos.

—¿Hablaste con él?

—Pues lo noté un poco sorprendido, pero por ti, amiga mía, y porque está bien bueno, me acerqué a darle dos besos.

Sentía el corazón desbocado mientras escuchaba a Maura. Llevaba más de cinco meses sin tener noticias suyas y de pronto aparecía.

—Hablamos poco, me dijo que acababa de regresar de Etiopía. Tan solo se quedaría unos días porque tiene que terminar un proyecto de la ONG en la que trabaja, o algo así. Estaba cambiado, más delgado, con el pelo más largo y con barba. Joder, Abril, está cañón y parece mayor.

Una corriente recorrió mi cuerpo. Óscar...

—¿Pero, está bien? —pregunté.

—Yo lo vi más que bien. —Silencio de nuevo—. Siento decirte que no me preguntó por ti...

—¿Cómo iba a hacerlo? Pensará que he vuelto con mi exmarido.

—Bueno... ¡por eso te he echado un cable!

—¡Ay, Dios! ¿Qué has hecho, Maura?

—Me comentó que regresaría en Navidades y aproveché para decirle que nosotras estábamos planeando un fiestón de cumpleaños para el próximo año y así celebrar nuestra soltería y también nuestras cuarenta primaveras.

—Ay, ay, Maura...

—Se quedó sorprendido cuando se lo dije, pero no preguntó más. Después hablamos de Fernando, tan majo él... Quizá debería volver a acostarme con él.

—Seguro que te vendría bien —le dije.

—La verdad es que siempre ha estado ahí, esperando, y es tan divertido.

—Sois tal para cual —dije temblando todavía por lo que Maura me acababa de decir.

Cuando colgué tuve que sentarme. Óscar había estado en España. «¡Y no te ha llamado!», reprochó la loca. ¿Y cómo iba a hacerlo si le había hecho pensar que era feliz de nuevo con mi marido?

Al final se había ido a Etiopía... Qué bien, era lo que quería, ya me lo suponía. Me alegraba mucho saber de él, saber que estaba bien y que había cumplido sus planes de irse a otro país a ayudar, porque eso era para lo que él había nacido, para ayudar a los demás de diferentes formas. Conmigo lo había hecho muy pero que muy bien.

Los últimos meses (y a medida que pasaba el tiempo con mayor frecuencia), habían regresado a mi mente nuestros encuentros íntimos, sus caricias, sus besos, su sonrisa, sus labios saboreando un helado de fresa, su sexo maravilloso. Y pensaba que quizás había rehecho su vida y tenía novia, «su chica», como él me había llamado en su día, «su pequeña»... Sería lo más normal teniendo en cuenta su edad y personalidad, pues era de esas personas que atraen desde el primer minuto y no solo por su físico, que era maravilloso, sino por su espíritu, que lo era aún más. Yo lo había degradado muchas veces por su edad haciendo comentarios inoportunos y, sin embargo, me daba tantas vueltas en tantas cosas... Que el amor no tiene edad, ni cara, ni sexo, también me había quedado claro.

¡Me habría gustado tanto hablar con él, poder preguntarle cómo estaba, pedirle disculpas por mi comportamiento, por dejarle pensar algo que no era o darle las gracias por ayudarme a volver a ser yo!

Maura había dicho que se iba de nuevo, y que volvería en Navidades. Quedaba poco para eso, quizás era mi oportunidad para hacer las paces con el karma. Tenía que tejer un plan para volver a verlo, pero ¿cómo? Sus redes sociales seguían mudas y era evidente que ya no tenía el mismo teléfono. ¿Y si probaba con un *e-mail*? Seguro que Maura podría averiguar su dirección. ¿Y si le pedía que investigase a través de Fernando? ¡Sí! Eso haría.

La dirección de correo de Óscar llegó a mis manos al día siguiente. ¡Buena era Maura haciendo gestiones! Fernando le había dicho que prácticamente era imposible comunicarse con él (porque no tenían internet y la comunicación más cercana estaba a cincuenta kilómetros) y también le había preguntado para qué quería la dirección, a lo que Maura le respondió que queríamos invitarlo a la fiesta de nuestro cuarenta cumpleaños y quería avisarlo con tiempo.

Querido Óscar:

Como ves, soy clásica hasta para empezar el encabezado de un e-mail. Me encantaría haberte escrito esta carta de puño y letra, pero no sabría dónde enviarla. Quizá nunca leas este correo, pero hay algo dentro de mí que me dice que llegará a tus manos de alguna forma, así que, como me has aconsejado tantas veces, voy a dejarme guiar por mi intuición.

Lo primero de todo, espero que estés bien. Me ha comentado Maura que os habéis encontrado en el aeropuerto y que venías de Etiopía. No te imaginas cuánto me alegro de que hayas podido cumplir una de tus misiones en la vida.

Sé que mi comportamiento no fue el correcto y que, cuando conoces a alguien bueno, debes dejarlo entrar en tu vida (esto es lo que me decía mi padre), y la verdad es que tú has sido algo más que bueno para mí.

Quería pedirte disculpas, estar veinte años con alguien y romper con todo no es nada fácil, pero eso no justifica lo que ocurrió, que en realidad no fue nada. Me he divorciado del padre de mi hijo y es definitivo, nunca volvimos a estar juntos y lo que viste fue un espejismo de lo que pudo ser. Un acto desesperado por recuperar algo que ya no existía, pero no funcionó, porque ninguno de los dos lo queríamos en realidad; nuestras vidas ya habían tomado caminos distintos. Tú, en cambio, llegaste a la mía para mejorarla, y siempre te estaré agradecida por ello.

Me ha dicho Maura que volverás en Navidades, y me pregunto si tendrás tiempo para tomarte un café conmigo, un chocolate caliente o un helado de fresa...

Te envío un fuerte abrazo estés donde estés.

Abril.

Enviar, enviar, enviar... ¡Sí, claro que enviar!

Mi estrella me envía
una señal

Llevaba más de una semana sin parar de llover, el cielo estaba gris plomizo y todos caminábamos por la calle medio encogidos debajo de nuestros paraguas, noviembre daba sus últimos coletazos y las Navidades acechaban a la vuelta de la esquina. Yo me dirigía a la facultad para una tarde de máster y, de repente, mientras esperaba que el semáforo se pusiera verde, mi mente se trasladó a un año atrás: había acabado poniendo el árbol yo sola con lágrimas en los ojos, presa de la impotencia y la rabia, mientras Álex sufría uno de sus ataques de ira contra mí en su habitación. Cómo habían cambiado las cosas en tan solo doce meses... y para mejor. Hacía tiempo que ya no lloraba, mi tiempo se había ocupado al cien por cien con el máster, las traducciones, los ratos con Álex y, por supuesto, mis clases de yoga. A esto se había sumado una hora de terapia de autoestima a la semana y una relación más cercana si cabía con mi madre.

Sonreí. Este año iba a ser diferente; estaba segura de que Álex me ayudaría a decorar el árbol y, si todo iba como esperaba, serían nuestras últimas Navidades en nuestro piso. Tras pensarlo bien, había decidido que me mudaría aunque no tuviera el presupuesto para alquilar una casa. Empezaríamos por un piso, algo pequeño y acogedor para Álex y para mí, pero, eso sí, con vistas al mar aunque fueran lejanas. Deseaba ver el mar cada mañana y cada noche antes de acostarme.

Mi mirada se fijó en la luz roja del semáforo que parecía no ponerse verde nunca y de repente lo vi: un panel publicitario de dimensiones gigantes alojaba la imagen de un niño moreno y delgado que caminaba sobre la arena de la playa con un paraguas en una mano y un helado de fresa en la otra. «¿Quién dijo que el helado es un manjar exclusivo del verano? Vive doce meses en la playa».

¡Guau! Si quería una señal, no podía tener una más clara. «Gracias, papá, eres y serás siempre mi estrella». Estaba segura de que había sido cosa suya.

—Álex, cariño, ¿te gusta la casa donde vivimos?

—No

—¿No?

—No

—¿Y sería posible saber por qué?

—Porque ya no está papá.

Así eran los niños, balazo directo al grano y al corazón.

—Entiendo y, ¿sabes qué?, a mí me pasa lo mismo; así que he estado pensando que podríamos cambiar de casa. ¿Te gustaría?

Álex seguía impasible, sentado en su sillita en el asiento trasero del coche.

—Bueno...

—¿Qué te parecería si nos mudáramos a vivir cerca de la playa y pudiéramos ver el mar desde la ventana?

—¿Podríamos tener a un mejor amigo? —Ahí estaba su respuesta.

—Pues... no lo sé, cariño, porque para eso sabes que hay que tener espacio como tiene la abuela.

—Ya, pero la abuela no tiene mejor amigo.

—Es que ella es más de gatos.

—Pero los gatos no juegan conmigo a la pelota, ni los puedo llevar por la calle o a la playa...

Buf, la conversación se estaba yendo en una dirección que no era la que yo quería (algo de lo más normal al hablar con un niño de seis años), pero decidí seguir los consejos de la terapeuta: «respira y reconduce con amabilidad».

—Si conseguimos un espacio grande en donde todos estemos cómodos, podríamos pensarnos lo del mejor amigo.

—¡Bien! —dijo el pequeño sonriendo al fin.

Le devolví la sonrisa y puse rumbo a la costa. Era el momento de enseñarle a Álex la zona que sería nuestro nuevo hogar.

Conduje lentamente por el que quería que fuera nuestro nuevo barrio. Estaba dividido en pequeñas áreas residenciales y había algunas zonas maravillosas compuestas por chalets individuales con piscina particular. También había urbanizaciones, de dos plantas como mucho, que albergaban en su interior parque infantil y piscina comunitaria. Esta sería la opción ideal para Álex y para mí, pero, por lo que había visto en internet, los precios de alquiler estaban desorbitados también para los pisos.

Cuando llegamos al puerto, bajamos del coche. Hacía frío, pero no llovía. Álex estaba ilusionado; al igual que a mí, estar cerca del mar le conectaba con su energía más positiva.

Había un grupo de personas en la playa con perros.

—¿Puedo ir, mami?

—Podemos acercarnos, pero ya sabes que antes de acariciar a un mejor amigo hay que preguntarle al dueño.

—Que sííííí...

Él se adelantó a mi paso y llegó hasta donde había unos perros jugando con la arena y algunos palos. Vi cómo Álex se acercaba al grupo de adultos para preguntar si podía jugar con ellos y le dijeron que sí. Mi hijo era como yo, sensible con los animales y la naturaleza. Iba a tener que plantearme muy en serio lo de tener un perro en casa y buscar un hogar que le permitiera estar a gusto.

Cuando llegué a su altura, sonreí al ver su cara de felicidad.

—Mira, mami. Es África, ¿te acuerdas?

Me quedé fría y desconcertada. Miré de inmediato hacia los adultos. Uno de ellos se había girado ante la afirmación del pequeño.

—¿Os conocéis? —preguntó él sonriéndole.

—Sí, mi madre es amiga de su dueño. ¿Cómo se llamaba, mamá..., Óscar?

Salí del estado de *shock* inesperado y me acerqué más hacia ellos.

—Sí, cielo, Óscar. —Me agaché a acariciar a la perra, que parecía acordarse de nosotros, al menos de mí, y saludé al desconocido mientras lo miraba avergonzada. ¿Por qué me sentía así?

—Hola —dijo él dándome la mano—. Soy Jaime, el hermano de Óscar.

¡Guau! Lo miré fijamente, era moreno como él, y algo más mayor, quizás unos cinco o seis años. Tenía sus mismos ojos, pero la forma de la cara era diferente. Por un momento me quedé hipnotizada. «¡Abril, reacciona!», me espabiló la loca (a veces, todo hay que decirlo, me echaba un cable).

—Hola —dije ofreciendo también mi mano—, soy Abril y este es mi hijo, Álex, un apasionado de los perros.

—Ya veo —dijo él sonriendo—. Una pena que no haya venido Carlos hoy a la playa. Es mi hijo y tiene cuatro años. Le encanta pasar tiempo con África, sobre todo ahora que su dueño va a regresar y se la llevará de nuestra casa.

Ese comentario me sacudió el corazón; cada vez quedaba menos para que Óscar regresase. ¿Querría verme? ¿Aceptaría mi invitación para tomar un café?

—Sí, ya no falta nada para las Navidades —dije.

—¿Vivís por aquí? —preguntó.

—Pues estamos en ello, nos gustaría mudarnos, pero no es fácil.

—No, no lo es, aunque el invierno es buena época para buscar —dijo amable.

Así que Óscar tenía un hermano y un sobrino casi de la edad de mi hijo. Me había hablado de sus padres y de que vivía en la costa, pero nunca de su hermano.

—¿Has ido a la zona este? Me han dicho que por allí están alquilando y vendiendo alguna casa antigua de pescadores, les hace falta reforma, pero hay alguna que está para habitar.

—No lo sabía, muchas gracias por la información. Ahora debemos irnos —dije mirando hacia Álex, que no paraba de correr detrás de África.

—¡Joooooo! —El pequeño se abrazó a África y ella se dejó mimar.

—Encantado de conocerte, Abril. Los amigos de mi hermano siempre son bien recibidos. Nosotros vivimos allí —dijo señalando a una urbanización nueva a unos metros de la playa.

—Excelente ubicación —dije.

—Sí, la verdad. Es muy relajante llegar aquí después de un día de trabajo y, desde que tenemos a África, venimos a la playa todos los días

—respondió guiñándole un ojo a Álex—. Creo que, cuando se vaya, vamos a tener que pensar en adoptar a una como ella.

Su forma de hablar era parecida a la de Óscar: pausado, tranquilo, amable, sonriente; transmitía una energía muy bonita.

—Encantados de conocerte —dije—. Hasta otro día.

En el camino hacia el coche, mi mente iba a mil por hora. «Recapitulemos: me paro en un semáforo, veo un cartel con un niño parecido a Óscar con un helado de fresa en la mano. Señal clara de "¡ven a la playa!". Obedezco y me encuentro a África y al hermano de Óscar, que es encantador como él y que además vive donde yo quiero vivir... Menudo *pack* de señales me has enviado, universo. Tranquilo, que lo pillo; sé que debo seguir la siguiente pista e ir a la zona este. Quizás allí esté mi nuevo hogar esperándome».

Echando cuentas

Al día siguiente, decidí aplazar las traducciones unas horas y dedicar toda la mañana a visitar la zona este de la costa, así como las distintas inmobiliarias. Una energía especial me hizo saltar de la cama.

Hacía muchos años que no iba por esa zona, pero recordaba haber ido con mis padres cuando era pequeña a comprar pescado fresco recién salido del mar. Las casas seguían siendo las mismas, aunque con más años encima. Muchas de ellas estaban deterioradas, pero Jaime tenía razón y también había otras reformadas.

El complejo constaba de pequeñas casas situadas en línea frente al mar. La mayoría eran pequeñas de una planta o con bajo cubierta, como mucho, pero todas tenían un pequeño jardín hacia el mar en donde antiguamente los pescadores guardaban sus barcas y limpiaban la pesca. Tenían una energía especial.

Vi el cartel de «Se vende» en una de ellas. No tenía mal aspecto aunque, sin duda, le hacía falta una reforma. Mi idea no era comprar, sino alquilar, porque no podía permitirme una hipoteca, al menos hasta que acabase el máster y pudiera ahorrar algo. De todos modos, decidí llamar a la inmobiliaria al momento, quería visitarla por dentro. Y, parecía que los astros estaban de mi lado, porque una chica muy amable se acercó para enseñármela. Solo teníamos veinte minutos, pero fue tiempo suficiente para verla y enamorarme de ella.

La puerta principal se abría a un pequeño pasillo en el que había un baño a la izquierda y una cocina a la derecha con luz natural. Al fondo, la estancia más amplia: el salón con acceso directo al jardín y... al mar. El jardín era pequeño, pero suficiente para poner un cenador y desayunar cada mañana que el tiempo lo permitiese respirando el océano. Álex tendría sitio para jugar a la pelota, aunque casi mejor hacerlo en la playa. También era un sitio ideal para un nuevo mejor amigo en nuestra vida.

Una energía positiva me invadió por completo y Laura, que así se llamaba la eficiente agente inmobiliaria, me llevó a la segunda planta, donde había dos habitaciones y un baño más amplio. Las dos habitaciones, a pesar de necesitar una importante reforma (igual que los baños), eran maravillosas, pues ambas tenían ventanas con vistas al océano. ¡Vaya! Entendía que esa zona se estuviese revalorizando. Antiguamente solo los pescadores vivían allí, pero ahora era un paraíso.

—Su precio de venta está en 180.000 €, pero, claro, hay que tener en cuenta la reforma.

—¿Existe posibilidad de alquiler? —pregunté.

—No, su dueño falleció hace dos años y los hijos no viven aquí, así que quieren venderla.

—Entiendo. ¿Podría volver a visitarla con alguien más?

—Por supuesto —dijo Laura con una amplia sonrisa—. Solo tienes que avisarme.

Necesitaba llevar a mamá.

—Hija, cuántos recuerdos me trae esta zona. Pasamos tan buenos momentos por aquí...

—Lo sé, mamá, yo tengo las mismas sensaciones, por eso quería que vieras esta casa. Me enamoré a primera vista y creo que a Álex le encantaría. Lo malo es que no la alquilan. Quizás el año que viene podría solicitar la hipoteca, pero para entonces probablemente ya la habrán vendido. De todos modos, he seguido muchas señales que me han traído hasta aquí y algo me dice que este debería ser nuestro nuevo hogar, aunque tenga que hipotecarme de por vida.

—Hija..., vamos al jardín —dijo mi madre—, quiero oler el mar.

Nos sentamos en un banco de madera antiguo mirando hacia la playa. Laura se retiró para dejarnos espacio para hablar.

—Abril, no sabes lo feliz que me hace volver a verte como eres, con la energía con la que naciste. Hacía mucho tiempo que no la veía salir.

Sonreí.

—Esta casa, como dices, es genial y parece que es lo que buscas, y el destino te la ha puesto en bandeja. No vamos a dejar que algo económico estropee los planes que el universo tiene para ti. —La miré sorprendida—. Cuando vendí la casa de la playa, la mitad de lo que me dieron lo invertí en un producto financiero que ha estado rentando hasta ahora. Por supuesto, todo este dinero lo guardé para ti, es la parte de tu padre y te corresponde por herencia. Por lo que me cuentas, ha llegado el momento de que pase a tus manos y hagas lo que te plazca con él.

—Mamá, pero yo... no sabía... Pensé que...

—Jose Mari y yo estamos bien, sigo teniendo ahorros en el banco, además de una buena pensión. Esto siempre ha sido para ti, pero, como te casaste tan joven y nunca os hizo falta nada, lo guardé para cuando llegara el momento y no se me ocurre uno mejor. Tu padre nos está enviando una señal a las dos —dijo ella con lágrimas en los ojos.

La abracé muy fuerte y el océano fue testigo una vez más de nuestra conexión y de nuestros recuerdos.

Jingle bells

Comenzaba el puente de diciembre y el lunes siguiente firmábamos la compra de nuestra nueva casa. Las últimas semanas todo había ido muy rápido. Resultó que mi madre tenía ahorrados 200.000 €, así que no tendría que hipotecarme y, además, me quedaba una pequeña parte para empezar con la reforma. Había pedido algo al banco y Jose Mari, manitas por naturaleza, se había ofrecido a ayudarme en muchas de las tareas de restauración.

Mi energía positiva se había duplicado, la ilusión iluminaba mi mirada cada mañana y hacía miles de planes por la noche antes de dormirme.

Álex estaba loco de contento y, aunque me había dicho que estaba muy vieja para vivir en ella, le había encantado la casa; se había enamorado del jardín y todos los días me preguntaba cuándo tendríamos un mejor amigo.

Le había comunicado a Pedro nuestra decisión de abandonar el piso conyugal. Ya no existía matrimonio, así que ¿por qué conservar el hogar familiar? Mis predicciones no fallaron y me comunicó su deseo de ponerlo en venta. Se sentía a gusto en el piso que había alquilado para vivir con Álex cuando estaba en el país y, aunque no me lo dijo, sabía que no quería remover recuerdos. Por supuesto, no le dije nada del regalito que le había dejado Maura en el salón, ya lo vería llegado el momento.

Iban a ser nuestras últimas Navidades en nuestro piso y, a pesar de haberlo pasado tan mal allí, sentía algo de nostalgia al pensar en la mudanza (aunque esta no impedía que me muriera de ganas de empezar a construir nuestro nuevo hogar junto al mar). En enero comenzaría la reforma y me habían prometido que Álex y yo pasaríamos el verano en ella.

Pero no todo eran buenas noticias, pues seguía sin saber nada de Óscar. ¿Habría recibido mi correo electrónico? ¿No me contestaba porque no quería? ¿Le habría dicho su hermano que nos había visto en la playa? Estaba segura de que con él se comunicaba, porque necesitaba saber de África...

Una semana después, trabajando sobre una propuesta del máster, un correo entrante irrumpió en la pantalla, era un *e-mail* de Pedro:

Buenas tardes, Abril, te escribo para decirte que este año me gustaría pasar el Fin de Año con Álex. Las pasadas Navidades fueron muy duras sin verlo y querría empezar el año en su compañía. Estamos planeando una Nochevieja en un balneario de la costa que incluye muchas actividades específicas para niños.

La idea, si a ti te parece bien, sería recogerlo el día 27 y regresar el 4 de enero. Esta vez también Elsa vendrá con nosotros.

Cualquier cosa que me quieras comentar será bienvenida.

Un abrazo.

Rompiendo moldes

Hacía ya tres semanas que había enviado mi *e-mail* a Óscar y seguía sin tener ninguna contestación. Según mi programa de correo, se había leído, así que ese silencio por respuesta no auguraba nada bueno... «A lo mejor no fue él quien lo leyó», sugirió la loca (sí, últimamente la pillaba algún día poniéndose a mi favor, ¡parecía que la terapia de autoestima empezaba a dar sus frutos!).

Las buenas noticias eran que el máster iba viento en popa (el primer cuatrimestre había sido fantástico, una inyección de adrenalina para mi ilusión) y, además, y lo más importante: Álex y yo tendríamos una casa en la playa y en propiedad. Aún no me lo creía. «Gracias, papá. Gracias, mamá».

Ese día acudí a nuestra clase de yoga con algo más de antelación, se acercaban las Navidades y queríamos ponernos al día.

—Pedro se trae a su nueva mujer para pasar el Fin de Año con Álex, en un balneario —dije de sopetón para inaugurar nuestra sesión.

—Bueno, tarde o temprano tenía que pasar —dijo Susana.

—Sí, sí, lo sé —respondí—. Y la verdad es que Álex está muy ilusionado con ir al balneario y me ha dicho que ella es maja.

—Bueno, pues mejor para él. Te digo por experiencia que lo mejor para ti y tu tranquilidad es que la pareja de tu ex se lleve bien con tu hijo.

—Es cierto, pero aún no sé cómo me hace sentir todo esto.

—Es normal —dijo Maura—, es la primera vez. Te acostumbrarás, ya lo verás.

Me sorprendió la filosofía con la que nos tomábamos todas este tipo de noticias últimamente, sin juzgar e intentando ver el lado positivo de cada situación. Parecía que la terapia de autoestima estaba haciendo milagros en las tres.

—Por cierto, chicas —siguió Maura—, estoy preparando un fiestón para nuestro cuarenta cumpleaños ¡que va a temblar toda la ciudad!

—Miedo me das —dijo Susana.

—Maura, no te excedas, por favor, ¡tampoco es para tanto cumplir cuarenta! —exclamé.

—Vaya, vaya, y esto lo dice la que predicaba que la edad lo era todo hace unos meses...

—Eres una exagerada, pero, en todo caso, me he dado cuenta de que no es así.

—¡Bien por ti! —dijo ella sorbiendo su té—. He pensado que junio sería un buen mes para celebrarlo. Las tres cumplimos en primavera y en junio suele hacer buen tiempo. ¿Qué os parece?

—Me parece bien. Con un poco de suerte ya tendré mi casa nueva y quizá podamos hacer allí el aperitivo o la fiesta entera —dije ilusionada.

—Menudo pelotazo que has dado con la casa en la playa, amiga —afirmó Maura guiñándome un ojo.

—Sandra, la hermana de Elisabeth, se va a Australia estas Navidades.

Maura y yo giramos nuestra mirada hacia Susana.

—Dice que a verla a ella y también a los familiares que tienen allí.

—Así que te quedas sola con los *mellis* —dedujo Maura.

—Pues... no lo sé.

—¿Qué tramas, abogada? —continuó Maura.

—He pensado que quizá pueda ir con Sandra y los *mellis* a pasar allí el Fin de Año...

—¿A Australia?— pregunté sorprendida pero sonriendo.

Ella asintió.

—Yo ya te lo dije hace tiempo —respondió Maura sonriendo también—, ¡ve a por ella!

—Veréis, los wasaps con Elisabeth son cada vez más distantes. Tan solo le envío fotos de los *mellis* de vez en cuando y me contesta con un pulgar hacia arriba o corazones, eso es todo. Ya ha pasado mucho tiempo desde que se fue y creí que... podría olvidarla y seguir con mi vida, pero...

—No es así —la animé.

Asintió de nuevo.

—Sandra es fantástica y ha sabido ganarse a los niños, y sin embargo...

—No es ella —se adelantó Maura.

—Creo que voy a pedirle que vuelva... —continuó Susi.

—¿Y te vas a recorrer el planeta solo para decirle eso, que vuelva? —la azuzó Maura.

—No... Buf —dijo Susi llevándose las manos a la cara—. Estoy acojonada porque sé que, cuando abra la caja de Pandora, no habrá marcha atrás. Pero también sé que no solamente los *mellis* la echan de menos, yo también. Quiero que vuelva a casa, pero no para trabajar, para... estar, simplemente para eso. Quiero volver a verla y... que sea lo que tenga que ser...

—¡Guau, neni! ¡Qué valiente! ¡Así me gusta! —dijo Maura abrazándola fuerte—. De esta matas a tus viejos —dijo para rematar.

Yo las miraba sonriente.

—Estoy muerta de miedo —nos confesó—. ¿Y si no quiere ni verme? ¿Y si me rechaza? ¿Y si decide quedarse en Australia para siempre? ¿Y si ya tiene otra pareja?

—Eso no lo sabrás hasta que muevas el culo hasta allí y hables con ella —zanjó Maura.

—Creo que Sandra está al corriente de todo, quiero decir, de lo que pasó entre nosotras, de lo que supuestamente ella siente por mí...

—¿Le has dicho que estás pensando en irte con ella? —pregunté.

—En realidad es ella la que me anima a hacerlo, me ha dicho que sería una fantástica sorpresa para Elisabeth ver de nuevo a los niños y también a mí.

—Enhorabuena, cariño, tienes un planazo para estas Navidades —dijo Maura.

Yo le apreté la mano para darle fuerza.

—¿Y tú qué harás? —le pregunté a Maura.

—Pues creo que me iré a Cuba, pero esta vez para quedarme unos días. Hay una exposición de un pintor fantástico de La Habana y estoy deseando verla. Además, si tengo suerte, a lo mejor podré asistir a alguna de sus clases.

—Retomando viejas pasiones —afirmé.

—Exacto, y te lo debo a ti, Abril. Pintar el mural de tu salón me ha hecho desconectar y reconectar de nuevo con algo que me hace sentir libre.

—Quizás este sea tu propósito vital, ese del que nos habla la terapeuta y está tan de moda últimamente.

—Estoy yo pensando... ¿por qué no te vienes conmigo a Cuba?

—¿Acaso vas a ir sola? —pregunté con segundas.

—Fernando quiere acompañarme y no me importa que lo haga, es una grata compañía.

—Y está loquito por ti —añadí.

—Pero puedes venir igual —dijo ella.

—Gracias, pero estoy muy ilusionada con la casa y, mientras Álex esté con su padre, quiero aprovechar para hacer un poco de limpieza e ir organizando cosas.

—Este año voy a innovar en el menú de Navidad —dijo mamá el domingo siguiente, mientras comíamos en su casa.

—Me parece bien —le dije sonriente.

—Me ha pasado Chelita una receta nueva que no voy a desvelar y está riquísima, la probé en su casa la última vez.

—Pero ¿habrá turrón de chocolate? —preguntó mi pequeño Álex.

—Eso nunca faltará, cielo —dijo ella.

Como siempre, pasaríamos las Navidades con mi madre y Jose Mari. Siempre había sido así, Pedro tenía poca relación con su familia y yo necesitaba estar cerca de la mía en esas fechas.

Antes de servir el café, revisé mi móvil y vi que tenía un correo entrante en mi bandeja. Seguro que era alguna promoción de fin de semana. Lo abrí igualmente y era... ¡era Óscar!

Querida Abril:

No te imaginas la ilusión que me ha hecho saber de ti (como ves yo también soy clásico con los encabezados).

Esa frase me hizo sonreír.

Como bien dices, me encontré a Maura en el aeropuerto y la vi tan divertida como siempre. Me contó lo de vuestra fiesta de los cuarenta, seguro que será un fiestón teniendo en cuenta quién lo organiza. Con todo lo que he visto y veo por aquí, cada año que se cumple es una bendición y poder celebrarlo con la gente que quieres, un regalo.

Este viaje está siendo muy sanador. Creo que todos en la vida deberíamos experimentar algo así. Regreso totalmente desintoxicado y con ganas de más.

Aprovecho la ocasión para presentarte a mi nuevo apadrinado, se llama Issa, tiene siete años y vive en la aldea en donde estoy con la organización. Su madre lo dejó en el orfanato cuando él tenía cuatro años, estaba enferma y no iba a sobrevivir, así que tuvo que dejarlo pero con un buen seguro de vida, una cabra.

—¡Oh! —exclamé llevándome la mano a los labios. Issa era un niño precioso que transmitía alegría y ternura. Sonreía a la cámara abrazado a... Óscar. Estaba tan... mayor...

Su trabajo consiste en llevar la cabra a pastar y vender la leche, pero en realidad es un crío muy listo y con un corazón de oro. Nos hemos hecho inseparables... He decidido apadrinarlo para asegurarme de que no le falte ni agua ni alimento.

—¡Oh! Óscar... —exclamé de nuevo emocionada—. Y pensar que podría haber ido contigo unas semanas y vivir esa experiencia en persona...

Siempre pensé que Óscar era un ser maravilloso, pero esto... desde luego era un acto de madurez, solidaridad y amor.

Seguí leyendo su *e-mail*:

En dos semanas volveré a España y, la verdad, me costará despedirme de él, pero le he prometido que volveré en cuanto pueda.

Acepto de buena gana ese café que me propones, me encantará verte y enseñarte las fotografías que he sacado por aquí.

—¡Ohhh! —Mis manos se fueron de nuevo a mi boca. Iba a ver a Óscar. Había aceptado mi café.

Levanté la mirada y vi a mi madre en el marco de la puerta, sonriendo.

El mural de Maura

Durante las dos semanas siguientes me levanté cada día con una sonrisa y un brillo especial en los ojos. Había releído el correo de Óscar muchísimas veces y siempre me quedaba embelesada con Issa y ese acto de amor tan grande. Estaba tan ilusionada que me atreví a enseñarle a Álex la foto de Issa con Óscar, al fin y al cabo sabía que éramos amigos y me gustaba contarle a mi hijo cómo viven otros niños en diferentes lugares del planeta. Seguía impresionada por el espíritu de Óscar y también por su capacidad para perdonar...

El cuatrimestre había llegado a su fin y con él el plazo de los trabajos del máster a presentar. Entre eso, las traducciones, el festival de Navidad de Álex y la compra de regalos, los días habían pasado a una velocidad de vértigo.

Al final de su *e-mail*, Óscar me decía que aterrizaría en España el 18 de diciembre y de esto ya habían pasado dos días. De momento no sabía nada de él, pero era normal, su tiempo sería ahora para su familia, amigos y África. «A lo mejor ha cambiado de opinión y ya no quiere verte», dijo la loca; era una posibilidad. Pero Óscar era una persona directa; si fuese así, me lo habría dicho.

El sonido del timbre me sacó de mis pensamientos. Maura llegaba esa tarde a nuestra casa para desvelarnos el misterio del mural.

—¿Puedo tirar yo de la sábana? —preguntó Álex.

—¿Qué te parece si lo hacemos los dos a la vez? —contestó ella—. Uno de cada lado.

—Vale —dijo el pequeño.

—Una, dos y... ¡tres!

Tiraron de la sábana hasta dejar la pared al descubierto. Yo le eché un vistazo sin entender muy bien y entonces lo vi claro, tan claro que mi reacción fue abrazar a mi amiga y darle las gracias una vez más.

—¡Eres una artista!

En la imagen se veía a una mujer de figura abstracta, con rasgos parecidos a los míos, caminando de espaldas hacia el mar mientras se cerraba una puerta. En la mano derecha sujetaba la mano de un niño que caminaba junto a ella y, en la izquierda, una pila de libros de los que brotaban letras del abecedario creando palabras en diferentes idiomas que ascendían hacia el cielo y se perdían entre las estrellas bajo las que caminaban. La mujer tenía la cara ladeada dejando entrever una gran sonrisa...

—Lo has clavado, amiga.

Y se hizo la magia.

Una llamada por videoconferencia de Susana rompió mi concentración en la tarea que estaba haciendo para el máster. Estábamos a 22 de diciembre y al día siguiente volaba con sus hijos y Sandra al otro lado del planeta. Estaba muy nerviosa.

—¡Ay, Abril! Espero no equivocarme. Me están matando las dudas y, además, están los *mellis*. ¿No será demasiado para ellos someterlos a un viaje de tantas horas a su edad? Menos mal que voy con Sandra, si no, no sé cómo lo haría.

—Estoy segura de que a Elisabeth le va a encantar veros allí. No se lo espera, y esto jugará a tu favor. Además, piensa que los *mellis* se pondrán muy felices al verla.

—Sí, eso es verdad. Y tú, ¿cómo estás? ¿Alguna novedad?

—Pues todavía no... —En ese preciso momento escuché el sonido de un wasap en mi móvil y lo miré de reojo—. ¡Oh...! Me acaba de entrar un mensaje de Óscar.

—¡Qué bien! ¿Qué dice, qué dice? Bueno, mejor cuéntamelo todo por el chat de grupo, ¿ok? ¡Que aún me faltan trescientas maletas por hacer! Prometo llamaros en cuanto llegue. Os quiero mucho, Abril. Las tres hemos sido muy valientes este año, así que espero que el karma nos recompense.

—Disfruta mucho, Susi. —«Suerte, amiga», pensé.

Buenos días, Abril, he aterrizado hace unos días en este nuevo mundo y me preguntaba cuándo podrías invitarme a ese café que me ofreciste estando tan lejos. Un beso.

«¡Oh! Quiere verme». Me levanté de la silla llevándome las manos a la cara con una sonrisa. Mi corazón latía con fuerza y sentía la adrenalina en la boca del estómago. Óscar ya había llegado y, como el ser maravilloso que era, me abría una puerta... «No te hagas ilusiones, a lo mejor solo quiere tomarse un café contigo para cumplir su promesa», decía la loca. Pero, aunque así fuera, me permitía acercarme de nuevo y esta vez me iba a comportar como una mujer adulta y madura.

«Tengo que contestar, pero ¿qué le digo, qué le digo?».

Otra llamada entrante por Skype. Esta vez el rostro de Maura apareció en la pantalla del ordenador. Le di a aceptar sin más.

—Tenemos a Susi con un ataque de nervios en medio de un millón de maletas. Se me ocurrió pasarme por su casa a despedirme esta mañana y me costó encontrarla entre tanto caos.

—Sí, lo sé, acabo de hablar con ella —dije pensativa.

—¿Y a ti qué te pasa?

—Nada, nada.

—Venga, desembucha, que nos conocemos.

—Nada, es solo que Óscar acaba de contestar a mi correo y me dice que nos tomemos un café juntos uno de estos días —dije con poca importancia.

Un grito ensordecedor se filtró por la pantalla de mi portátil haciéndome pegar un salto.

—¡Por Dios, Maura! ¡Que me va a dar un infarto!

—¡Abril, estás en racha! Y yo que te llamaba para convencerte de que te compraras un billete de última hora y viajaras con nosotros a Cuba, pero ya veo que tienes mejores planes...

—No es nada, Maura, solo un café... pero la verdad es que tengo ganas de verlo.

—Pues, venga, espabila, queda cuanto antes con él y ponte cañón.

—¡Ba! Por favor, no le comentes nada a Fernando, no quiero que...

—¿Qué? ¿Que sepa que te mueres por los huesos de su amigo?

—No es eso...

—Abril, Abril..., cuanto antes admitas que lo que sientes es algo más que ternura, antes te permitirás ser feliz.

Con lo cabra loca que era y menudos consejos que daba la jodida... Quizá no iba desencaminada. ¿Qué sentía realmente por Óscar? No sabía ponerle nombre, pero desde luego sentía unas enormes ganas de verlo.

Tenía que contestar, así que me despedí de Maura y agarré mi móvil:

Hola, Óscar, me alegra saber que has llegado bien. 😊 ¿Qué te parece si nos tomamos ese café hoy a eso de las seis?

Álex estaba en una fiesta, y hasta las 20:30 no iría a recogerlo.

Escribiendo... «¡Está escribiendo! ¡Está escribiendo!», me dije sobresaltada dando vueltas por el salón.

Me parece perfecto. ¿Nos vemos en el café que hay cerca de la estación de tren? Ya estuvimos allí en alguna ocasión. 😊

Genial, contesté.

Nos vemos en un ratito, dijo él.

¿Y ahora qué me ponía?

Chocolate con mariposas

En la calle hacía el frío típico del mes de diciembre, así que decidí ponerme unos pantalones pitillo negros con unos botines del mismo color y un jersey de cuello vuelto. En la cara, un poco de polvos y un tono rosa en los labios.

Estaba nerviosa y con un nudo muy agradable en el estómago. «¿Serán mariposas?», me preguntaba. «Estás pillada», me dijo la loca de la casa. Decidí ignorarla y que no me fastidiase la tarde. Aún no me lo creía, íbamos a vernos después de tantos meses y tantas comeduras de cabeza...

Salí de casa una hora antes de la cita. A pesar de las bajas temperaturas, iría caminando, necesitaba descargar parte de la adrenalina que llevaba dentro.

Cuando llegué al pequeño café en el que habíamos estado casi un año antes, aún faltaban veinticinco minutos para nuestra cita, pero decidí entrar. Había muchos libros y revistas que leer y era un lugar acogedor que te hacía sentir a gusto.

Pedí un chocolate caliente y me acomodé en la mesa del fondo pegada a la cristalera, la misma en la que habíamos tomado café meses antes.

Respiré profundamente y me sumergí en la lectura de un periódico antiguo que fechaba del siglo pasado. En la portada aparecía una foto en blanco y negro de un avión parado en una pista de aterrizaje rodeado de personas. Era la imagen del primer vuelo que se había hecho en la región. Como no podía ser de otra manera, parecía que habíamos quedado en un lugar lleno de magia.

Miré hacia fuera y amenazaba lluvia, tendría que volver en bus a casa. Faltaban cinco minutos para las seis. «Concéntrate en la lectura, Abril», me decía la loca, que parecía que estaba sufriendo por mis nervios.

De repente, sentí un escalofrío por todo el cuerpo y un aroma muy agradable y familiar invadió mis sentidos. Levanté la mirada del periódico y vi a un chico delgado, con barba de varios días y pelo húmedo por una reciente ducha caminando hacia mí. El tiempo transcurrió a cámara lenta. Fui recorriendo su cuerpo con mi mirada hasta llegar a sus ojos. Su brillo inconfundible y esa sonrisa luminosa no dejaba lugar a dudas, era él, Óscar.

El *shock* del instante me paralizó, pero aun así pude ponerme de pie para recibirlo. «¿Nos damos la mano? ¿Dos besos? ¿Uno solo? ¡Dios, ¿qué hago?!». No hizo falta hacer nada porque, como era de esperar, Óscar tomó la iniciativa y me envolvió en un cálido abrazo que me hizo sentir inmediatamente invadida por todo su aroma, su energía y su calor.

Cuando nos separamos, me temblaban literalmente las piernas, pero estaba sonriendo, sonriéndole, devolviéndole su gesto de amabilidad. Él me miraba sonriente levantando las cejas.

—Hola, Abril.

—Hola —dije sonriendo como una adolescente.

—Creo que mi abuelo está en esa foto —dijo él refiriéndose a la foto del aeropuerto—, es uno de los niños de la imagen. ¿Nos sentamos? —preguntó apretando mis manos.

—¡Claro! —pude responder.

El camarero se acercó y Óscar pidió un café solo. En ese instante volví a observarlo, parecía que habían pasado años desde la última vez. Su aspecto lo hacía mayor, maduro, sereno y estaba tan... guapo.

—Estás tan... cambiado y muy moreno —acerté a decir mientras él sonreía—. Parece que hayan pasado siglos.

—En realidad, creo que han pasado, al menos por mi mente —respondió mientras posaba sus manos alrededor de la taza de café caliente—. ¿Cómo estás? —preguntó.

Me sorprendió la pregunta.

—Creo que el que tiene mucho y más interesante que contar eres tú, pero estoy bien —respondí mirando al chocolate sin perder la sonrisa tonta.

«Es el momento, Abril», me animó sin tapujos la loca.

—Óscar, verás..., antes de nada, me gustaría... pedirte disculpas. —Él me miraba en silencio—. La última vez que nos vimos... yo...

Puso sus manos calientes sobre las mías mientras negaba con la cabeza.

—No hay nada de qué disculparse, Abril; las cosas pasan porque tienen que pasar. Nosotros tenemos nuestros tiempos, pero el universo a veces tiene otros planes —dijo encogiéndose de hombros.

—Gracias —dije—, pero necesito decirlo. He estado mucho tiempo sintiéndome muy mal por cómo... me despedí de ti... Lo que viste aquel día en la calle sé que te hizo pensar lo evidente, pero, aunque suena a tópico, a veces las cosas no son lo que parecen. —Agradecí el silencio y respeto de Óscar, me animaba a continuar—. No te voy a engañar, estar veinte años con una persona con la que has compartido tanto y hecho tantos planes, y de repente tener que decirle adiós no es fácil. El caso es que, cuando tú y yo nos conocimos, no estaba en mi mejor momento. Sin embargo, me ha quedado claro que las cosas no siempre ocurren cuando uno quiere, sino cuando el universo te las manda... Fuiste y eres una persona especial en mi vida, de esas a las que hay que dejar entrar... —dije mirándolo por fin a los ojos.

Óscar seguía sonriendo, era una buena noticia.

—Sigues siendo tan increíblemente especial como te recordaba, pero además ahora te veo más... fuerte, con más energía si cabe. No sé lo que has hecho estos meses, Abril, pero sin duda te han sentado muy bien —declaró él.

Sonreí de nuevo.

—No tienes que disculparte, lo entiendo. No voy a decirte que no me dolió verte aquel día en la calle, pero... cada uno vivimos nuestras experiencias, y desde luego tú necesitabas averiguar qué hacer con la tuya. Me alegra verte tan bien, eso es señal de que has tomado una buena decisión.

«Oh..., Óscar...».

—Cuando Maura me habló de ti en el aeropuerto, me sorprendí, y cuando recibí tu *e-mail* estando en aquel lugar del planeta en el que la Coca-Cola más cercana estaba a cincuenta kilómetros e internet a otros tantos, me encantó la señal, tu señal.

¿Era posible que estuviéramos hablando en este tono a pleno día a las seis de la tarde? Óscar se puso serio:

—Cuando tenía dieciséis años, un día me puse malo en el colegio. Mi madre, en aquella época, viajaba mucho por su trabajo y no pude localizarla, así que me fui a casa con un dolor de cabeza descomunal. Cuando abrí la puerta, me encontré a mi padre en su dormitorio con una mujer en la cama, que evidentemente no era mi madre. Mi mundo se rompió en mil pedazos. Salí huyendo de allí con el corazón desbocado y tardé tres días en regresar a casa. Cuando lo hice, mi padre ya no estaba allí. Había confesado su infidelidad a mi madre y esta lo había echado.

»Los meses que siguieron fueron muy convulsos, nunca me sentí tan solo en mi vida. Mi hermano es cinco años mayor que yo y estaba estudiando en otra ciudad, así que tuve que tragarme los sollozos nocturnos y la depresión de mi madre yo solo.

—Óscar... —susurré envolviendo sus manos.

Él me miró convencido y necesitado de continuar.

—En esa época sentí tanta rabia y odio hacia mi padre que aproveché la adolescencia para dejar salir mi lado oscuro y autodestructivo. Caí en varias adicciones, solo quería evadirme, rebelarme ante la vida. Un día me pasé de la raya y acabé en un hospital. Estuve setenta y dos horas en coma. Cuando me desperté, vi a mis padres de nuevo juntos, abrazados, conectados.

»Mi madre me imploró que siguiera los pasos de una asociación de desintoxicación y así lo hice... Ahora ya sabes por qué me fui a Bérgamo.

Asentí con lágrimas en los ojos.

—¿Recuerdas lo que te conté de los guías espirituales? —preguntó entonces—. Como te dije, mi padre ha sido el mejor de mi vida. En Bérgamo me enseñaron a quererme, a creer en mí, a conectar con mi esencia, a escucharme, a respetar los silencios..., a perdonarle y a perdonarme por haberme puesto en peligro y perder casi la vida.

»La vida no es fácil, a veces se complica y es justo en ese momento cuando puedes decidir evolucionar y dejar salir tu mejor versión. Creo que tu divorcio y el duelo están dejando salir lo mejor de ti y que te estás empezando a dar cuenta, aunque yo ya lo descubrí el primer día que te vi. —Sonrió—. Tienes una energía muy bonita, Abril, no lo dudes.

¿Qué decir ante la pedazo de historia? Mis manos seguían aferradas a las suyas y él no me apartó. Hubo un silencio más largo del habitual.

—Muchas gracias por contármelo —acerté a decir—. Tu historia es... inspiradora. Ahora entiendo tu afán de ayudar a los demás y tu madurez. Perdóname por haberlo puesto en duda.

Óscar alejó sus manos de las mías y regresó su sonrisa y su luz.

—¿Te apetece ver algunas fotos?

—Claro —respondí animada enjugándome las lágrimas.

Me enseñó decenas de fotos de su vida en Etiopía, y en muchas de ellas estaba Issa. Cuando lo miraba y hablaba de él, sentía la emoción en sus palabras. El pequeño parecía adorable. Me contó que todavía se acordaba de su madre biológica, de cuando lo dejó allí con su cabra para que se ganase la vida... El crío aún esperaba su regreso, pero lo cierto era que su mamá se había ido a las estrellas, desde donde lo cuidaba cada día. Esas palabras dichas por Óscar, de un niño con una edad similar a la de mi hijo, me hacían saltar las lágrimas.

A pesar de todo, él se mostraba optimista y el pequeño sonreía en cada una de las imágenes.

—La vida te pone delante retos y a mí me ha puesto a este pequeño sabio del que tanto he aprendido. De hecho, gracias a él tengo más claro que nunca que la felicidad está en cualquier instante.

—Tuvo que costarte mucho despedirte de él.

—Sí, pero sabe que volveremos a vernos.

Óscar me enseñó más imágenes con otros chicos y chicas compañeros de la ONG con la que colaboraba. Mientras me explicaba quiénes eran, se acariciaba la barba en un gesto tan sexi que tuve que contener mis impulsos y los de la loca, que estaba desatada.

—¿Y cómo te recibió África? —pregunté divertida.

—Buf —dijo llevándose una mano a la frente—, tengo el cuerpo molido de lo mucho que saltó sobre mí.

Reímos juntos.

—Álex y yo la vimos no hace mucho...

—Lo sé, mi hermano me lo dijo y también me dijo que le habíais caído muy bien. ¿Cómo está Álex?

—Creciendo a pasos agigantados —dije orgullosa—. Y muy bien, está muy bien. Ahora mismo está en una fiesta. —Miré el reloj instintivamente: ¡eran las ocho de la tarde! ¿Pero cómo era posible? ¿Ya?

—¿Has venido en coche? —preguntó Óscar al ver mi cara de urgencia.

—No, de hecho tengo que salir a buscarlo para ir a recoger a Álex.

—Quizá te apetezca hacer una pequeña excursión en una vieja amiga —dijo sonriente mirando hacia su moto.

Abrí mucho los ojos.

—Has venido abrigada, así que si quieres...

—De acuerdo. —Sonreí.

Su moto esperaba aparcada delante del café con encanto. Óscar abrió el asiento y sacó dos cascos. Hacía ya un año que me había subido a ella por primera vez y que también había sido el escenario de nuestra primera relación sexual. Un escalofrío recorrió mi cuerpo.

—¿Estás bien? Toma, ponte esto en el cuello, lo agradecerás —dijo dándome una braga polar negra. Hice lo que me dijo y, al rozar la prenda, todo su aroma me envolvió de nuevo—. ¿Lista?

La moto rugió y, como la primera vez, me acomodé en la espalda de Óscar y encajamos a la perfección. Sentía su calor a través de la ropa. Abracé su cintura y lo volví a hacer: cerré los ojos aspirando el aire frío de una tarde de diciembre mientras las luces navideñas iluminaban nuestro recorrido. En cuarenta y ocho horas sería Nochebuena y Papá Noel no había podido acertar mejor con su regalo.

Paramos frente a mi casa. Óscar también bajó de la moto para guardar mi casco y nos despedimos con otro abrazo aún más largo que el anterior. Mi pobre Óscar, cuánto había sufrido en su adolescencia y en menuda persona se había convertido. Y qué valiente tomar una decisión tan radical en esa edad tan complicada... Una de sus manos rozó mi cintura y me estremecí. Su aroma a mar, a sal y a helado de fresa regresó de nuevo con fuerza para quedarse grabada en mi mente toda esa noche.

—Me ha encantado verte y, si estás libre estas Navidades, me gustaría repetir el café.

—A mí también me encantaría —afirmé. «Bien, Abril», me animaba la loca.

—Pues seguimos en contacto entonces —dijo él—. Dale un abrazo a Álex de mi parte.

—Y tú, un achuchón a África de la nuestra.

—Lo haré.

Esperé para verlo subir a la moto y desaparecer en la oscuridad de la noche.

¿A que sí iban a ser mariposas lo que sentía en el estómago? Era un hecho que habíamos nacido en épocas diferentes, pero los dos estábamos vivos, éramos adultos y una energía muy especial y con mucha fuerza nos conectaba cuando estábamos juntos.

Nochebuena en calma

Pasamos la Nochebuena y Navidad en casa de mamá y Jose Mari. Ese año, dos primos lejanos con sus dos hijos se habían unido al banquete y a Álex le vino genial no ser el único niño de la mesa. El menú estaba delicioso y mamá, como cada año, había encendido unas velas debajo de los marcos de fotos de papá; era su forma de sentarlo también a la mesa. Fue todo muy agradable.

Un par de días más tarde, Pedro y su pareja aterrizaron en la ciudad y habíamos quedado que pasarían por casa para recoger a Álex. Estarían al caer y, la verdad, esperaba que viniera él solo, pues todavía no me apetecía conocer a su pareja y no sabía qué tal me sentaría verlos juntos con mi hijo. Después se irían al balneario con Álex y yo tendría tiempo para ir a mi nueva casa y empezar a organizar algunas habitaciones antes de la reforma. Todavía no me creía lo de mi nueva casa. Tenía muchas ganas de contárselo a Óscar.

Óscar... la tarde del 24 de diciembre me había enviado una foto en la que estaba con su hermano (el que había conocido en la playa), un niño de unos cuatro años y, por supuesto, África, que iba ataviada con un gorro perruno de Mamá Noel.

En esta noche tan familiar espero y deseo que disfrutes de la compañía de las personas importantes para ti. La vida está llena de retos y personas que aparecen en nuestro camino para servirnos de guías y hacernos más fuertes. En los últimos meses, mi guía ha sido Issa y no puedo remediar acordarme de él en una noche tan especial como esta. Pero sé que estará feliz celebrando la Navidad a su manera. Me encantó verte, Abril, y no sé tú, pero yo tengo ganas de más. ¿Vienes conmigo y con África a pasear una de estas tardes? Feliz Navidad.

Al terminar de leer su mensaje, me había descubierto sorbiendo por la nariz y limpiándome las lágrimas de los ojos. El mensaje de Óscar me había emocionado; ¡me moría de ganas de conocer a ese pequeño etíope que había conquistado su corazón!

Por otra parte, Susana ya había aterrizado con sus *mellis* y Sandra en el aeropuerto de Sidney sana y salva, que ya era un paso. Sorprendentemente, los críos se habían portado de maravilla en el avión (quizá porque iban motivados sabiendo que verían a Elisabeth) y nos había enviado algunas fotos a nuestro grupo de WhatsApp en las que podíamos ver a Elisabeth abrazando a los niños en el aeropuerto, llena de emoción y sorpresa. En lo que respecta a su encuentro, se habían saludado «con un abrazo más largo de lo normal», así nos lo había descrito ella. Llevaban muchos meses sin verse, estaban en el aeropuerto con los *mellis*, Sandra y cientos de viajeros en un aeropuerto internacional..., tampoco había habido espacio para mucho más. Según nos había contado, habían planeado salir alguna tarde las dos solas para hacer turismo por la ciudad mientras Sandra cuidaba de los *mellis*. Tendrían ocasión entonces de ponerse al día y hablar de lo suyo...

Maura se encontraba ya en Cuba con Fernando y nos había enviado fotos en la playa y de las puestas de sol en Varadero. En casi todas tenía siempre un mojito en la mano y las manos de Fernando en alguna parte de su cuerpo.

El interfono sonó y me sacó de mis pensamientos. Era Pedro (menos mal que había venido solo). Agarré la bolsa de Álex, que había preparado para los días que pasarían fuera, y fui a abrir la puerta de casa.

—Hola, Abril —dijo Pedro dándome un abrazo—. Feliz Navidad.

Me sorprendió el gesto, pero lo dejé hacer. Pedro no era solo el padre de mi hijo, también había sido mi compañero durante dos décadas y la idea de tener una buena relación, por el bien de Álex y también del nuestro propio, me gustaba. De repente se paró y fijó su mirada en la pared del salón, concretamente en el mural de Maura. Lo dejé recrearse mientras lo miraba yo también. «Qué buen trabajo hiciste, amiga». Cada día que lo veía me recordaba que mi mudanza estaba más cerca.

—¡Guau! Pues sí que ha cambiado el ambiente del salón... Ese mural es...

—Un buen reclamo para las personas que compren esta casa —finalicé.

—En el fondo me da... pena venderla, pero sé que es lo mejor.

—Yo creo que también.

—Tengo en mente comprarme otro piso en la ciudad, más amplio, con más luz.

—Y con menos recuerdos —añadí.

—Abril, imagino lo duro que habrá sido para ti y Álex seguir viviendo aquí cuando...

—Te fuiste... Sí. Lo fue y mucho, pero ahora estamos a punto de mudarnos al paraíso y lo compensará.

—Seguro que vivir al lado del mar os sienta bien. Estás muy... diferente, se te ve más serena y con más... luz, como cuando te conocí. A lo mejor fui yo el que te la fue apagando...

—¡Álex! —grité desde la puerta—. Gracias por el cumplido, Pedro. La verdad es que me encuentro bien, la meditación me está ayudando mucho y creo que voy a empezar a practicarla con Álex.

—¡Ya voy! —dijo el pequeño.

Me agaché para abrazarlo. La idea de tener que compartir a mi hijo en Navidades no me hacía ni pizca de gracia, pero aprovecharía para avanzar en la casa y, quizá, ver de nuevo a Óscar.

Bienvenido al paraíso

—Hola, ¿qué te parece si te mando la ubicación de donde estoy y vienes con África hasta aquí? No es muy lejos del centro —le pregunté a Óscar por teléfono.

—¡Claro! —contestó él—. En media hora estaremos ahí.

Ya estaba hecho, Óscar y África iban a conocer mi nuevo hogar.

Eran las cuatro de la tarde del día de los Santos Inocentes y estaba sola en mi nueva casa. Todavía no había retirado ningún mueble de los que tenía la vivienda, pero el día 7 de enero comenzaban las obras y todo cambiaría. Quizá decidiera conservar el aparador de la sala, pues no me gustaba despojar a la casa de toda su esencia.

Hacía un día frío pero soleado, típico de diciembre. Había llevado unas cervezas, café en un termo, chocolate en otro y algo para picar. Me senté en el porche trasero a esperar a mis invitados mientras perdía mi mirada en el mar y me dejaba invadir por el sonido de las olas que rompían en la orilla.

La vibración de una llamada entrante me sacó de mi estado de calma.

—¿Abril? —Era la voz de Óscar—. Estoy delante de un grupo de casas, pero no te veo.

—Espera —ordené antes de colgar—, ahora voy.

Cuando abrí la puerta delantera de la casa, Óscar estaba de espaldas a mí y África permanecía sentada a su lado. Ella fue la primera en verme y se acercó moviendo la cola. Me agaché para recibirla como se merecía, ante la estupefacta mirada de Óscar, que también se acercó.

—Hola —dijo él agachándose también—. ¿Hemos quedado aquí para dar un paseo por la playa?

—Ajá, pero antes quiero enseñarte... mi nueva casa —dije incorporándome y entrando de nuevo por la puerta.

Óscar se mantuvo en silencio sin perder la sonrisa.

—¡Guau! ¡Esto sí que no me lo esperaba!

—¡Vamos, África! —la animé a pasar y cerré la puerta detrás de Óscar que ahí, tan cerca del mar, se fundía con su aroma y lo intensificaba todavía más.

Lo llevé por todas y cada una de las estancias y acabamos el recorrido en el porche trasero mirando el mar.

—Abril, esto es fantástico, me alegro mucho por ti. Álex debe de estar como loco de contento.

—Sí, sobre todo porque ya no hay excusa para no tener a un amigo como África —dije acariciando la cabecita de la perra.

—Esta casa es fantástica y parece que guarde muchos recuerdos —susurró Óscar mientras, con un movimiento arrebatador, se acariciaba la barba con la que había regresado de África y que tan bien le quedaba.

—Muchos de esos recuerdos son de mi infancia. Pasé tantas veces por aquí delante con mis padres que ¿quién me iba a decir que algún día sería mi hogar?

Nos quedamos en silencio respetando los sonidos de la naturaleza. Óscar estaba irresistible. Llevaba unos pantalones vaqueros con unas zapatillas negras de cuero, un jersey de cuello vuelto oscuro y un plumífero de nieve. «¡Qué sexi, por Dios!», piropeó la loca. Estaba desatada, con la terapia de autoestima no había quien la parase.

Yo también me había puesto unos vaqueros y un jersey de cuello vuelto rosa.

—¿Damos ese paseo por la playa? —preguntó Óscar mientras África se activaba de nuevo.

—¡Claro! —respondí.

La perra salió corriendo y se metió en el agua a pesar de las bajas temperaturas.

Óscar sonreía y yo me sentía realmente libre aspirando el aroma del mar. Cuando llegamos al final de la playa, tenía las manos totalmente congeladas y acariciar de vez en cuando a África empapada no ayudaba. Me llevé las manos a la boca y expulsé varias bocanadas de aire para calentarlas. En un acto reflejo, Óscar tomó una de mis manos con la suya y metió ambas en el bolsillo de su plumífero, lo miré sonriendo agradecida por el gesto.

—Venga, regresemos, no quiero que te resfríes.

Cuando llegamos de nuevo a la casa eran las seis de la tarde.

—¿Te apetece una cerveza? —pregunté.

—Creo que los dos necesitamos algo calentito, mejor vamos a tomarlo fuera —dijo cogiéndome por el hombro y saliendo hacia su coche.

El contacto de su cuerpo con el mío provocaba tal corriente de energía que podríamos iluminar todos los árboles de Navidad de la zona. Cómo me gustaba sentirlo de nuevo tan cerca. ¿Seguiría molesto conmigo? Si así fuera, seguro que no hubiese querido volver a verme. Sin embargo, quizá solo quería retomar el contacto como amigos. Pero y yo... ¿qué quería? Pues, sin duda, tenerlo cerca.

África y yo nos subimos al coche de Óscar, que condujo en silencio mientras Coldplay sonaba de fondo. Como no podía ser de otra manera, el interior del auto también olía a mar, sal y a helado de fresa.

El camino que recorríamos me sonaba, yo ya había estado por allí antes. Miré hacia Óscar para intentar adivinar el destino y él me devolvió la mirada con una sonrisa, pero mantuvimos el silencio.

Bajamos hacia el nivel del mar y cuál fue mi sorpresa cuando me vi de nuevo en el bar al que había acudido con Óscar la noche de nuestra primera cita. Esta vez la terraza estaba cubierta y contaba con estufas móviles entre las mesas.

—Aquí podremos tomarnos algo caliente y África podrá acompañarnos —me dijo Óscar abriéndole el maletero.

Asentí.

La terraza apenas tenía mesas ocupadas, lo que nos proporcionaba una mayor intimidad. Nos dirigimos hacia una mesa próxima al mar, pero cubierta y con una estufa al lado. África se acurrucó cerquita del calor y cerró los ojos dispuesta a relajarse tras su baño y paseo playero.

—¿Un chocolate calentito? —preguntó Óscar sin sentarse.

—Sí, por favor —supliqué frotándome las manos.

El ambiente era muy agradable, como la última vez que habíamos estado. Sonaba música *chill out* de fondo y parecía que mi cuerpo comenzaba a entrar en calor.

Óscar regresó y se sentó en la silla que estaba justo enfrente de mí.

—Me he unido a tu fiesta del chocolate —me dijo divertido.

—No te arrepentirás —respondí—. No había vuelto a estar aquí desde que... vine contigo.

—Recuerdo aquel mojito tan fantástico que te tomaste y mi helado de fresa.

Esta frase en boca de Óscar me produjo un escalofrío que me recorrió de arriba abajo, sobre todo por lo que había ocurrido después encima de su moto. Me daba la sensación de que él estaba pensando lo mismo, por lo que me revolví incómoda en la silla.

—¿Ya tienes pensado cómo quieres hacer la reforma de tu increíble casa? —me preguntó para romper la tensión.

—Sí —contesté ilusionada.

Comencé a contarle mis planes para cada una de las habitaciones y también le hablé de la ayuda de Jose Mari y de cómo me había habilitado uno de los cuartos de arriba para poder estudiar y traducir desde allí los días que Álex estuviera con su padre. Contaba con una estufa de leña, un sofá-cama, una mesa de estudio, una nevera portátil y una mantita, pero lo mejor de todo eran las maravillosas vistas al océano.

—Esa casa es un sueño, Abril. Creo que Álex y tú vais a ser muy felices allí.

—Muchas gracias —dije—. A mí también me lo parece. Siempre seréis bienvenidos.

—¡Te tomamos la palabra! —exclamó—. ¿A que sí, África? —dijo mientras ella levantaba su cabecita antes de volver a cerrar los ojos adormecida por el calorcito de la estufa.

Yo bajé mi mano para acariciarla y nuestros dedos se entrelazaron encima del lomo de la perra. Nos miramos fijamente sin decir nada, pero sin separar nuestro contacto.

—Abril... —susurró.

En ese momento me incorporé de la silla y lo besé. ¿Por qué? Pues porque era lo que sentía, porque era lo que llevaba queriendo hacer desde aquel momento en la calle en el que salió huyendo sobre su moto por la escena que había presenciado, porque mi corazón me lo pedía y también porque ya no podía contener más los deseos de la loca que llevaba azuzándome desde que Óscar había cruzado la puerta de mi nueva casa.

Óscar me recibió cauteloso, pero abrió sus labios para dejarme entrar. Aspiré su respiración, su calor, su sabor; acaricié sus labios con los míos hasta que su respiración se agitó y sentí sus manos aferrándose a mi rostro, besándome con más fuerza.

—Ejem... —tosió alguien a nuestra izquierda. Parecía que los chocolates ya estaban listos.

Nos separamos sonriendo como dos adolescentes a los que habían pillado y, cuando la camarera se alejó de nuestra mesa, Óscar se sentó en la silla que estaba a mi lado y volvió a cruzar su mano con la mía.

Dimos buena cuenta de la taza de chocolate mientras yo le preguntaba acerca de sus planes a partir de ahora.

—Creo que pasaré más tiempo por aquí, aunque en tres meses quiero volver a Etiopía unas semanas. Voy a dirigir un proyecto que se cierra en esas fechas y además necesito saber cómo sigue mi pequeño maestro Issa... Quizás esta vez puedas venir conmigo —dijo sin pensar.

¡Guau!

—Me encantaría —dije decidida—, pero un mes es mucho tiempo para dejar a Álex.

—Claro, entiendo —respondió—. ¿Nos vamos?

Asentí.

Ya era completamente de noche.

Nos subimos al coche y escuchamos el tema *Always in my head* de Coldplay, dejando que el silencio no rompiese el momento.

—¿Qué te apetece hacer? —me preguntó.

—Pues Álex está con su padre, pero yo tengo que entregar unas traducciones antes de terminar el año y me gustaría avanzar un poco antes de acostarme.

—¿Te parece que hagamos una última parada?

—Me fío de ti —asentí.

La última parada, como no podía ser de otra manera, fue en el mirador en el que había ocurrido la magia aquella primera noche. Los tres bajamos del coche. Apoyé mis codos en la balaustrada de madera que limitaba el mirador y disfruté de las vistas, de la calma, de la abundancia del océano.

Óscar se acercó por detrás rodeando mi cintura. La piel de mi nuca se erizó al sentir su aliento. Tuve que contener los impulsos de la loca, que solo quería girarse y abalanzarse sobre él, y que era lo que mi cuerpo y sentidos pedían a gritos, pero me controlé; sobre todo porque no quería que esto acabase como la última vez que habíamos estado allí. En esta ocasión quería hacerlo bien y ser consciente de cada uno de mis pasos.

—Te he echado de menos —susurró Óscar por detrás.

Entonces sí me giré.

—Yo también; pensaba en ti casi cada día.

Nos fundimos en un nuevo beso, esta vez pausado, sereno, disfrutando del momento, mientras el alma del mar nos envolvía. Sus manos se aferraban a mi cintura y las mías a su cuello. Perdimos la noción del tiempo y dejamos de sentir frío o calor. La voz de la loca se calló y todos nuestros sentidos estaban en el presente, en lo que estaba ocurriendo aquí y ahora.

Óscar apoyó sus labios sobre los míos y cerramos los ojos dejando que el aroma del mar y el azote de su oleaje nos envolviesen.

El sonido de un coche rompió el momento y regresamos a la realidad, riendo.

—Venga, te llevo a casa —susurró sin soltar mi mano.

Volvimos a subir al coche. Esta vez sonaba el tema *Yellow*, también de Coldplay.

—Te gusta Chris Martin, ¿eh? —pregunté.

—Fernando dice que sus letras son para pegarse un tiro, pero eso seguro que lo sabes tú mejor que nadie.

—Bueno, a melancólicos no les gana nadie, pero la verdad es que a mí también me encanta su música.

Cuando paramos frente a mi casa eran casi las diez de la noche.

—Te invitaría a subir —«¿Y por qué no lo haces?», azuzaba la loca—, pero es que mañana tengo que trabajar.

—No te preocupes, lo entiendo. Debo llevar a África de vuelta a casa y darle de cenar. Estos días me estoy quedando en casa de mis padres hasta que encuentre algo para nosotros, me encantaría vivir de nuevo cerca del mar; aunque, después de haber visto tu casa, todo se le quedará pequeño —dijo guiñándome un ojo.

—Sería un placer teneros a los dos de vecinos —dije divertida mirando hacia África.

Óscar se acercó y volvimos a besarnos. Nuestros cuerpos se atraían como imanes. Éramos prisioneros de un campo magnético del que no queríamos ni podíamos salir. El beso se hizo más profundo y los suspiros comenzaron a llenar el habitáculo del vehículo.

En un abrir y cerrar de ojos estaba sentada sobre sus rodillas sintiendo su erección en mi pelvis. Las manos de Óscar se sumergieron debajo de mi jersey, acariciando la piel de mi espalda. Los suspiros se transformaron en gemidos, que al fin se liberaban, después de tantos meses y kilómetros de distancia entre ambos. África comenzó a agitarse desde el maletero lloriqueando.

—Abril..., te deseo..., me muero de ganas por tenerte...

—Yo siento lo mismo..., pero no aquí, ni ahora —dije recuperando el aliento—. Pobre África, necesita comer y beber y, además, este no es el lugar adecuado. Parecemos adolescentes —dije riendo.

—Me encanta que me incluyas en esas afirmaciones, eso significa que he crecido para ti —dijo acariciando mi mejilla con la punta de su nariz.

—¿Tienes planes para Fin de Año? —pregunté para calmar un poco la pasión que se respiraba en el ambiente.

Óscar negó con la cabeza.

—Quizá podamos celebrarlo juntos... —propuse.

—No se me ocurre un plan mejor —contestó.

Me costó Dios y ayuda bajarme del coche. Todos mis impulsos biológicos me incitaban a quedarme con Óscar, invitarlo a subir y pasar la noche devorándonos y recuperando el tiempo perdido, pero esa noche, no. Ya había arriesgado bastante la última vez. La tarde había sido mágica y no sería el sexo el que rompiese el momento.

Cuando cerré la puerta de casa, me mantuve un buen rato apoyada en ella con los ojos cerrados y respirando profundamente. Óscar había vuelto a mi vida de nuevo y esta vez no quería perderlo, pero ¿y si se iba de nuevo a África y no regresaba? Si dejaba que los evidentes sentimientos siguieran su evolución podría enamorarme hasta las trancas... o ¿quizá ya lo estaba? Toda esta situación me daba mucho miedo y la inseguridad se apoderaba de mí. No quería volver a sufrir, pero las señales habían sido evidentes, el universo y mi estrella más preciada, mi padre, me habían llevado hasta él cuando más lo necesitaba y si algo me había enseñado su fallecimiento inesperado era aprender a vivir el momento.

El sonido de un wasap me sacó de mis pensamientos y, de paso, de la puerta. ¿Cuánto tiempo llevaba inmersa en mi mente?

> Ya en casa, pequeña. Como siempre, ha sido un placer pasar la tarde contigo. Parece que continúo bajo tu hechizo. Tengo el aroma de tu piel en mis manos. Deseando que llegue Fin de Año para volver a verte.

Mientras leía sus letras, un estado de euforia se iba apoderando de mí. Tantos meses de silencio, de preguntas sin respuesta, de incertidumbre, de remordimientos, y el destino nos había juntado de nuevo, al menos por ahora.

«Abril, céntrate en el trabajo que tienes que entregar. Si lo haces, podrás disfrutar de una semana entera de vacaciones en Fin de Año», esta no era la loca, era la voz de mi conciencia. La loca lloriqueaba en su rincón para que le mandase un wasap a Óscar y regresase a casa, pero no iba a hacerlo. Para Fin de Año apenas quedaban tres días. Justo lo que necesitaba para organizar las traducciones y las tareas del máster.

Cuenta atrás

Durante los días siguientes mi concentración fue máxima: visualicé todas las clases magistrales del máster, entregué las actividades y terminé con las traducciones más urgentes. Con la estufa encendida y la puerta cerrada para guardar el calor, trabajaba en la habitación que me había habilitado Jose Mari, mientras el océano rugía frente a mi ventana, que en breve se convertiría en galería.

Una salida al porche trasero o un paseo por la playa eran también parte de mis rutinas. Álex tenía razón, allí faltaba un mejor amigo. También habilitaría un espacio del jardín para plantas, y así retomaría el *hobby* de mi padre. Me gustaba imaginar nuestra vida en ese lugar. El barrio era tranquilo y había varias familias con niños.

Me gustaba imaginar también a Óscar compartiendo muchos momentos con nosotros. Quizás algún día podríamos compartir algo más; al fin y al cabo, a Álex le había caído muy bien y estaba enamorado de África.

El sonido del móvil me sacó de mi imaginación. Era mi pequeño.

—Hola, mi amor, ¿cómo estás?

—Hola, mami, esto está genial, hay un montón de toboganes ¡y son superaltos! Pero a mí no me da miedo. ¡Yo me lanzo!

—¿Sí? ¡Vaya! ¡Qué valiente!

—Bueno, la primera vez sí que me dio un poco, pero ahora ya no.

—Cuánto me alegro de que te lo estés pasando tan bien.

—Sí, y esta noche vamos a cenar «búrguer cangrebúrguer» en el hotel.

—Mmm, qué ricas.

—Mañana hay cena y fiesta hasta las cuatro de la mañana, pero papá y Elsa dicen que nos iremos antes. Elsa está un poco malita.

—Ajá... —No sabía qué más responder cada vez que mi hijo me hablaba de la nueva pareja de su padre—. Te quiero mucho, Álex. Mañana empieza un nuevo año y ya falta menos para vernos.

—Sí, este año me comeré todas las uvas y después te llamaré.

—Estaré esperando tu llamada, mi amor.

—Te quiero, mami. Me voy a cenar que tengo hambre.

—Hasta mañana, mi vida, que duermas bien.

Me sorprendía la capacidad que tienen los niños para adaptarse a nuevas situaciones, pero me alegraba por Álex. Era la primera vez que pasaba varios días con Pedro y su... pareja, que al parecer estaba enferma en pleno balneario de lujo. «Bueno, quizás el karma esté haciendo un buen trabajo», me decía la loca guiñándome un ojo.

Los wasaps de Óscar esos días me llegaban a diario, uno por la mañana dándome los buenos días acompañado de alguna foto del paseo matutino con África y otro de noche deseándome felices sueños. Lo cierto es que me moría de ganas de verlo de nuevo porque, además, los dos sabíamos lo que iba a pasar y, sí, tendría que ser en mi nuevo refugio frente al mar.

Happy New Year

Pasé la mañana del día 31 ultimando mis traducciones. Cenaría con mamá y Jose Mari en su casa y, después, cuando ellos se fueran a bailar con su grupo de amigos, yo iría a mi nuevo hogar frente al mar a prepararme para mi cita con Óscar.

Ese día, Maura, Susana y yo habíamos quedado a las dos de la tarde, hora española, para hacer una videoconferencia a tres. En Australia serían las doce de la noche y en Cuba las seis de la mañana. Me moría de ganas por hablar con mi segunda familia, las echaba tanto de menos... Cuando estábamos juntas las penas se reducían y las alegrías se multiplicaban.

Yo estaba en el piso y, después de abrir el armario cuatrocientas veces y mandar literalmente a la mierda a la loca otras tantas, al fin había conseguido decidir el modelito que me iba a poner para recibir a Óscar en mi refugio esa noche. Llevaría un vestido plateado de manga larga y escote trasero por encima de la rodilla. Lo tenía en el armario de la habitación de invitados con la etiqueta puesta desde hacía tres años. Recordaba que lo había comprado para asistir con Pedro a una cena de Navidad de su empresa, pero finalmente Álex se había puesto con fiebre alta y había ido solo.

En aquella época aún nos queríamos y nos respetábamos. Durante esa cena había estado muy pendiente de nosotros desde el hotel donde se encontraba. El destino había decidido darle una nueva oportunidad al vestido de plata que tan a juego iba con el mar. ¿Y si le subía la bastilla? La loca empezó a aplaudir. ¡Sí eso haría! De perdidos al río. Año nuevo, minivestido nuevo. Llevaría unas medias negras que me había comprado especialmente para la ocasión; eran unas medias hasta los muslos sujetas con ligueros de encaje, sería mi sorpresa para Óscar. La loca me miraba orgullosa mientras se limaba las uñas.

Había hecho una pequeña compra para nuestra noche romántica en la que no faltaban uvas, fresas, champán, cervezas e ingredientes para mojitos. Antes de la cena, iría a encender la estufa para calentar el ambiente.

A la hora prevista, me senté impaciente delante del ordenador, esperando a que mis amigas se conectasen. La primera en aparecer fue Maura. Estaba increíblemente morena y favorecida. Tenía el rostro relajado y transmitía paz y erotismo a raudales.

—¡Hola, cielo! —exclamé con lágrimas en los ojos.

—¡Hola, neni! —respondió ella con una gran sonrisa. Esta vez estaba sola, no se veían las manos de Fernando por ninguna parte.

—Se te ve muy despierta para ser tan temprano ahí —exclamé exaltada.

—Hacía tiempo que no me sentía tan viva y tan bien conmigo misma.

En ese momento se abrió una nueva pantalla, ¡era Susana!

—¡¡¡¡Susi!!!! —exclamamos Maura y yo a la vez.

—¡Hola, bonitas! —respondió ella. Tenía la cara sonrojada y una gran sonrisa.

—¿Cómo están los *mellis*?

—A los *mellis* creo que los voy a dejar aquí y regresar yo sola —dijo riendo—. Están encantados, entre las atenciones de Elisabeth y su hermana han incrementado su nivel de consentimiento, pero ¿y vosotras?

—Ah, no —dijo Maura tajante—, antes tú. ¿Cómo están las cosas con Elisabeth?

Susi, sonrió.

—Están bien. Hemos tenido algo de tiempo para hablar a solas, aunque no mucho, la verdad. Pero hemos decidido retomar la conversación en España porque finalmente... ¡regresa!

—¡Qué buena noticia! —dije yo. Maura sonreía a través de la cámara—. ¡Bien por ti, abogada! Algún día tienes que enseñarnos esas armas tan poderosas que escondes.

Durante el tiempo que duró la videoconferencia, nos pusimos al día: Susana nos contó que se había repetido un tímido beso con Elisabeth en una excursión a la naturaleza y que habían saltado chispas (parecía ser una prueba clara para resolver su duda existencial), y Maura nos dijo que finalmente no regresaría hasta el 15 de enero; literalmente lo que dijo fue que necesitaba «encontrar más paz y follar cada día». Se había pedido unos días libres de empleo y sueldo y Fernando, como era predecible, iba a quedarse con ella. Yo les hablé de los avances con Óscar y reímos, se nos cortó la conversación dos veces, la recuperamos, nos cargamos de energía mutua y todo fluyó. A pesar de la distancia, nuestras energías volvieron a conectar como siempre lo habían hecho.

Bomba de Año Nuevo

A las doce y un minuto sonó el teléfono. Era Álex.

—¡¡Feliz año, mami!!

—¡Feliz año, mi vida!

—Quiero felicitar a los *abus*.

—Sí, cielo, pero antes, cuéntame: ¿qué tal va todo por ahí? ¿Disfrutas mucho de las piscinas?

—Sí, aunque esta tarde no hemos podido bajar, Elsa sigue enferma y papi se quedó cuidándola.

—Vaya, qué pena —respondí.

—Sí, le duele la barriga y también vomita, creo que la culpa la tiene el *predator*.

—¿El *predator*? —pregunté.

—Sí, no sé, le escuché decir algo sobre eso. Quiero hablar con la abuela.

De repente mi mente fue capaz de ir uniendo las pistas de mi pequeño. Malestar estomacal, vómitos... ¿Predictor? ¡Joder!

Me despedí de Álex como pude y le pasé el teléfono a mi madre, antes de excusarme para ir al baño. Cerré la puerta y me apoyé sobre ella.

¡Pedro iba a tener un hijo con otra mujer! Eso sí que era una noticia bomba para empezar el año. Álex iba a tener un... hermano..., el que no había querido tener conmigo por falta de tiempo... Las lágrimas brotaron en mis ojos y me trasladaron a tiempos pasados, removiendo el dolor y la frustración de haber querido ser madre de nuevo y no ser correspondida.

En unos meses cumpliría cuarenta y lo veía como algo prácticamente imposible.

«Tienes a un hombre joven con buen material», me susurró la loca al oído para animarme. «Ventajas de estar con un yogurín». La ignoré por completo, aunque no perdía razón. Óscar era tan joven... Pero ¿un hijo con él? ¡Si ni siquiera sabía lo que iba a pasar esa noche!

Me recompuse como pude, abrí la puerta y me di de bruces con mi madre.

—¿Qué ha pasado? —preguntó.

—Nada, mamá. No te preocupes —dije desviando mi mirada.

—Qué mal has mentido siempre, hija...

Resoplé.

—Creo que... Pedro va a tener otro hijo... con ella... —dije mirando al vacío.

—Mmm, ya veo. Ven, anda, siéntate —dijo llevándome de la mano al sofá.

Jose Mari se había esfumado de la sala (tenía la gran habilidad de desaparecer en nuestros momentos madre-hija).

—Abril, cariño, entiendo tu malestar. Tiene que ser duro saber que tu pareja durante tantos años va a ser padre de nuevo con otra mujer, pero, por otra parte, piensa en todo lo que tienes ahora, cómo ha cambiado tu vida. Has vuelto a ser tú. Todo tiene su duelo y creo que, con respecto a Pedro, ya hace tiempo que pasaste página.

La miré mientras ella arropaba mis manos entre las suyas.

—Mamá... —exclamé poniendo la cabeza en su regazo como cuando era pequeña—, eres tan valiente y a mí me dan miedo tantas cosas.

—Ser valiente no significa no sentir miedo, sino hacer las cosas en las que crees a pesar del miedo. La única forma de vencerlo es enfrentarlo y tú lo has hecho muy bien. Anda, arréglate y diviértete esta noche con esa nueva ilusión que te espera.

La miré de reojo. ¿Cómo sabía...?

—Qué sería de nosotros sin las ilusiones —dijo guiñándome un ojo. No se le escapaba nada.

Obedecí a mi madre, me despedí de los dos deseándoles una buena noche, conduje hasta la playa y me dediqué tiempo; tiempo para mí, para reflexionar, para arreglarme, para ponerme guapa, para sentirme poderosa de nuevo, para recibir a Óscar como se merecía y me merecía. Encendí las velas de lavanda y vainilla que había llevado a la casa unos días antes, puse a enfriar la bebida y me aseguré de que la estufa estuviera funcionando. Óscar estaba al caer.

El sonido de mi móvil sonó justo cuando lo predije. El reloj marcaba la una de la madrugada, era Fin de Año y la noche prometía.

—Estoy en tu puerta —dijo Óscar—, ¿me abres? Me muero por felicitarte.

Colgué y bajé a abrir. Él estaba en el umbral, llevaba una botella de Moët en la mano y dos copas de champán. Su sonrisa contagiosa iluminaba la primera noche del año provocando la mía.

—Feliz primera noche de este nuevo año, Abril —dijo acercándose y besándome directamente.

Lo recibí decidida, saboreando sus labios, sintiendo su energía tan positiva y tan en sintonía últimamente con la mía. Nos separamos y Óscar me miró de arriba a abajo.

—¡Guau! Menudo pivón con el que voy a pasar la primera noche del año.

Reí tímidamente, porque yo pensaba exactamente lo mismo de él.

—Anda, pasa, por favor —dije.

Nos dirigimos a la estancia habitable de la casa, esa habitación que tanto me había ayudado a recuperarme, a sentirme yo de nuevo, a abrir la caja de la esperanza y la ilusión. El ambiente era cálido y la luz, tenue. El aroma de lavanda se mezclaba con la vainilla y creaba un ambiente acogedor. A través de la ventana, el océano rugía ante nuestra mirada.

—¿Y si brindamos frente al mar? —dijo Óscar lleno de vitalidad.

Asentí sin dejar de sonreír.

Tomó mi mano con la suya mientras en la otra sostenía las dos copas.

—¿Puedes llevar tú la botella? Te aseguro que no tengo ninguna intención de soltarte —dijo mirando nuestras manos entrelazadas.

Volví a sonrojarme con sus afirmaciones, Óscar empezaba el año muy decidido. Bajamos las escaleras, nos pusimos los plumíferos y salimos a la arena. Mis tacones se hundían, así que decidí sacarlos y caminar descalza a pesar de las bajas temperaturas.

—¡Ah! ¡Qué fría está la arena! —exclamé divertida.

—Eso no será un problema —dijo Óscar, y en un solo movimiento me cargó en sus brazos mientras yo, riendo, agitaba las piernas abrazando su cuello.

Los dos reíamos ante la oscuridad y la poderosa energía del mar. Cuando llegamos a la orilla, me posó de nuevo sobre la arena y puso su bufanda bajo mis pies para que no sintiera frío. Qué cielo de chico...

Abrió la botella de champán sujetando el corcho para que no saliera disparado.

—No seré yo el que contamine este lugar tan especial.

Sirvió las dos copas y me ofreció una.

—Si hace unos meses me dicen que voy a empezar así el año, no me lo hubiera creído, pero lo maravilloso de la vida es que siempre te sorprende incluso cuando sientes que todo está perdido...

Sonreí para dejarlo acabar. Cómo me gustaba escucharlo.

—Abril —susurró acercándome a su cintura—, no puedo estar más agradecido a esta nueva conexión contigo y esta vez, mi dulce primavera, presiento que este será un año para marcar en el calendario.

Estaba claro que era mi turno, tenía que decir algo y, en realidad, tenía tanto que decirle...

—Debo darte las gracias a ti, a la vida y a mi padre por haberte puesto en mi camino la noche de mi cumpleaños. Sin duda, el universo nos da lecciones que echan por tierra todas las creencias y prejuicios que teníamos anclados. Estoy feliz de estar hoy aquí compartiendo esta noche tan especial contigo y delante de mi testigo más fiel, el mar —concluí señalando al océano.

Ofrecimos nuestro brindis al océano mientras dábamos buena cuenta de las copas. Acto seguido, las posamos temporalmente en la arena, y nos miramos mientras las olas rompían muy cerquita de nuestros pies. Óscar abrió sus largos brazos, me estrechó entre ellos ofreciéndome todo su calor y atrapó mis labios mientras nuestros alientos se entremezclaban comunicándose, contándose secretos, promesas e ilusiones. Las manos de

Óscar se perdieron por dentro de mi plumífero, acariciando la parte baja de mi espalda, y la punta de sus dedos comenzó a subir por la línea de mi columna, abriéndose paso por el escote trasero de mi vestido.

Cada caricia era una pequeña descarga de energía positiva con la que depositaba un suspiro en sus labios. Ya no sentía frío, ni calor, ni el rugido de las olas. Me olvidé de que estábamos en la playa, solo me dejé llevar por la magia del reencuentro.

Óscar acertó a bajar sus manos por el lateral de mis muslos y alcanzó a rozar los ligueros de encaje.

—Mmmmm... —susurró dentro de mi boca—. Creo que aquí hay algo que me encantará ver.

Sonreí sin despegarme de sus labios.

—Entremos —sugerí.

—Soy todo tuyo.

Reí y me separé para darle la mano y guiarlo hasta mi casa. Entramos por el porche trasero y subimos las escaleras cómplices hasta llegar a la habitación de la calma. Posé las copas y la botella en el alféizar de la ventana, nos despojamos de los plumíferos y abrazamos el calor de la estancia.

Óscar posó las puntas de sus dedos en mi nuca, atrayéndome hacia él. Iba a pasar, iba a ocurrir de nuevo, íbamos a conectar a nivel físico y espiritual. Ambos deseábamos ese momento desde el primer día que nos habíamos vuelto a ver en ese café tan especial.

Decidí tomar la iniciativa, y empujé a Óscar sobre el sofá subiéndome ligeramente el vestido para sentarme sobre sus fibrosos muslos. El encaje de los ligueros quedó al descubierto y su mirada se perdió en ellos. Me acomodé en su regazo y sus manos se posaron en uno de mis muslos, mientras sus dedos rozaban suavemente los ligeros. Pude sentir su erección presionando bajo sus Dockers negros. El tacto de sus caricias me excitó y me robó un suspiro que echó mi cabeza hacia atrás. Óscar acercó sus labios a la parte alta de mi escote y pude sentir su cálida respiración.

Comenzó besándome la clavícula para ascender después por el perfil de mi mandíbula. Mi cuello giraba de un lado a otro preso de la sensación. Entrelacé mis manos sobre su pelo animándolo a continuar. Sus caricias comenzaron a bajar por mi anatomía.

—Abril... —susurró muy cerquita de mi oído—, no imaginas cuánto te deseo...

—Lo sé —respondí con seguridad—. A mí me pasa lo mismo.

—Quiero disfrutarte, pequeña. Esta noche es para nosotros —continuó sin cesar su baile de besos y caricias.

Suspiré. Vi cómo las manos de Óscar desaparecían bajo la tela de mi vestido y ya no pude ni quise controlarlas. Cerré los ojos y me abandoné a las sensaciones, a su tacto, a los suspiros, a su cuerpo y al mío. Subí los brazos y Óscar deslizó mi vestido por ellos hasta que quedé en ropa interior.

—Eres preciosa, Abril...

Me sentía poderosa, sin complejos, sin necesidad de ocultar mi vientre ni la cicatriz que había traído a mi hijo a este mundo. Esa casa y la compañía de Óscar proyectaban mi mejor versión.

Me puse de pie sobre los tacones para que él pudiera observarme. Óscar se pasó las manos por el pelo gruñendo..., se levantó del sofá y pude desabotonar su camisa negra. A medida que los botones se iban abriendo, su aroma inundaba todos mis sentidos.

Nuestros labios se juntaron de nuevo y los dos gemimos liberando la pasión que ambos sentíamos en ese momento. Óscar desabrochó ágilmente mi sujetador por la parte delantera y nuestros cuerpos se juntaron piel con piel uniendo nuestras energías, nuestro calor, nuestras ganas.

Las palmas de sus manos envolvieron mis pechos activando la vida de mis pezones, que lo apuntaban sin miramientos. Sin apartar nuestras miradas, me sentó en el sofá y se situó entre mis rodillas. Sus labios quedaron a la altura de mis pechos, que suspiraban por ellos. Óscar los besó, los mordisqueó y los provocó removiendo todas mis entrañas. Siguió bajando por mi ombligo hasta alcanzar la costura de mis braguitas de encaje.

—Son preciosas, no quiero quitártelas... por ahora —sonrió.

Las dos copas de champán y la poderosa energía que había en esa habitación me desinhibieron todavía más. Apoyé mis manos sobre su pelo y él, con una mano, apartó la tela de mis braguitas hacia un lado, dejando mi sexo muy cerca de sus labios.

Sentí su respiración en mi parte más sensible y, de repente, el calor de su boca inundó todos mis sentidos y me arrancó un gemido del fondo de la garganta. Óscar se mantenía firme, besándome a un ritmo constante. Estaba a punto de perder el sentido.

—Abril, no sabes cómo echaba de menos tu piel, tu aroma... Eres tan especial... —dijo mientras sus dedos se perdían en mis pliegues sin dejar de acariciarme.

—Óscar... —susurré.

—Lo sé, pequeña. Déjate llevar, quiero ver cómo subes al cielo.

Sus susurros potenciaron mis sensaciones hasta sacudirme con la fuerza de las olas del mar que se escondían tras la ventana. Cuando pude recuperar el aliento, Óscar estaba rellenando las copas. Tomó un trago y sus labios me atraparon de nuevo. Sabían a champán y a mí.

—Mmm, yo quiero de eso —sonreí.

—Tengo otra botella en el coche —dijo ofreciéndome una de las copas.

La bebí en dos tragos y entonces bajé hasta la cinturilla de su pantalón y liberé su erección. Me deshice de sus pantalones y su ropa interior. Era mi turno. Me arrodillé entre sus fibrosos muslos y agarré su erección con firmeza saboreando la punta. Óscar gimió echando su cabeza hacia atrás. Continué con mis besos acariciándole con la lengua mientras con la otra mano abrazaba su piel de arriba abajo.

—¡Oh, Abril! Necesito sentirte, déjame entrar.

Me incorporé mientras él bajaba las braguitas por mis muslos.

Del bolsillo de su plumífero sacó una caja de condones.

—Déjame hacerlo a mí —le propuse juguetona.

Coloqué la goma sobre su voluptuosa erección, excitándome todavía más. Volví a sentarme sobre sus muslos y lo encajé dentro de mí. Los dos cerramos los ojos al sentirnos de nuevo, yo subí y bajé suavemente ante su atenta mirada.

—Eres un sueño —suspiró.

Mis manos se perdían entre su pelo y su aliento chocaba contra la piel de mi escote. Los dos incrementamos el ritmo hasta que, una vez más, alcanzamos el cielo juntos.

Me derrumbé sobre su cuerpo mientras él me apretaba contra su pecho.

La liberación de energía nos adormiló un rato. Cuando recuperé la conciencia, Óscar tenía puestos sus bóxer y la camiseta.

—Hola, pequeña —dijo sonriendo.

Si aquello era un sueño de la loca, me vengaría. Hacía tanto tiempo que no me sentía tan bien, tan a gusto con alguien. Parecía que era real... Comimos bombones, pusimos música, bailamos, nos besamos y nos devoramos de nuevo para caer en un sueño profundo después.

El amanecer nos despertó de nuevo con ganas de más, de él y de mí, de nuestra piel, de nuestra conexión, de subir al cielo juntos.

—¿Un chocolate con churros? —exclamó Óscar tras el momento de pasión—. Nos lo merecemos después de tanta energía, ¿no crees? —dijo sonriendo.

—Siento no poder ofrecerte una ducha —respondí divertida—. Seguro que olemos a tigre, pero podemos pasar antes por mi piso y solventar el tema de la higiene —añadí guiñándole un ojo.

—¡Hecho!

Condujimos en el coche de Óscar hasta la que pronto dejaría de ser mi casa y, al llegar, se quedó boquiabierto con el mural de Maura.

—¡Guau! ¿No ha pensado en dedicarse a esto?

—Creo que está en ello —dije—. ¿Prefieres ducharte tú primero? —ofrecí.

—Prefiero hacerlo contigo —respondió abrazándome por detrás.

Y asentí. ¿Por qué? Porque sí, porque acababa de empezar un nuevo año con muchas expectativas en diversos campos de mi vida y, desde luego, Óscar era una de ellas.

Dejamos que el agua caliente calmase nuestros cuerpos y se llevase nuestras huellas. En la ducha hubo besos, caricias, roces y sexo de nuevo. ¿Era posible hacerlo cuatro veces en menos de veinticuatro horas? Pues parecía que sí lo era.

Jamás había practicado tanto sexo en mi vida, ni siquiera cuando conocí a Pedro con dieciocho años. «¡Es un yogurín!», dijo la loca toda desmelenada y ojerosa. «Tiene energía para esto y mucho más».

Bajamos de nuevo a la calle a una de las churrerías más concurridas de la ciudad. La gente se agolpaba fuera con sus trajes y vestidos largos de Fin de Año. Óscar y yo estábamos recién duchados pero somnolientos, nos habíamos dedicado la noche el uno al otro, a recuperar el tiempo perdido y a entrelazar nuestros cuerpos y energías.

Conseguimos un hueco en la esquina de una de las barras. El chocolate caliente y los churros fueron la mejor recompensa a nuestro desgaste físico.

—Siento que este nuevo año nos traerá muchas cosas nuevas a los dos —reflexionó Óscar mojando un churro en mi chocolate para hacerme rabiar.

—¡Eh! Los dulces son una de las cosas que no comparto —dije falsamente molesta apartando la taza.

Reímos, nos besamos, reímos de nuevo, deleitamos nuestro estómago con el mejor chocolate de la ciudad y nos fuimos caminando de la mano; y me sentí pletórica, llena de energía positiva, de esperanzas y de muchos planes.

El resto del día lo pasamos juntos. Dimos un paseo por la playa y dormimos la siesta esta vez en mi piso. Óscar me habló de sus deseos de vivir cerca del mar. Su hermano le había encontrado un piso de dos habitaciones cerca de su casa (es decir, cerca también de la mía) y lo iría a ver la próxima semana, pero por las fotos estaba casi seguro de que encajaba en lo que estaba buscando. Mantenía una relación buena con sus padres, pero necesitaba intimidad.

Por otro lado, se sentía totalmente comprometido con el proyecto de la ONG en la que había colaborado, tanto que le habían hecho una propuesta para pertenecer a la plantilla y, por supuesto, había aceptado. Óscar sería el director del proyecto en nuestra comunidad autónoma. Debía coordinar a varios equipos y reunirse con instituciones públicas para la captación de fondos sociales y económicos.

También tendría que viajar a Etiopía un mes cada tres y esto le daba la oportunidad de estar muy cerquita del maravilloso ser que se había apoderado de su corazón, el pequeño Issa.

Quizá yo podría acompañarle en alguno de sus viajes y conocerlo también.

Flow

El mes de mayo había hecho su entrada con altas temperaturas, algo inusual en la región. La reforma de mi casa de la playa estaba prácticamente terminada y tan solo faltaba pintar la planta de arriba y arreglar el jardín trasero; tarea que había dejado en manos de Jose Mari, como tantas otras. Yo estaba a punto de finalizar el máster de Traducción Simultánea, con muy buenos resultados, y en septiembre realizaría las prácticas en una multinacional tecnológica en la que tenía muchas posibilidades de quedarme si me gustaba, y quizá podría abandonar mi trabajo como *freelance* que tanto me había desmotivado en el último año.

En unas semanas, mi pequeño y yo haríamos la mudanza de forma oficial y, en poco más de un mes, Maura, Susi y yo celebraríamos nuestras cuarenta primaveras a lo largo de todo un fin de semana plagado de actividades que Maura había programado al detalle. Miedito me daba.

En abril, mi pequeño Álex había cumplido siete añitos y estaba más formal y tranquilo. Y yo había cumplido cuarenta y cada vez me sentía más a gusto con mi edad.

Tras una larga conversación con Pedro en la que le había costado mucho confirmarme su nueva paternidad (por la que lo había felicitado con una amplia sonrisa), accedí a su petición de llevarse a Álex un mes a Estados Unidos en verano, sobre todo porque el pequeño me lo pedía cada día.

En su último viaje hasta habíamos acudido juntos a un par de inmobiliarias para poner nuestro antiguo piso en venta y parecía que una relación cordial se afianzaba entre nosotros.

Tenía que admitir que, durante los últimos meses, Pedro y Elsa habían estado muy pendientes de Álex y le enviaban vídeos de las ecografías y lo hacían partícipe de todos los avances del embarazo. Curiosamente, había dejado de hacerme daño la nueva vida de Pedro.

Ahora, finalmente, tenía la mente ocupada en mis propias ilusiones: la casa de la playa, la finalización del máster y las nuevas prácticas (por supuesto, remuneradas), la estabilidad emocional de mi pequeño y la ilusión y el cosquilleo en el estómago que sentía cada vez que tenía a Óscar.

En veinticuatro horas, Óscar aterrizaría de su última estancia en África. Hacía cinco semanas que se había ido y me moría de ganas de verlo y hablar con él. Durante su ausencia, Álex y yo habíamos tenido una nueva compañera de piso: África, y me temía que a mi hijo le iba a costar mucho separarse de ella. La verdad era que había sido increíble tenerla en casa. África era un cielo, cariñosa, paciente, comilona y con tan buena energía como su dueño. Cada vez que entraba en casa, me sorprendía con sus maravillosos recibimientos y, además, tenerla conmigo había sido como haberme quedado con un pedacito de Óscar.

A pesar de las malas comunicaciones, había hablado con él todas las semanas. Y, una de las veces, Álex y yo hasta pudimos intercambiar unas palabras en inglés con Issa, a quien Óscar le había enseñado algunas frases de supervivencia.

Eran ya las cuatro de la tarde. África y yo nos estábamos preparando para ir a tomar un café con las chicas cuando me sonó el teléfono.

—Hola, pequeña —dijo la voz de Óscar al otro lado de la línea.

—¡Hola! ¿Cómo va todo por ahí?

—Bien, ya estoy en el aeropuerto. Mañana saldré a primera hora para Madrid.

—Mmm, te noto un poco apagado...

—Sí, bueno, ya sabes que cuando regreso tengo sentimientos contradictorios. Me muero de ganas de verte y abrazar a Álex y a la chucha peluda que tienes contigo, pero se me parte el corazón cada vez que tengo que despedirme de Issa...

—Ya, lo entiendo, tiene que ser muy duro...

—Sí, lo es. Cuando yo estoy aquí, siento que está a salvo conmigo, y cuando me voy... —se le quebró la voz.

—Óscar, tranquilo, seguro que estará ilusionado con tu siguiente regreso.

—Sí, pero... es tan injusto. Siento que hay algo más que puedo hacer...

—Lo que decidas estará bien. Por aquí también tenemos muchas ganas de verte —dije poniéndolo en manos libres para que África pudiera escuchar la voz de su compañero.

Tres ladridos provocaron la risa de Óscar, que animaba a su fiel amiga con cariñitos y promesas.

—Abril, muchísimas gracias por cuidar de ella estas semanas. Eres fantástica.

—Bueno, creo que Álex tendrá una seria conversación contigo antes de que te la lleves —dije riendo.

Se hizo un silencio en la línea.

—Echaba tanto de menos tu risa... En los momentos duros de soledad siempre la traía a mis sueños. Tengo ganas de ti, Abril.

Ese comentario provocó un escalofrío directo a mi entrepierna.

—Yo también tengo ganas de verte.

—En unas horas estaré por ahí y... siento decirte que no deberías hacer planes para este fin de semana, porque no me voy a despegar de ti.

Con esta frase y unos cuantos besos telefónicos acabó nuestra conversación. Durante los últimos meses, Óscar se había mudado a un piso muy cerquita de la casa de su hermano, que se encontraba menos de un kilómetro de la mía.

Tras la noche de Fin de Año, nuestras citas habían sido cada vez más habituales, hasta que las habíamos incorporado a nuestra rutina. Yo lo había ayudado con la mudanza, él lo había hecho con toda la logística de las obras para mi nueva casa, y lo cierto era que, cuando estábamos juntos, el tiempo volaba y sabíamos cómo exprimirlo al máximo. Nos reíamos, nos cuidábamos, nos devorábamos y nos respetábamos. Ninguno le había puesto nombre a lo nuestro y no lo necesitábamos. Me había encontrado con su hermano varias veces por el barrio y siempre me saludaba muy amablemente. Mi madre, sin embargo, todavía no lo conocía, pero ya le había hablado de él y de nuestra diferencia de edad, a lo que ella había respondido: «¿Y?».

Apuré la marcha para llegar puntual a mi cita con las chicas. Finalmente Maura se había quedado hasta febrero en Cuba y actualmente había solicitado una excedencia de un año para asistir a una formación de pintura avanzada en la escuela de arte de la ciudad. Fernando, por su parte, se había mudado prácticamente a su apartamento y parecía que la ilusión había vuelto a su vida. ¡¿Quién me iba a decir a los veinte que Maura y yo acabaríamos a los cuarenta saliendo con dos chicos doce años menores?! La vida es así, te sorprende cuando menos te lo esperas y, en este caso, nos había sonreído a los cuatro al acercarnos.

Susi había regresado de Sidney con sus *mellis* y la hermana de Elisabeth. Esta última tuvo que quedarse un mes más por contrato, pero ya hacía algunas semanas que estaban juntas y parecía que todo iba viento en popa.

Aparqué el coche y bajé con África (desde que la tenía conmigo, elegíamos terrazas y lugares donde permitieran el acceso a los perros). Maura y Susi me esperaban ya sentadas alrededor de una mesa.

—¡Hombre! Benditos los ojos que te ven —exclamó Maura.

—Hola, chicas, perdón por el retraso, pero Óscar me llamó justo cuando salíamos de casa y...

—Tenías que contarle lo mucho que lo echas de menos.

—Entre otras cosas —afirmé sonriendo. África fue directa a Susi, que la recibió con caricias, besos y alguna patata frita.

—Creo que Óscar no la volverá a dejar a mi cargo por el sobrepeso que ha cogido estas semanas —sonreí.

—Déjala que disfrute de la vida, ¿a que sí? —afirmó Susana hablándole directamente a la perra.

—¿Y cómo van esas clases de pintura? —pregunté a Maura.

—¡Genial! El profesor es supercreativo, aunque más raro que un perro verde.

—Alma de artista —dejó caer Susi.

—A lo mejor después del verano me voy a París a complementar esta formación —comentó Maura.

—¿Se irá también esta vez Fernando contigo?

—Todavía no lo hemos hablado, pero, a fin de cuentas, con un ordenador y conexión a internet puede trabajar desde cualquier parte del mundo. Ventajas de las nuevas tecnologías —dijo guiñándonos un ojo—. ¿Cómo va la casa? —preguntó entonces—. Dime que estará a tiempo para nuestro fiestón de cambio de década, recuerda que comenzará allí para que nunca olvides su inauguración.

—Pues sí, no te preocupes. La idea es mudarme cuanto antes, siento que cada vez el piso me ahoga más y Álex me pregunta cada cinco minutos cuándo vamos a dormir en la nueva casa.

—Mmm, espero que sea pronto —dijo Maura sorbiendo su Coca-Cola Zero—. Abogada, estás muy callada. ¿Cómo va el nidito de amor?

Susi sonrió antes de contestar. Desde que Elisabeth había regresado a su vida, estaba de buen humor cada día. Los *mellis* se habían tranquilizado y ella se dejaba llevar por lo que el universo le había puesto delante.

—Va todo de maravilla, tan bien que me asusta. Elisabeth viene a cenar todas las noches y alguna, la mayoría, se queda a dormir —reconoció sonrojada.

—Pero, mujer, ¿a estas alturas te sonrojas? ¡Si estás feliz! Se te ve en todos los poros de la piel —la animó Maura.

—La verdad es que sí lo estamos. Elisabeth adora a los niños y es algo mutuo. Sandra se esfuerza mucho con su cuidado y los *mellis* han aprendido a quererla también.

Susi había decidido dejar de pagar a Elisabeth por el cuidado de sus hijos, ahora su relación estaba en otro punto, y entre las dos decidieron que su hermana Sandra conservara el puesto de trabajo. Para los *mellis*, Elisabeth era la mejor amiga de mamá, la que había estado siempre con ellos, la que los quería, cuidaba y atendía con amor, la que venía a cenar, les leía un cuento, jugaba con ellos y con quien se divertían los fines de semana.

—¿Os dais cuenta de cómo han cambiado nuestras vidas en los últimos doce meses? —preguntó Maura—. Yo no sé si volveré a volar, Abril está retomando la profesión que le hacía soñar cuando era pequeña y tú, abogada, eres la única que mantiene su trabajo; sin embargo, las tres estamos muy bien acompañadas... Creo que Fer es la primera relación sana que tengo con alguien —reflexionó.

—¿Cómo lleva Álex la llegada de su nueva hermana? —preguntó Susi.

—Pues la verdad es que está muy ilusionado —respondí.

—Creo que la pregunta es: ¿cómo lo llevas tú? —matizó Maura.

—Pues mejor de lo que creía. Lo que no llevo tan bien es pensar que Álex estará un mes entero tan lejos de mí. ¿Y si le pasa algo?

—No pienses en eso, mujer —me animó Susi—. Seguro que estará genial y le vendrá bien practicar el idioma.

—Sí... —dije pensativa—. Es solo que no me hace gracia que todos los veranos se repitan estos viajes y estemos a un océano de distancia. Me temo que, como le guste, así será siempre; aunque creo que, ahora que van a tener un hijo, ella quiere regresar a España para estar más cerca de la familia. Quizás eso fuerce a Pedro a volver antes de lo que le gustaría...

—Pues míralo por el lado bueno, eso a ti te beneficiaría y, mientras tanto, podrás disfrutar de tiempo a solas con Óscar; viajar juntos y, en definitiva, vivir, Abril, que te casaste muy joven y muy inocente. Es tu momento.

—Creo que Maura tiene razón —dijo Susi poniéndome la mano en el hombro—. Anda, anímate. ¿Cuándo dices que llega Óscar? —preguntó para desviar el tema.

El encuentro duró algo más de dos horas, África se portó de maravilla, como siempre (darle alguna que otra tapilla por debajo de la mesa hizo más llevadera su espera), y los planes de nuestro cuarenta cumpleaños coparon el resto de la conversación, aunque muchos de ellos Maura no nos los quiso desvelar indicando que eran sorpresa; a saber lo que esa aventurera mujer nos tenía preparado.

Las horas siguientes pasaron volando y Óscar aterrizó sano y salvo. África y yo nos habíamos acercado a su piso de la playa para esperarlo con todos los honores y lo vimos bajar del taxi más delgado, con barba de unos cuantos días y guapísimo de la muerte. La loca aplaudía con un salto de cama satén color morado.

La primera en acercarse a él fue su compañera peluda. Óscar soltó todo lo que tenía en sus manos para recibirla como se merecía y yo les dejé su espacio para reencontrarse. Entonces él levantó la mirada y se acercó a mí para plantarme un beso de esos de película en plena calle sin importarle quien nos pudiera ver o el qué dirán. Esto era algo que me encantaba de Óscar. Pedro siempre había sido reacio a las muestras cariñosas en público y, sin embargo, con este chico era todo tan diferente, tan natural...

—Abril —susurró—, cuánto te he echado de menos.

Entramos en su apartamento mientras África no paraba de mover su cola. Estaba feliz de estar con su mejor amigo y en su casa al fin. Óscar se dirigió a la cocina y se sorprendió de ver el frutero lleno y la nevera con algunos básicos.

—Te he hecho una pequeña compra... supuse que tendrías hambre —dije tímidamente. ¿Era muy de madre lo que acababa de decir?

Me miró sorprendido, agradecido, y se acercó para besarme de nuevo con tanta pasión que las llaves de repuesto cayeron de mi mano y me abandoné al contacto con Óscar, con su cuerpo, su aliento, su aroma, su calor, su piel tostada por el sol de África. En cinco minutos, nuestras pieles se abrazaban aliviadas tras la ausencia. Habíamos dejado a África en su colchoncito del salón y habíamos pasado a la habitación entre un baile de besos y de prendas abandonadas por el pasillo. No podíamos separarnos. Óscar recorría mi cuello bajando por los hombros hasta llegar a mis pechos que lo recibían amables y cálidos. Y nuestras manos se cruzaban mientras recorrían la superficie de nuestra anatomía.

Nos dejamos caer sobre su cama y sentí todo el peso y aroma de Óscar sobre mi cuerpo. Cuánto lo había echado de menos. Nuestras bocas se negaban a separarse. Sentí la mano de Óscar por encima de mi ropa interior acariciándome con paciencia. Arqueé mis caderas implorando más. Mis instintos estaban descontrolados y eso hizo que él respondiera amablemente a mis peticiones introduciendo sus manos por debajo de la tela. En pocos minutos me sentía a punto de explotar; él también lo sintió y aceleró el ritmo de sus dedos presionando en mi interior. Un gemido salió del fondo de mi garganta y me sacudí hasta alcanzar el cielo.

Abrí los ojos para ver la sonrisa de Óscar, que alcanzaba un condón del cajón de su mesilla, y entró en mi cuerpo que lo recibió totalmente preparado.

—Abril..., te quiero —dijo mientras cabalgaba abrazado por mis muslos a un ritmo constante.

Me acababa de decir que me quería por primera vez. En lugar de asustarme y salir huyendo, recibí sus palabras con una sonrisa, atrayéndolo más hacia mí. Óscar me quería a pesar de todos mis prejuicios, de mi edad, de mi pasado, del suyo, del presente y del futuro.

Él estaba de vuelta y esta vez no regresaría a África hasta septiembre, tendríamos todo el verano por delante para hacer planes juntos, con Álex, con África y también en pareja.

Volví a sentir la sensación que siempre sentía con él y quise alcanzar de nuevo el cielo, esta vez en su compañía. Entonces apuró su ritmo hasta descargarse sobre mí con un gruñido de placer y, al cabo de un rato, se quedó dormido.

Sentí la respiración pausada de Óscar a mi lado. El sol del atardecer entraba por la ventana anunciando el calor y la luz de esta época del año. Aún faltaban tres horas para ir a recoger a Álex, así que cerré los ojos y me uní a su descanso.

Cuarenta primaveras

El despertador sonó a las siete de la mañana. El día había llegado y había un montón de cosas que hacer. En tres horas tendría la casa llena de gente para transformar el jardín trasero en el recibidor y primera parada de la celebración de nuestras cuarenta primaveras.

La fiesta daría su comienzo a las siete de la tarde. Una empresa de *catering* se encargaría de ofrecer comida y bebida a todos los invitados y, a las diez, embarcaríamos en un catamarán privado que nos serviría una cena al anochecer mientras navegábamos por el océano.

La diversión seguiría a bordo hasta casi el amanecer, momento en el cual desembarcaríamos para pernoctar en una casa de turismo de la costa solo para nosotros.

Al día siguiente se predecían temperaturas de veinticinco grados, así que el plan era playa y barbacoa en la estancia.

Salté de la cama y me encontré a Óscar meditando en el jardín con África a su lado. Mi pequeño Álex se había quedado a dormir con los abuelos para no tener que sufrir el estrés de los preparativos. Respeté el silencio de Óscar y me senté en el banco del jardín. Álex y yo nos habíamos mudado hacía diez días y la última semana había sido muy intensa.

Montar los muebles, preparar la casa y todo lo que implicaba abandonar un piso donde había pasado los últimos años de mi vida había resultado agotador, pero sin duda había merecido la pena. Siempre con la incondicional ayuda de Jose Mari, mamá y Óscar, que habían aprovechado la ocasión para conocerse e intercambiar sus primeras conversaciones.

La luz del amanecer iluminaba el jardín y África cerraba los ojos ante el primer rayo de luz. Óscar se incorporó y se sentó a mi lado pasándome una mano sobre el hombro.

—Buenos días, pequeña. ¿Preparada para la fiesta?

—Creo que tendría que meditar una eternidad para eso —respondí sonriendo.

En el último mes, Óscar y Álex habían intimado todavía más, siempre se habían llevado bien pero las partidas a la Nintendo Switch, los paseos playeros con África y las pachangas de fútbol en la playa los habían unido para siempre. En esos momentos era cuando veía en Óscar el lado infantil que todos tenemos.

Por otro lado, la reforma de la casa había quedado tal y como la había planeado, y en gran parte eso era gracias a Jose Mari, cuya ayuda y supervisión nunca podría agradecerle lo suficiente («gracias de nuevo, papá, por mandárnoslo»). Mi madre estaba entusiasmada con mi nuevo hogar y también con Óscar, que le había encantado.

Ahora solo quedaba disfrutar. Además, una semana antes, había entregado mi proyecto final de máster y, hasta que empezase mis prácticas en septiembre, tendría unos meses de respiro.

A las diez, minutos después de que Óscar y África desaparecieran, sonó el timbre y llegaron Maura y Susi acompañadas de una legión de personas dispuestas a dejar mi casa todavía más bonita. Maura se sentía pletórica, y no había para menos, pues la verdad era que ella lo había organizado todo; Susi y yo lo habíamos dejado en sus manos, ya que era la que más tiempo y gusto tenía de las tres.

A las dos en punto, cerramos la casa y nos fuimos a comer; teníamos reserva en un vegetariano próximo a la playa, en una mesa de la terraza, y el día acompañaba, pues lucía un sol excepcional.

—No me creo que vayamos a celebrar nuestros cuarenta años —dijo Susi.

—¿No eran los cuarenta los nuevos treinta? —preguntó Maura.

—No —afirmé yo—. Los cuarenta son los cuarenta y es importante aceptar la edad que se tiene. Todas las etapas tienen su encanto y lo que importa es cómo tengas esto —dije señalando a mi cabeza.

—¿Quién eres y qué has hecho con mi amiga? —preguntó Maura. Las tres reímos—. Bueno, yo creo que, a mí, Fernando me ha hecho rejuvenecer —añadió ondeando su melena.

—A mí quien me rejuvenece cada día son los *mellis*. Creo que nunca tuve tanta energía en mi vida como ahora. La verdad es que tampoco la necesitaba...

—Pues yo creo que la vida te rejuvenece o te envejece en función de la circunstancia que te toque vivir —dije.

—A ti te ha rejuvenecido separarte del muermo de Pedro, aunque, viendo lo mística que te pones desde que estás con Óscar, no sé quién es mayor que quién —dijo Maura.

—Ah, qué maravilla de sol, qué bien se está. —Susi levantó su Coca-Cola para brindar—. Ojalá podamos celebrar juntas muchos cumpleaños más.

El sonido de nuestros vasos puso la banda sonora a ese momento, con esa terraza frente al océano que escondía toda su fuerza.

—Deberíamos tomar un Red Bull, nos espera un fin de semana largo y completo —afirmó Maura sonriente.

—Y que me sigas dando miedo después de casi cuarenta años a tu lado... —dije.

A las cuatro de la tarde me dejaron en casa. Tenía por delante tres horas hasta las siete que llegarían los primeros invitados. Me habría ido muy bien echarme una siestecita de media hora para reponer fuerzas, pero estaba tan nerviosa porque todo saliera bien que creía que no me dormiría y menos con la Coca-Cola que me acababa de tomar. De todos modos, decidí descansar un rato, así que salí a la terraza y me tumbé en una de las hamacas bajo una de las sombrillas. Qué buen trabajo habían hecho los jardineros y los del servicio de *catering*. Sentí el calorcito del sol por debajo de mis rodillas y cerré los ojos. «En quince minutos subo y preparo todo», me dije.

El sonido del timbre me sobresaltó. Pero ¿quién sería a estas horas? Si aún era muy temprano... Me dirigí a la puerta sintiendo molestias en las piernas, se me habían quedado dormidas. Cuando abrí la puerta, vi a mamá con Álex.

—Hija, pero ¿aún estás así? ¡Jesús! ¿Qué te ha pasado en las piernas?

Miré hacia mis piernas y vi dos tiras de churrasco bien pasado de rodilla para abajo. ¡Joder! Pero ¿cuánto tiempo había estado en la hamaca?

—Son las seis y media, cariño. ¡No me digas que te has quedado dormida al sol! —exclamó mi madre.

—¡Mierda!

—Mami, no se dicen palabrotas.

—Es verdad, Álex. Perdona, pero a mamá le duelen mucho las piernas.

—Puedo hacerte un masaje —dijo el pequeño. Si es que era para comérselo.

—Gracias, cariño, pero ahora casi mejor que nadie me toque.

—Menos mal que está tu madre aquí. —Mamá hizo una llamada y le dio la orden a Jose Mari para que trajese aloe vera recién cortado de su jardín.

—Creo que voy a darme una ducha de agua fría. Mamá, ¿puedes abrir tú la puerta?

—Sí, hija. Anda, ve.

—Álex, estás guapísimo.

—¿Puedo leerte mientras te duchas, mami? —preguntó.

—Claro.

Álex fue a su cuarto y trajo un cómic de Astérix; le encantaba leer y leerme, no podía estar más orgullosa. Abrí el agua fría de la ducha y me metí dentro mientras Álex me relataba riendo las peripecias de Astérix y Cleopatra. ¡Dios! ¡Cómo quemaba incluso el agua fría, pero qué alivio...!

En ese momento, mi madre entró en el baño con dos hojas de aloe vera en la mano; al ver que seguía en la ducha, dio media vuelta y se fue. Era imposible tener algo de intimidad, pero ¿qué haría sin ellos? Eran mi todo, mi energía y mi ilusión.

Salí del baño a toda pastilla hacia mi cuarto. Mi madre esperaba sentada en la cama consultando sus wasaps.

—Jose Mari está abajo abriendo la puerta y organizando al personal.

—¿Qué haríamos sin él, mamá? —dije sentándome a su lado en la cama. Ella me miró sonriendo de orgullo.

—Tu padre nos lo mandó para cuidarnos —dijo poniendo una mano sobre la mía—. Anda, arréglate que tienes un buen mozo que recibir.

Para esa tarde había elegido un mono negro que dejaba al aire los tobillos, ahora churrascados, con escote palabra de honor. ¡Dios! ¡Qué grima sentir la tela sobre la piel!

—Espera, Abril, déjame ponerte esto. —Mi madre había abierto las hojas de aloe y embadurnó toda mi piel quemada con una buena cantidad de su pulpa.

—Déjatela puesta hasta que bajes, que sea lo último que te quites. ¿De acuerdo? Álex, cariño, vamos abajo a ayudar al abuelo, que con tanta gente se aturulla.

Cerraron la puerta de mi habitación y me quedé sola disfrutando del silencio antes de dedicar toda mi energía a la fiesta. Mi mirada se fue hacia la galería, que se había ampliado con la reforma. El azul oscuro del mar seguía hipnotizándome. Las chicas estaban a punto de llegar y yo de esa guisa.

Parecía que el aloe vera de mamá empezaba a hacer efecto, qué gustito.

Me puse la ropa interior también de color negro para la ocasión y decidí cambiar el *look* de pelo liso que había planeado (ya no había tiempo para ello) por otro de pelo alborotado. Vacié prácticamente un bote de espuma y me sequé el pelo con difusor. En ese momento volvió a abrirse la puerta; esta vez era Maura.

—¡Si es que no te puedo dejar sola! Ya me ha contado tu madre la parrilla en tus piernas. Déjame ver.

—No es nada... —dije sin casi moverlas.

—Puf, eso tiene que escocer. Ya ha llegado la mitad de la gente.

—Me maquillo y bajo, ¿ok? Quince minutos, te lo prometo.

—Será mejor que sea cierto, Abril. Si no, volveré a buscarte aunque estés en pelotas. Llevo mucho tiempo planeando esta fiesta y tus piernas de churrasco no van a impedir que siga su curso.

—Que nooooo, ya verás cómo estoy lista en un santiamén.

—Voy a beber un Martini —dijo desapareciendo por la puerta.

Mientras me ponía sombra azul en los párpados escuchaba la música abajo, era muy agradable. Ya estaba casi lista, había llegado la hora de la verdad; la de quitarse el aloe vera y vestirse.

La puerta se abrió de nuevo.

—¡Maura, ya estoy! —exclamé mientras me ponía carmín en los labios.

Por el espejo de mi habitación pude ver a Óscar apoyado en el marco de la puerta, observándome con las manos en los bolsillos. Llevaba una camisa negra y unas bermudas del mismo color con alpargatas color caqui.

Me giré hacia él.

—Estás... preciosa... —dijo sin dejar de mirarme.

—Me he quemado las piernas

—Lo sé, y he venido para ayudarte.

Se acercó a mí, me llevó hacia el baño y me senté en el borde de la bañera.

Mojó una esponja en agua fría, se arrodilló y, con mucha suavidad, empapó mi rodilla derecha. Las gotas fresquitas corrían haciendo surcos sobre mi piel ardiente, aliviándola. Repitió el mismo movimiento una y otra vez en ambas piernas.

Con una toalla de algodón secó mi piel con pequeños golpecitos para, acto seguido, untarme un gel hidratante *aftersun* también de aloe vera que había traído mi santa madre.

Todo este procedimiento de limpieza me había excitado y mucho. Tener a Óscar arrodillado entre mis piernas aliviando el ardor de mi piel... Él lo sabía y, por el bulto de su entrepierna, me di cuenta de que sentía lo mismo. Besó mis muslos suavemente.

—Abril, te haría el amor aquí y ahora, pero teniendo en cuenta el fin de semana que nos espera valdrá la pena retrasar la recompensa.

Se levantó tras darme un ligero beso en los labios y me dejó para que terminase, al fin.

Bajé a los diez minutos, cuando recuperé un poco el aliento. Ya habían llegado prácticamente todos los invitados. Al primero que saludé fue a Jose Mari, y nos fundimos en un abrazo cómplice. Mi madre estaba al fondo del jardín charlando amigablemente con un grupo de invitados entre los que, por supuesto, se encontraba Chelita y mi pequeño Álex correteaba con los *mellis* por el jardín. El 1 de julio se iría a Miami con su padre y no regresaría hasta el 2 de agosto. Me entristecía pensar en ese momento, pero él se veía muy ilusionado.

Maura se iría a París este verano a seguir con su formación de pintura y Fernando la acompañaría gran parte del tiempo. Susi y Elisabeth se irían una semana juntas a un crucero por el Mediterráneo mientras Sandra se quedaba al cuidado de los niños, y yo, pues después de todas las obras, del esfuerzo del máster y con la ausencia de Álex, solo quería descansar. Con Óscar todavía no habíamos hablado del verano... pero mejor vivir el día a día.

Maura puso una copa de Martini en mis manos y me llevó a saludar a un grupo de amigos. Pude ver a Óscar con Fernando y otros chicos al fondo charlando. Nuestras miradas se cruzaron con una sonrisa varias veces.

La tarde transcurrió según lo previsto. La música era muy agradable, los canapés estaban buenísimos y la bebida bajaba como la espuma ante los rayos del atardecer.

A las nueve y media nos subimos todos al barco para disfrutar de una cena en alta mar y yo aproveché el tiempo al máximo para estar con Álex. A las doce el catamarán haría una parada en el puerto para dejar a los que quisieran finalizar la fiesta y Mamá, Jose Mari, Álex y los *mellis* junto con Sandra serían algunos de ellos.

Antes de ese momento, sonó el *Cumpleaños feliz* y Maura, Susi y yo soplamos juntas la entrada en esta nueva década convirtiendo al océano en testigo de nuestros deseos.

Despedimos a los que se bajaron desde la cubierta y seguimos nuestra navegación, esta vez con la música algo más alta. Empezaba el momento de las copas y los invitados ya estaban más que animados.

Fernando no se separaba de Maura y, de vez en cuando, sus manos se perdían por dentro de su vestido sin ningún pudor mientras ella respondía encantada a sus insinuaciones.

Susi y Elisabeth estaban más relajadas y cómplices desde que Sandra y los *mellis* habían desembarcado, y yo apenas había estado con Óscar.

—¿Bailas conmigo?

Me giré y ahí estaba él, tan guapo, tan... Óscar.

Comenzamos a bailar al ritmo de Fangoria. Mis manos se apoyaron en su cuello y las suyas en mi cintura.

—Felicidades, pequeña —susurró en mi oído.

Moví el cuello cerrando los ojos y dejándome llevar por la música, por el aroma del mar, por ese momento tan especial.

Él sonrió y seguimos bailando, esta vez más cerca. Lo deseaba tanto a pesar del quemazo de mis piernas... Entonces agarró mi mano y lo seguí hasta uno de los camarotes. Óscar tenía la llave. Lo miré sorprendida.

—Hay que tener amigos en todas partes —dijo guiñándome un ojo.

Entramos al camarote y pude ver una cama con forma ovalada y un aseo al fondo. Olía a limpio y, por la ventana, se veía el mar mucho más cerca.

Óscar se arrodilló para desabrochar con suavidad mis sandalias. Besó las quemaduras de mi piel y siguió subiendo con sus labios hasta mi espalda. Desabrochó la cremallera de mi mono negro acariciando la línea de mi columna con la punta de sus dedos. Se deshizo de mi sujetador y me quedé solo con las braguitas.

Yo desabroché su camisa y pude acariciar su piel suave y morena, que no estaba chamuscada por el sol como la mía. Besé su torso arrancándole un suspiro mientras liberaba también el botón de sus bermudas. Luego me deshice del bóxer y admiré su erección.

—Estoy listo para ti —susurró.

Tomé su erección con la mano y la acaricié parándome en la punta. Este gesto le arrancó un gruñido, así que seguí haciéndolo, esta vez cubriéndolo con mis labios.

Estaba tan excitada... Óscar me paró y me apoyó de espaldas contra la ventana del camarote.

—Disfruta de las vistas, mi amor.

Bajó mis braguitas, lo que me excitó todavía más, y acarició mis muslos por detrás hasta llegar a mi entrada. Introdujo dos dedos en mi interior y los dejó ahí mientras besaba mi cuello.

Lo escuché revolver en su pantalón buscando un condón y lo recibí húmeda y aliviada. Cada embestida me hacía temblar por dentro. Óscar me sostenía abrazada por la cintura con una mano mientras con la otra acariciaba mis pliegues.

Me giró esta vez para mirarme de frente y besarnos con pasión. Apoyó mi espalda en la pared y entró de nuevo hasta que alcanzamos el orgasmo.

Reímos extasiados tras esa liberación de energía.

—Me encanta tenerte —dijo Óscar.

—Y a mí —respondí.

Salimos del camarote de nuevo hacia la fiesta con la idea de pasar al fin nuestro primer verano juntos. Nadie había advertido nuestra ausencia. Elisabeth y Susi charlaban animadamente al fondo del barco. Y Maura había desaparecido, quizás a otro de los camarotes.

Óscar fue a buscar dos mojitos, que saboreamos apoyados en una barandilla de la cubierta escuchando el vaivén del océano. Sorprendí a la loca brindando conmigo, todavía despeinada.

En apenas una hora amanecería y nos quedamos para disfrutar del momento. Una vez desembarcados, un buen desayuno y unas horas de sueño matutinas nos prepararon para afrontar el resto de la jornada entre amigos.

El día transcurrió en la playa, a la que se accedía directamente desde nuestra casa alquilada. Éramos unas treinta personas las que nos alojábamos allí y toda la tarde sonó música de la mano de un DJ. Hubo canapés, tapitas y, por supuesto, barra libre. Maura se había esmerado en todos los detalles.

Por la tarde-noche se planificó una barbacoa en el jardín, que estaba decorado con globos de corazones con nuestros nombres y la cifra 40. Y decidimos sentarnos en la playa todos juntos para ver la maravillosa puesta del sol y compartir ese momento mágico en el que despedíamos a nuestra mejor estrella, la que nos daba calor, energía y vida, hasta el día siguiente.

Pude ver a Maura en primera fila sentada entre las piernas de Fernando, que rodeaba su cintura apoyando la barbilla en su hombro. A su derecha estaban Susi y Elisabeth con las manos entrelazadas y, al otro lado, me situé yo con mi maravilloso acompañante, que ya se preparaba para ese momento tan especial.

El color anaranjado y rosáceo del sol se fue perdiendo poco a poco detrás del océano hasta desaparecer por completo. En ese momento hubo vítores, silbidos, aplausos y comenzó de nuevo la música mientras nuestros invitados se levantaban caminando hacia el jardín.

—Espera —me dijo Óscar agarrándome de la mano—, quiero enseñarte algo.

Lo miré sorprendida y atendí su petición. Me dejé llevar por él hasta la parte final de la playa, en la que había una estructura rocosa sobre la cual nos sentamos. Apenas había luz, así que Óscar activó la linterna de su móvil.

—¿Te gustaría ver lo que hay ahí? —dijo divertido señalando hacia la parte de atrás de una roca.

Asentí curiosa y me guio con el móvil en la mano, dejándome asomarme en soledad mientras iluminaba la zona. En la arena había un corazón hecho con conchitas de playa que incluía en su interior las palabras: «Te quiero, Abril».

Justo debajo pude ver un sobre con mi nombre. Miré hacia Óscar, que asintió animándome a abrirlo. Me arrodillé sobre la arena ya fría de la noche y lo abrí.

En su interior había un dibujo infantil. Eran unos garabatos en los que se intuían un perro, una cabra, dos niños y dos adultos de la mano. Todos tenían en su rostro la expresión de una gran sonrisa. Miré de nuevo a Óscar sin comprender, él sonreía orgulloso.

—Abril, ¿qué planes tienes para este verano?

—Pues... Álex se va y no sé...

—¿Qué te parece viajar a África conmigo en agosto quince días? Los otros quince los podemos pasar donde tú quieras.

—¿Lo dices en serio? —pregunté aún con el dibujo en la mano.

—¿Alguna vez no he hablado en serio? —dijo sonriendo y arrodillándose a mi lado—. Este dibujo lo ha hecho una de las personitas más importantes de mi vida y, como ves, nos ha incluido a todos en su obra.

¡Oh! Lo había hecho Issa y, era cierto, todos estábamos en su dibujo.

—Él nos imagina a todos juntos y felices —continuó.

En ese momento Óscar tomó mis manos y continuó hablando.

—Hay algo que todavía no te he dicho. —Lo miré atentamente—. Voy a solicitar la adopción de Issa. Quiero que viva aquí, con nosotros, y seamos esta familia que él ha pintado y en la que nos incluye a todos. ¿Qué te parece?

Fue la primera vez en más de un año que sentí a Óscar temblar. Las lágrimas inundaron mis ojos y también los suyos.

Cuánto nos enseña la vida y qué poco los estereotipos y prejuicios. Yo preocupada por salir con un chico doce años más joven y resultaba que era más maduro que todos los que estábamos en esa fiesta celebrando nuestras cuarenta primaveras.

—Es... una decisión muy valiente que sé que has meditado mucho —pude decir entre lágrimas—, y me parece que aún te hace mejor persona de lo que ya eres. Álex se pondrá como loco de contento y África, también. Yo adoro a este ser tan maravilloso desde que me enviaste sus fotos por primera vez.

—Lo de traernos a la cabra lo tengo que negociar con él —dijo Óscar arrancándonos una carcajada a los dos.

Nos besamos ante la oscuridad de esa noche tan especial en la que había tanto que celebrar. Una vez más, el océano había sido testigo de nuestros sueños e ilusiones y de nuestro amor; sí, amor, porque el amor llega cuando menos te lo esperas vestido de cualquier forma, color y sexo.

Apenas hacía unas semanas que había cumplido cuarenta años y me había vuelto a enamorar, y esta vez de una forma diferente, adulta, madura y de alguien muy especial. En agosto nos iríamos a África y, al fin, conocería a esa personita que había robado el corazón a mi chico; sí, «mi chico», porque eso era. Apoyaría a Óscar con todos los trámites y aprovecharíamos para ir a algún otro paraíso a descansar y a disfrutar de la vida, de nosotros, de nuestro amor, del momento y de nuestros sueños juntos.

Porque los prejuicios solo existen en nuestra mente. No importa quién sea tu faro, solo hay que seguirlo. Una nueva etapa está justo detrás de la oscuridad y del miedo. Y como Óscar me dijo alguna vez: «Somos los escritores de nuestra propia vida. ¿Te atreves con la tuya?».

Agradecimientos

La gratitud es algo que cada día está más presente en mi vida. Ha cobrado un protagonismo importante en los últimos años. Ahora, nunca dejo que termine un solo día sin agradecer.

Este libro es un regalo más que la vida me ha puesto delante y en el que han participado muchas personas para hacerlo posible. Agradezco a mi agente, Sandra Bruna, su confianza desde el primer momento que contactamos por email. Lo mismo debo decir de su equipo, siempre dispuesto a ayudar y transmitir esperanza.

Agradezco a Esther Sanz, mi editora, todo su apoyo y apuesta por mi obra. Desde el principio sentí que era una persona especial, de esas con las que conectas sin necesidad de conocerla.

Qué decir de Antonio Varela, mi abuelo materno, mi espejo, mi mentor y mi escritor favorito. Sé que estás sonriendo desde algún lugar no muy lejano a mí.

Agradezco a todas las personas que pasan de alguna manera por mi vida llenándola de historias y experiencias que, con una pizca de magia, se transforman en parte de mis libros.

A toda mi familia, por estar siempre ahí y respetar el camino que he elegido.

A Titania, y a todo el grupo Urano, porque su apuesta por mi obra me llenará de experiencias maravillosas.

Y a la vida, por otorgarme la misión de crear historias que permitan soñar sin moverse del sitio.

¿TE GUSTÓ
ESTE LIBRO?

escríbenos y
cuéntanos tu opinión en

f /Sellotitania   **🐦** /@Titania_ed

📷 /titania.ed

#SíSoyRomántica